MW00642086

Elogios para Los Códig

"El Dr. Alex Loyd tiene la tecnología curativa definitiva en el mundo de hoy --ésta revolucionará a la salud. Es la manera más fácil de ponerse bien y de estar bien rápidamente. El Dr. Loyd bien puede ser el Albert Schweitzer de nuestro tiempo".

—Mark Victor Hansen, co-autor de los libros Sopa de Pollo para el Alma

"Yo he utilizado casi todas las últimas y más grandes tecnologías, protocolos de tratamiento, técnicas, sistemas, filosofías y modalidades curativas tanto en la medicina convencional como en la alternativa, y si tuviera que elegir solo una, ésta sería el trabajo del Dr. Alex Loyd. No he encontrado ningún otro proceso que sea tan elegantemente simple, tan fácil de aprender sin esfuerzo, inherentemente portátil, profundamente efectivo, y fundamentalmente eterno. La mejor recomendación que puedo hacer es que Yo la utilizo para mi mismo, mi familia y mis pacientes".

—Merrill Ken Galera, MD, Director Médico, The Galera Center, anterior Médico Principal del Centro de Curación Natural del Dr. Mercola

"Durante años fui un escritor para la revista Alternative Medicine Magazine, entre otras. LO HE VISTO TODO en cuanto a salud natural se refiere. No solamente he probado las técnicas y los productos, he interactuado con los creadores y con los promotores de manera personal. He investigado, realizado pruebas, entrevistado a clientes exhaustivamente para determinar cuál es la verdad frente a la propaganda exagerada. ¡Los Códigos Curativos es la técnica de curación más fácil y más efectiva del tipo "hágalo usted mismo" que he encontrado! Funciona de manera consistente, predecible, y rápidamente en una amplia gama de asuntos. En otras palabras, ¡ES AUTÉNTICAMENTE LO MEJOR!"

—Dr. Christopher Hegarty, orador público ganador de premios internacionales, autor de bestsellers, y consultor, cuyos clientes incluyen a más de 400 compañías de 500 de las listas de Fortune, organizaciones gubernamentales, profesionales y muchas otras organizaciones en 36 países.

"Conocimos al Dr. Alex Loyd por teléfono, luego de regresar de la India. Habíamos volado a Cincinnati, OH, para dar un seminario y ambos nos sentíamos tan enfermos con amibas que habíamos contraído que le tuvimos que decir al organizador Bill McGrane del Instituto McGrane, que creíamos que no podíamos dar el seminario. Bill inmediatamente nos puso en contacto con Alex (quien nos mostró como usar) Los Códigos Curativos. Teníamos un día de descanso antes de nuestro seminario y en ese día, luego de usar los Códigos Curativos unas cuantas veces, nos sentíamos mucho mejor. Para la hora en que comenzó nuestro seminario nos sentíamos genial, y posteriormente los entusiastas comentarios de nuestros participantes sugirieron que había sido uno de nuestros mejores seminarios de todos los tiempos. Los Códigos Curativos han producido grandes resultados para nosotros de manera consistente. Son simples, no-invasivos, fáciles de hacer y efectivos. Más alla de eso, el Dr. Alex Loyd es un hombre atento, profundamente amoroso, de la más alta integridad. Ha sido nuestro honor y privilegio el estar asociados con él".

—Chris y Janet Attwood, Autores del bestseller del New York Times El Test de la Pasión

"En 2004 tenía un problema en los pies que me estaba provocando mucho dolor. Cada vez que daba un paso, el talón de uno de mis pies me dolía con un súbito dolor agudo. Los doctores parecían no poderme ayudar y durante seis meses viví con esta afección crónica. El dolor se ponía cada vez peor. Me presentaron al Dr. Alex Loyd y los Códigos Curativos y decidí ver si su programa me ayudaría. Realicé una prueba de Variabilidad de la Frecuencia Cardíaca (HRV) [el 'estándar de oro' para comprobar el estado del sistema nervioso autónomo] la cual mostró que mi cuerpo se encontraba bajo un fuerte estrés y que mi sistema nervioso estaba fuera de balance. Realicé inmediatamente un Código Curativo de 7 minutos, y posteriormente hice otra prueba HRV. La segunda de las pruebas HRV mostró que mi cuerpo ya no se encontraba bajo estrés --mi sistema nervioso estaba balanceado. Al día siguiente otra prueba HRV mostró que mi sistema nervioso se encontraba todavía en balance con ese único Código Curativo. Tres días después el dolor en mi pie se había ido por completo y nunca más volvió. Desde entonces, he visto un cambio dramático en un par de otras cuestiones físicas, y parece tener un muy buen efecto en mí a nivel emocional. Es muy fácil de usar. A mí particularmente me gusta que no tienes que depender de nadie más. Tú puedes curarte a ti mismo. He conocido a muchas personas que los han utilizado con un éxito similar".

—Joe Sugarman, creador and propietario de los lentes para sol "BluBlocker"; considerado uno de los principales expertos en mercadeo y publicista del mundo de los últimos treinta años.

"Dios envuelve sus regalos hacia nosotros en muchos paquetes diferentes. Alex Loyd es unos de sus paquetes especiales.

"He tenido el placer de observar la vida de Alex cambiar en un solo fin de semana. Mi estudio intensivo en Antigüo Hebreo ha abierto un mundo perdido para mí; un mundo que llego a describir como "El Redescubrimiento del CORAZÓN".

"Alex y yo nos conocimos horas antes de que su esposa le dijera que su matrimonio estaba terminado. Destrozado con el fracaso de su vida, Alex se encontraba abierto a descubrir qué es el corazón, qué lenguaje habla y cómo vivir desde el corazón. Hemos estado juntos en una búsqueda por revelaciones cada vez mayores de las maravillas de este mundo perdido desde ese día.

"No puedo recomendar lo suficiente a Los Códigos Curativos. Son, en mi opinión, un descubrimiento mayor que cura cualquier asunto desde su esencia. Lo que ha hecho la creación de la computadora para los negocios, Los Códigos Curativos lo pueden hacer para la salud y la curación. Si estás abierto al mundo descrito en este libro, puede que te sorprendas al descubrir el regalo que Dios te ha hecho, a todos nosotros".

—Larry Napier, mentor, amigo y estudiante de Alex Loyd.

"Este es el cuerpo de conocimiento más profundo que he experimentado. Cualquier persona seria acerca de ser lo mejor de si querrá ser tocado por esta experiencia. Conocer al Dr. Loyd es como estar con Einstein antes de que Einstein fuera conocido como Einstein".

—Bill McGrane, Presidente del Instituto McGrane

"Los Códigos Curativos son el más grande descubrimiento de curación de la historia. En 40 años de radiodifusión, he visto y probado cada modalidad curativa que te puedas imaginar. (Durante 10 de esos años fui el anfitrión del programa de radio de ciencia de última generación el "SciZone" cubriendo 38 estados.) Los Códigos Curativos están a un nivel más allá de cualquier cosa que haya visto. Este es el más grande de los descubrimientos desde la medicina debido a que pone a la curación bajo tu control. La curación es específica, y así también lo son Los Códigos Curativos. Una vez que pruebes este Código Curativo tu vida comenzará a cambiar instantáneamente --¡Pruébalo y ve que sucede!"

—Bill Boshears, científico y anfitrión del programa de entrevistas sindicado "SciZone"

Para más testimonios de personas que han utilizado Los Códigos Curativos para curar una amplia gama de asuntos -- físicos, emocionales, de éxito y de relaciones-- por favor visita **www.thehealingcodebook.com**.

EL CÓDIGO CURATIVO

EL CÓDIGO CURATIVO

Publicado por :
Intermedia Publishing Group, Inc.
P.O. Box 2825
Peoria, Arizona 85380
www.intermediapub.com

ISBN 978-1-935906-19-3

Todos los contenidos de este libro se basan sobre la investigación conducida por los autores, a menos de que se especifique de otra manera. La editorial, los autores, los distribuidores y las librerías presentan esta información únicamente para propósitos educacionales. Esta información no tiene el propósito de diagnosticar ni prescribir para ningún trastorno médico, quiropráctico, o psicológico, ni tampoco hace ninguna pretensión acerca de prevenir, tratar, mitigar o curar tales trastornos, ni las de recomendar información específica, productos o servicios como tratamiento de enfermedades o para brindar algún diagnóstico, atención, tratamiento o rehabilitación a las personas, ni la de brindar diagnóstico, tratamiento, operación o prescripción para ninguna enfermedad, dolor, daño, deformidad, o condición física humanos. La información aquí contenida no está destinada a reemplazar la relación de uno a uno con un doctor o con algún profesional calificado de la atención a la salud. Por lo tanto, el lector debiera ser consciente de que esta información no está destinada como consejo ni recomendación médicos, sino más bien como el compartir un conocimiento e información producto de las investigaciones y las experiencias de los autores. Los testimonios representan un corte transversal del rango de resultados que parecen ser los típicos con esta información, productos o servicios. Los resultados pueden variar dependiendo del uso y del compromiso. Esta información está únicamente destinada para propósitos de asociación de la expresión. El editor y los autores te animan a que tomes tus propias decisiones de atención a la salud en base a tu investigación y en base a tu asociación con algún profesional calificado de atención a la salud. Tú y solamente tú eres el responsable si eliges el hacer algo basado en lo que leas.

6 Minutos para Curar el Origen de Cualquier Asunto de Salud, de Éxito o de las Relaciones

Alex Loyd, PhD, ND
Ben Johnson, MD, DO, NMD

Este libro está dedicado a TI, mi lector.
Mi esperanza y oración son que este será el fin de tu búsqueda o el comienzo de la solución, como lo fue para mi esposa, Hope (Tracey) [Hope significa Esperanza], para mí y para tantos otros. Que Dios te guíe y cuide tu corazón, así como hizo con los nuestros.

—Dr. Alex Loyd

CONTENIDO

PARTE DOS
Soluciones para Curar Virtualmente Cualquier Problema de Salud, de las Relaciones o del Éxito

AGRADECIMIENTOS

Este libro nunca hubiera sido sin varias personas a las cuales les estoy muy agradecido.

Ben Johnson, gracias por acompañarme en esta misión como amigo y como un hermano. A Tom y Mary Ann Costello, gracias por su maravilloso espíritu y por su apoyo y protección durante los últimos siete años. A Ken Johnston, por tu mano firme de integridad al timón. A Lorrie Rivers por ayudarme a comenzar en esto, y por todas las risas. A Judith White por manejar los detalles con tal amor y gracia durante todos estos años. A Diane Eble, por ayudarme a concluirlo --y por tanto más.

A Salvador V. Arias Patiño y Natalia Crossa por su ayuda en hacer este material disponible al mundo de habla hispana.

A mi mentor, Larry Napier, gracias por tu amor y por ponerme en el camino del corazón.

Muchas gracias también a mi esposa, Hope (Tracey), y a mis chicos por aguantar toda la toma de notas en momentos extraños. A Dios, por algo de lo cual escribir -- ¡Soy tuyo!

Todo lo que es bueno y que es verdad en este libro ha sido un regalo de Dios. Le doy a él los honores y el crédito, y te lo ofrezco a ti con gran gozo. Cualquier cosa en estas páginas que no sea bueno o que no sea verdad, son todas mías, y te pido tu comprensión y perdón con antelación. Este libro, al igual que la compañía de Los Códigos Curativos (The Healing Codes®), es una vocación, no un negocio. Estamos en una misión de cambiar el enfoque del mundo hacia los asuntos del corazón, una persona a la vez. Ésta es la fuente de todos tus problemas, y es la solución. Esta vocación comenzó con el amor de mi vida, mi esposa durante ya veintitrés años --Hope. Sigue con mis hijos, Harry y George, quienes me han enseñado mucho más acerca del amor y de la verdad de lo que yo alguna vez les enseñaré. ¡LOS AMO para siempre!

–Alex Loyd

Quiero agradecer al Dr. Alex Loyd por su perseverancia al hacer público este conocimiento que cambia vidas para las personas sufriendo con cuestiones de la vida (todos nosotros). El periodo de incubación ha sido largo y el proceso del alumbramiento ha sido difícil, pero él superarlo y triunfar es algo glorioso. Este libro trata acerca de cambiar tu vida a un nivel primario -- no por medio de trabajar más duro o esforzarte más fervorosamente sino a través de entender y aplicar la física simple en el cuerpo, para permitirle que se cure a si mismo. El cuerpo es el que cura dotado desde lo alto con esa capacidad. El Código Curativo es la herramienta que libera al que cura para que así pueda hacer su trabajo. La mayoría de los más grandes descubrimientos son profundamente simples. Alex, estoy sumamente agradecido contigo por el descubrimiento que me salvó la vida.
–*Ben Johnson*

PRÓLOGO

Jordan Rubin

El Código Curativo desarrollado por el Dr. Alex Loyd es una revelación para todos los que están buscando desesperadamente por las respuestas a los retos que enfrentan en sus vidas diarias.

Durante mi lucha de dos años con varios padecimientos incurables, visité a setenta expertos en salud convencional y alternativa. Tras conquistar mis propias enfermedades por medio de una fe viva en Dios y siguiendo principios naturales de salud, me dispuse en una misión para transformar la salud de esta nación y del mundo, una vida a la vez. En mi búsqueda por encontrar las claves fundamentales más efectivas para desbloquear el potencial de salud del cuerpo, el alma y del espíritu, he evaluado cientos de modalidades curativas, la mayoría de ellas con resultados entremezclados a lo mucho.

Conocí Los Códigos Curativos por un amigo, y tengo que admitir que al principio estaba un poco escéptico. Quise saber más una vez que había escuchado y leído los asombrosos testimonios de vidas cambiadas, y de enterarme que el sistema de Los Códigos Curativos fue descubierto luego de doce años de oración, que está en completa armonía con la Biblia, y que está colmado de ciencia. Poco después tuve la oportunidad de pasar un tiempo con el Dr. Alex Loyd. Si tenía algunas dudas, fueron borradas: Alex es un testimonio andante del sistema que desarrolló.

Alex no solamente ha facilitado los progresos de salud física y emocional de su propia familia, su compasión por los necesitados y su disposición a ayudar a la gente a toda costa lo hacen distinto a todas las personas que he conocido. Alex es uno de los hombres más felices, generosos y tranquilos que he conocido. He visto a Alex Loyd y a Los Códigos Curativos mejorar dramáticamente la salud de mi familia y amigos, produciendo apreciables resultados física, espiritual, mental y emocionalmente.

Sin embargo no fue hasta cuando tuve que tratar con una gran crisis personal que me di cuenta del verdadero poder que se encuentra en Los Códigos Curativos. Cuando me enfrentaba con lo que parecían cosas insuperables, trabajé con Alex diariamente durante un periodo de cuarenta días y utilicé diligentemente Los Códigos Curativos para resolver y curar los asuntos de mi corazón, muchos de los cuales ni siquiera sabía que existían. Durante este proceso fui capaz de solucionar casi sin esfuerzo dolorosas experiencias del pasado, y de perdonar verdaderamente a los que me habían herido a lo largo de los años, y aún más importante, el pedir perdón a nombre de esos a quienes yo había herido. Todavía tuve en mi vida otro milagro dado por Dios en cuerpo, alma y espíritu, y le debo tanta gratitud al Dr. Alex Loyd y a Los Códigos Curativos .

Este libro se basa en ese sistema, y te brinda la esencia de lo que hace que funcione. Con El Código Curativo tienes mucho más que solo un libro. Justo ahora tienes en tus manos las llaves para abrir tu propio potencial de salud dado por Dios.

Si utilizas las herramientas de El Código Curativo, puedes alcanzar el verdadero perdón, desechar creencias equivocadas y curar los asuntos de tu corazón que estén provocando en tu vida estrés, fracasos e incluso enfermedades físicas. No obstante tan poderosos como son los principios de El Código Curativo, no trabajan por si solos. Debes practicar con diligencia las técnicas del Código Curativo y utilizar las herramientas, tales como el Buscador de Asuntos del Corazón. Te exhorto a que te tomes el tiempo para desarrollar tu programa de Códigos Curativos personalizado usando las herramientas que están en los Capítulos Once y Doce, te sorprenderás con la rápida y efectiva técnica del "Impacto Instantáneo" que toma 10 segundos para eliminar el estrés, las emociones negativas, y para incrementar tu energía para el día. Pero no te servirá de nada ¡a menos de que la utilices cuando la necesites!

Hoy en los Estados Unidos, escuchamos mucho acerca de la REFORMA de salud. Si utilizas las poderosas herramientas disponibles para ti en *El Código Curativo*, verásTRANSFORMARSE tu vida y tu salud de adentro hacia afuera.

Yo me he beneficiado enormemente de la revelación y sabiduría que recibí del Dr. Alex Loyd. Ahora es tiempo de que tú comiences tu propio viaje hacia una salud extraordinaria con *El Código Curativo*.

Jordan S. Rubin, NMD, PhD

Autor de más de 20 libros bestseller del *New York Times* sobre salud y bienestar

Anfitrión del programa de televisión *Salud Extraordinaria*

Fundador y Director Ejecutivo de Jardín de Vida

PREFACIO

El Descubrimiento que lo Cambió Todo

¿Qué es lo que más quieres en la vida? ¿Relaciones amorosas? ¿Resolver un asunto de salud? ¿Paz? ¿Logros en un área en la que siempre te has sentido más capaz de lo que indican tus resultados? ¿Satisfacción que pudiera medirse de mil maneras diferentes? ¿Cómo puedes lograr "eso", sea lo que sea que te mantiene despierto durante la noche o que hace latir más rápido tu corazón?

Lo que yo (Alex)[1] quiero compartir contigo es una manera de lograr en tu vida estas cosas, una manera que me fue otorgada en el 2001 como un regalo de Dios.

Verás, por allá en el 2001, yo era el que quería todas estas cosas. La historia de mi vida de los doce años anteriores había sido tristeza, depresión, frustración, objetivos bloqueados, e impotencia --impotencia en una situación que provocaba dolor y agonía no solamente para mí mismo sino para mi familia durante esos doce largos años. Cada vez que parecía que las cosas iban a mejorar un poquito, se resbalaban de vuelta hacia la desesperación que había caracterizado nuestra vida juntos.

¿Cuál era este problema? Tracey y yo dimos el "sí, acepto" en 1986 creyendo que nuestra vida sería una historia de "y vivieron felices por siempre". A los seis meses Tracey estaba llorando por cualquier pretexto, atracándose de galletas de

1 A menos de que se indique de otra manera, cuando se utiliza la primera persona se refiere a Alex Loyd.

chocolate, y frecuentemente escondiéndose en la recámara a puerta cerrada. Yo estaba muy preocupado con el hecho de que vivir conmigo probablemente podría hacerle eso a cualquier persona en el planeta Tierra. Nada de esto le había sucedido antes a Tracey, y ella parecía no saber el porqué era que se encontraba tan triste, además de estar casada conmigo por supuesto. Pronto nos dimos cuenta de que Tracey se encontraba clínicamente deprimida y que probablemente lo había estado durante la mayor parte de su vida. De hecho, la depresión y la ansiedad circulaban por su familia como lo hace una podadora de césped comercial en un pasto de un pie de altura. Varios miembros de su familia se habían suicidado en los últimos treinta y tantos años.

DESESPERADO POR AYUDA

Intentamos todo: consejería, terapia, vitaminas, minerales, herbolaria, oración, técnicas alternativas de liberación emocional ... ¡todo! Tracey leyó en esos años una biblioteca de libros de psicología, autoayuda y espirituales. No sé cuánto dinero nos gastamos en esos doce años de búsqueda --la última vez que hicimos la cuenta la cifra estaba en las decenas de miles de dólares. Algunas de las cosas que intentamos eran prácticas maravillosas que todavía seguimos, y unas cuantas ayudaron, pero Tracey seguía siempre deprimida.

Pensamos que los antidepresivos serían la respuesta. Puedo recordar claramente cuando los gritos de Tracey me despertaron en medio de la noche. Al prender la luz, me horroricé al ver que Tracey estaba sentada sobre sangre. Había sangre sobre ella, en su camisón, y sobre las sábanas a todo su alrededor. Ella lloraba y gritaba al mismo tiempo. Tomé el teléfono y llamé al 911, pensando que Tracey tenía una hemorragia interna. Me preguntaba si ella lograría salir adelante, y también cómo iba yo a criar a nuestro hijo de seis años en caso de que no fuera así. Fue casi en el momento de tener ese pensamiento que me di cuenta de lo que había sucedido -- Tracey se había estado rasguñando las piernas con las uñas mientras estaba dormida hasta que finalmente se rasguñó tanta piel de las piernas que sangraron hasta manchar las sábanas. Hubo muchos otros efectos secundarios de los antidepresivos, pero este fue el peor.

Los síntomas de la depresión en si mismos eran mucho peores. En cierta ocasión Tracey se hizo una autoevaluación de depresión que había al final de un libro que leía y obtuvo una calificación en el rango de severamente deprimida. Empecé a observar el test para ver cómo había contestado las preguntas y me quedé sorprendido al ver que ella había contestado con un "sí" a una pregunta que cuestionaba si había pensado en querer morir la mayoría de los días. Me dijo que había sido demasiado cobarde para siquiera hacer algo sobre eso, pero que frecuentemente pensaba en lo bueno que sería simplemente el desviarse de la carretera hacia el muro de contención de concreto y terminar con todo el dolor.

La depresión afectó de manera negativa cada aspecto de nuestras vidas y de nuestra familia. Muchas veces nos encontramos estresados hasta el punto del rompimiento. Después de haber estado casados por tres años, Tracey y yo queríamos terminar. Lo único que nos detuvo fue la creencia de que Dios tenía algo mejor en mente. Tracey y yo tuvimos un ministerio de reafirmación y renovamos nuestro juramento -- realmente estabamos juntos "para bien o para mal".

Lo único que nunca perdí fue la esperanza, y fue esa misma esperanza la que me mantuvo luchando y buscando maneras de poder ayudar a Tracey. Busqué por mi cuenta a lo largo de dos programas de doctorado, a través de incontables seminarios y talleres, en docenas y docenas de libros acerca de cómo solucionar el problema. Nada de eso dio las respuestas que estaba buscando. ¿Hubo lecciones aprendidas? Desde luego que sí. ¿Mayor madurez? Lo podrías apostar. ¿Una creencia de que encontraría la respuesta? Siempre.

Y luego sucedió. Sucedió en un periodo de tres horas. Fue como si yo hubiera sido la única persona en el planeta Tierra, aunque había gente a todo mi alrededor....

EL DIAGRAMA PARA LA CURACIÓN

Había estado en Los Ángeles tomando un seminario sobre los métodos alternativos de la psicología y me encontraba en el aeropuerto esperando abordar mi avión a casa. Timbró mi celular, y en cuanto contesté escuché la palabra "Hola". Tan pronto como la escuché, escalofríos recorrieron todo mi cuerpo. Tracey se encontraba severamente deprimida. Lloraba y decía que nuestro hijo, Harry (quien tenía 6 años de edad), no entendía el que ella estuviera así de enferma. Si yo hubiera estado en casa podría haber eliminado sus síntomas con algunas técnicas que conocía. Sin embargo, me encontraba incapaz de poder ayudarla a tres mil millas (casi cinco mil kilómetros) de distancia. Hablé y recé con ella hasta que la azafata me pidió que apagara mi teléfono. Después comencé a hacer lo que había estado haciendo todos y cada uno de los días durante los pasados doce años -- recé por Tracey.

Lo que sucedió después es la razón por la cual estoy escribiendo este libro. La mejor manera en que lo puedo poner es: Dios descargó en mi mente y corazón lo que ahora llamamos Los Códigos Curativos®.

No me malinterpreten ... no hubo ángeles afuera de la ventana del avión 737. No hubo niebla ni brumas bajando por el fuselaje. No escuché sonar música celestial. Pero lo que experimenté fue tan diferente de cualquier cosa de las que había sido partícipe con anterioridad que yo sabía que era una respuesta a esos doce años de rezar a diario. Vi la respuesta en el ojo de mi mente como antes había visto muchas, muchas otras ideas-- sin embargo no era lo mismo. Sabes de lo que estoy hablando si alguna vez has pensado en algo y te has dicho, "¡Que gran idea"! Bien, así fue como era, solamente que fue como si me hubieran depositado en la cabeza la gran idea de otra persona. Fue como si la estuviera viendo en la TV. Estaba en mi mente pero no era mía. Yo estaba "leyendo" un diagrama de un sistema de curación el cual nunca había estudiado. La revelación fue acerca de un mecanismo físico dentro del cuerpo que curaría asuntos espirituales -- creencias equivocadas. Se me mostró un sistema que explicaba el como contrarrestar el verdadero origen de todos los problemas de la vida por medio de simples ejercicios que consistían en utilizar las manos. Entonces ... escribí y escribí, y seguí escribiendo. Escribí hasta que mi mano estuvo acalambrada y literalmente dije en voz alta (lo recuerdo, ya que miré a mí alrededor avergonzado de que alguien me hubiera podido escuchar), "Dios, tienes que ir más lento o vas a tener que recordarme esto; ¡No puedo escribir tan rápido!"

Cuando llegué a casa, el seguir este diagrama dado por Dios eliminó el problema que había dominado mi vida durante más de una década. En 45 minutos, la depresión clínica de mi esposa se había ido. Ahora que escribo esto han pasado más de ocho años, y Tracey nunca ha vuelto a tomar ningún medicamento y se siente genial cada día. Sí, la depresión de Tracey volvió luego de esos 45 minutos iniciales, pero a las tres semanas de hacer "Los Códigos Curativos" a diario su depresión se había ido para siempre. Después de los años que habíamos pasado dolorosamente, buscando algo --cualquier cosa-- que trajera paz y la normalidad a nuestra vida, no tengo las palabras para describir el gozo y el regocijo que esto trajo para mi esposa, mis hijos (ahora tenemos dos) y para mí. De hecho, en el 2006 Tracey cambió legalmente su nombre por el de Hope (n. del T. : el significado de Hope es Esperanza). Después de todos los años de depresión en los que ella se sentía sin esperanza, ya no se sentía como si fuesa la misma persona. Ahora era Hope (Esperanza).

Luego de aquella fatídica noche en la que descubrí lo que posteriormente llamamos Los Códigos Curativos, me encontraba tan emocionado al día siguiente, un lunes por la mañana, cuando acudí a mi práctica privada con planes de integrar este nuevo protocolo para trabajar con docenas de personas que podrían haber descrito sus vidas en palabras similares a las mías. Tantos dolores, tantas frustraciones, tantas penas, tanta gente buscando respuestas. Cuando empecé a compartir Los Códigos Curativos con mis clientes, sucedió exactamente lo que pensé que pasaría: la depresión se curaba; la ansiedad era reemplazada por paz; problemas de relaciones se esfumaban. E inclusive problemas emocionales y mentales aún más serios parecían curarse de manera consistente, predecible e inclusive más rápidamente en la mayoría de casos.

EL CÍRCULO DE LA CURACIÓN SE AMPLÍA

Lo que no me esperé fue lo que sucedió seis semanas después. Una querida cliente mía me pidió si podía hablar conmigo en privado unos momentos. Tenía una mirada extraña en su rostro que no había visto antes, y me dijo que no podía acordarse de que me hubiera dicho que tenia esclerosis múltiple (EM). Lamento decir que de inmediato recordé una de mis clases del doctorado en psicología sobre ética y asuntos legales y la preocupación cruzó por mi mente acerca de que este sería un juicio en espera. Y más bien desconcertado y nervioso miré en su expediente, diciéndole que no recordaba eso pero que lo iba a revisar, cuando me di cuenta de que ese no era en absoluto el porqué ella me estaba haciendo esa pregunta.

Entonces, sintiendo amor y compasión, cerré el expediente, lo guardé, la miré directamente a los ojos y dije, "Yo tampoco recuerdo eso. ¿Porqué lo preguntas"? Bueno, ella se soltó a llorar, casi de manera incontrolable. Cuando se tranquilizó explicó que acababa de llegar del Hospital Vanderbilt de Nashville, en donde se había enterado de que ya no tenía EM. Me sentí profundamente conmovido por la situación y yo también comencé a llorar.

Luego las lágrimas se transformaron en risas y empezamos a reír. Le pregunté: "¿Cómo le hiciste? Dime por favor para así, si es que tengo otros clientes con tal problema también pueda compartirles qué es lo que pueden hacer. Esto es maravilloso... Estoy tan contento por ti".

Entonces vino: Ella dijo que habían sido Los Códigos Curativos que le había puesto a hacer durante las últimas seis semanas los que eran responsables de la curación. Tenían que serlo -- era la única cosa diferente que había hecho.

Bueno, yo pensé que esto era una anomalía. Una excepción. Una respuesta inusual de una sola vez. Hasta que un par de semanas después escuché una historia similar con respecto al cáncer. Y luego, no mucho tiempo después de eso, de diabetes. Y más tarde de dolores de cabeza por migraña. De las etapas iniciales de la enfermedad de Parkinson. Y así sucesivamente, una y otra vez.

Fue en este punto que supe que lo que había recibido ese día a 30, 000 pies de altura era mucho, pero mucho más de lo que hubiera esperado o por lo que había rezado. Me di cuenta de las maravillosas ramificaciones respecto a la salud que esto podría tener en el mundo, solamente que sabía que nadie lo creería simplemente porque yo lo dijera. De hecho, la mayoría de las personas ni siquiera creerían para nada estas maravillosas historias de curación. Sonaban demasiado increíbles ... demasiado fantásticas ... demasiado sensacionales. Somos bombardeados a diario con lo "sensacional" que se convierte en algo decepcionante cuando se le aplica a nuestras propias vidas y circunstancias.

LA BÚSQUEDA DE LA VALIDACIÓN

A fin de poder llevar esto al mundo, necesitaba estar convencido yo mismo de dos cosas en mi mente y corazón. Una era que estuviera en armonía con mis propias creencias espirituales. Durante dos o tres semanas "presioné el botón de pausa" y me tomé un tiempo para orar, para hablar con mi pastor y con mi mentor espiritual, y así buscar en las Escrituras para entender si esto estaba en armonía con la Biblia. Al término de ese periodo me encontraba convencido de que este método de curación está realmente más en armonía con la Biblia que cualquier otra cosa ofrecida por las medicinas tradicional o alternativas. Cura exactamente lo que la Biblia enfatiza, y lo hace así de acuerdo a la manera en que Dios creó el universo y nuestros cuerpos.[2]

La segunda cosa de la cual tenía que estar convencido era que Los Códigos Curativos pudieran ser validados, científicamente y médicamente. Tenía que hacer eso ya que estaba comenzando a darme cuenta de que si esto era tan bueno como yo creía que lo era, necesitaría hacer algunos cambios radicales en mi vida para contarle al mundo sobre esto. Esencialmente necesitaría alejarme de mi práctica privada. Comprenderías que yo había trabajado durante cinco años para mi doctorado, y esos años fueron de lucha. No solamente tuvimos que hacerle frente a la depresión de Tracey, sino que también yo laboraba en dos empleos alternos, iba a la escuela del postgrado de tiempo completo, pagando la colegiatura y manteniendo a una familia en desarrollo (mi primer hijo nació durante ese tiempo). Hubo muchos momentos en los que tuvimos que comer mantequilla de maní o arroz y frijoles para cenar. Cuando ya obtuve mi doctorado, en medio año tenía una lista de espera de clientes de seis meses. Mi práctica privada como terapeuta estaba en pleno apogeo, y finalmente estábamos disfrutando el fruto de nuestra labor.

Tan maravillosas como fueran las curaciones de Los Códigos Curativos que vi en Tracey y en mis clientes, yo tenía que estar convencido en mí mismo de que ello realmente era tan bueno como parecía. Necesitaba pruebas.

Durante el siguiente año y medio me dispuse a probarme a mi mismo de que esto era realmente mejor que cualquier otra cosa que hubiera por ahí. Me dirigí al test de Variabilidad de la Frecuencia Cardíaca (HRV), la prueba médica de estándar

2 Si deseas saber más específicamente cómo llegué a esta conclusión, existe información en el sitio web, a la cual tendrás acceso cuando registres el libro en www.thehealingcodebook.com. Busca "Spiritual Underpinnings". (Fundamentos Espirituales)

de oro para medir el estrés en el sistema nervioso autónomo. Yo ya había realizado suficiente investigación como para saber que casi cualquier problema que te puedas imaginar ha sido en algún momento, de alguna manera, de alguna forma, determinado su origen en el estrés. Yo creía que -- si Los Códigos Curativos realmente curaban casi todas y cada una de las cosas de la forma en que lo parecía-- tenían que estar eliminando el estrés del cuerpo, ya que en la mayoría de los casos los asuntos físicos que habían sido curados no eran los que se estaban tratando directamente. De hecho, los únicos asuntos que son tratados por Los Códigos Curativos, ya sean pasados, presentes o futuros, son los asuntos espirituales del corazón.

RESULTADOS ASOMBROSOS

Los resultados del año y medio de realizar las pruebas con la Variabilidad de la Frecuencia Cardíaca fueron mucho más allá de lo que me había esperado. Un médico me dijo que los resultados que había obtenido nunca antes habían sucedido en toda la historia de la medicina. ¿Cuáles fueron estos resultados? Simplemente, que la mayoría de las veces, Los Códigos Curativos eliminaron suficiente estrés de un sistema nervioso autónomo fuera de balance para permitirle el volver a entrar en balance en 20 minutos o menos, y que la mayoría de las personas (el 77 por ciento) se encontraban todavía en balance al pasar 24 horas momento en el que se realizaba otra prueba. De acuerdo a la literatura disponible en treinta años, como lo investigó el Dr. Roger Callahan en su reciente libro Stop the Nightmares of Trauma (Acabar con las Pesadillas del Trauma), el menor tiempo que le ha tomado a cualquier terapia el remover esta cantidad de estrés del cuerpo fueron seis semanas. Básicamente, si conectas los puntos, Los Códigos Curativos parecían estar eliminando del cuerpo en 20 minutos o menos, lo que es el origen de casi todos nuestros problemas.

Mientras que mis propios resultados no eran un estudio clínico o de doble ciego, eran todo lo que yo requería para mostrarle a personas de mentalidad abierta que había esperanza para sus problemas. Yo sabía que había encontrado lo que había estado buscando, lo que mucha gente pensó que era imposible: algo que curara el origen, no solo los síntomas -- y algo que perdurara. Tenía lo que necesitaba para retirarme de mi práctica privada y comenzar la organización de Los Códigos Curativos desde mi sótano, sin publicidad y con muy poco dinero. Sentía que ahora tenía una responsabilidad de ayudar a otras personas que estaban sufriendo como Tracey y yo lo estuvimos durante doce años. Me encuentro emocionado más allá de las palabras por ofrecerte este regalo que se me dio por Dios en ese Mayo del 2001, para que así tú también puedas curar tu vida como tantas personas alrededor del mundo han curado las suyas.

Yo (Ben) coincido con esto. De hecho, una de las razones por las cuales me uní para ayudar a llevar a Los Códigos Curativos a una exposición más amplia fueron los extraordinarios resultados que yo tuve, y que subsecuentemente vi que tenían mis pacientes al utilizar este mecanismo. Esto es lo que me sucedió.

LA HISTORIA DE BEN

Se podría decir que en 1996 yo me encontraba "viviendo la buena vida" en Colorado Springs, Colorado. Mi práctica médica era excepcional, los pacientes eran maravillosos, y mi otro negocio de bienes raíces había sido muy exitoso. Yo disfrutaba de mi familia y tenía mucho tiempo para ir de cacería, de pesca y esquiar. ¡La vida era buena!

Durante ese tiempo, mi padre había sido sometido a una cirugía de triple bypass y después necesitó que le limpiaran las arterias carótidas debido a que las arterias de sus piernas se encontraban obstruidas. Me preguntó acerca de algunas terapias no convencionales, las cuales no estaban aprobadas por la FDA. Mientras que él comenzaba a recuperarse y sus arterias se limpiaban yo me comenzaba a interesar. Entre más veía los suplementos nutricionales y las hierbas, así como los usos fuera de la indicación establecida de agentes aprobados por la FDA, más me daba cuenta de que yo simplemente había estado tratando los síntomas, sin permitir que el estado patológico cambiara hacia el de bienestar.

Empecé a desilusionarme con los medicamentos y su gran número de efectos secundarios. Había mundos enteros de terapias efectivas ahí fuera de las que nadie me había dicho en mi educación médica formal. Yo sabía que necesitaba aprender más acerca de ellas. La aventura había comenzado.

Regresé a mi estado natal de Georgia, en donde comencé a devorar todo el material que podía encontrar acerca de herbolaria, suplementos nutricionales, homeopatía, y otras terapias médicas alternativas. ¡Fue como volver a ir a la escuela otra vez! Eventualmente decidí que existía tanta información que necesitaba preparación formal. Volví y obtuve mi Título de Médico Naturópata (NMD).

Desde entonces, me he esforzado por ofrecer a mis pacientes lo mejor de ambos mundos. Estoy combinando los abordajes médicos convencionales viables con terapias alternativas adecuadas para crear los programas de curación más efectivos para mis pacientes. Al hacer esto, he tenido mucho más éxito de lo que había tenido previamente utilizando solamente la medicina convencional trabajando con enfermedades crónico-degenerativas, incluyendo el cáncer --un área en la que eventualmente elegiría especializarme--. No obstante, a pesar de que mi índice de éxitos mejoró significativamente, como cualquier otro médico, todavía tenía casos en los cuales, sin importar qué métodos empleara, el paciente no respondía. Fueron esos casos los que me mantuvieron buscando un método de curación que pudiera funcionar para todos, independientemente de su situación.

LA ENFERMEDAD ES MÁS QUE FÍSICA

Uno de los grandes obstáculos que tuve que encarar como un médico integrador del cáncer fue el de los asuntos emocionales/espirituales que mis pacientes tenían que superar a fin de mejorarse. Literalmente había tenido pacientes que morían tras haber sido liberados de su cáncer debido a que no pudieron superar la ira, el miedo, el sentirse no amados, la falta de perdón, u otros asuntos en sus vidas. Para ayudar a mis pacientes a tratar más efectivamente con sus asuntos emocionales/espirituales no resueltos, investigué y fui entrenado en muchas formas de terapia, incluyendo la consejería tradicional, la Terapia del Campo del Pensamiento (TCP), la Técnica de Liberación Emocional (TLE), Toque Curativo, Técnica de Acupresión Tapas (TAT), Técnicas Cuánticas, y otras. [3]

Algunas de estas ayudaron en algún grado, y algunas ayudaron más que otras. Pero ninguna fue adecuada para la tarea de ser capaz de funcionar para todos. La verdad de las cosas es que raramente nos encontramos con una terapia verdaderamente nueva, especialmente una que pudiera cambiar potencialmente el paisaje de la medicina como la conocemos. Simplemente piensa en las posibilidades de un mundo sin Prozac, Lipitor, insulina, o antihipertensivos. Cuando esto coincide con nuestro propio personal punto de necesidad puede ser un evento verdaderamente fenomenal. Yo no lo sabía en ese momento, pero la nueva terapia que estaba buscando eran Los Códigos Curativos[4] desarrollados por el Dr. Alex Loyd, de quien me complace hoy el llamarlo mi amigo y compañero. En mi clínica del cáncer en Atlanta somos muy progresivos. Estudiamos las muchas causas del cáncer e

3 Varias de estas modalidades tienen una visión del mundo espiritual adjuntas a ellas. Ni Alex ni yo nos hemos ascrito ninguna de estas, pero utilizamos las modalidades que pudieran ser científicamente validadas, únicamente por sus beneficios físicos.

4 El Código Curativo en este libro está basado en el sistema de Los Códigos Curativos® descubierto por el Dr. Alex Loyd en 2001. De aquí las referencias al plural. Todo es el mismo sistema. El Código Curativo Universal en este libro es el resultado de estos subsecuentes años de pruebas con clientes de 50 estados y 90 países. Hemos encontrado que es el Código que funciona para casi cualquier cosa y para casi todos.

intentamos diseñar terapias específicas para cada una. Yo creo que las causas del cáncer son una combinación de metales pesados, virus, deprivación celular de oxígeno, acidosis metabólica, y asuntos emocionales/espirituales. Podemos tratar los metales pesados muy efectivamente utilizando una variedad de agentes orales e intravenosos. El tratar con un virus y con otras partículas semejantes a virus es algo mucho más difícil, pero pueden ser manejados con ciertas preparaciones antivirales y otros agentes no aprobados por la FDA. El tratar la deprivación celular de oxígeno (por la cual Otto Warburg ganó el Premio Nobel de medicina en 1932 cuando probó que la carencia de oxígeno es una importante causa de cáncer) es un proceso más lento. Existen agentes intravenosos para desviar la curva de disociación de oxígeno de la hemoglobina. Esto está íntimamente relacionado con la acidosis metabólica y con cambios en la dieta, los cuales son absolutamente necesarios. Aunque no es fácil, el tratar con todos estos asuntos sigue siendo inminentemente realizable. Fueron los asuntos emocionales/espirituales los que permanecían como un obstáculo mayor para mejorar a mis pacientes. El encontrar una solución a ese problema se convirtió en una tarea cada vez más importante para mí mientras continuaba mi práctica médica.

MI DIAGNÓSTICO MORTAL

Durante mi búsqueda por el bien de mis pacientes, comencé a tener algunos problemas físicos por mi cuenta, principalmente fatiga y fasciculaciones musculares (contracción involuntaria o fasciculaciones de fibras musculares). Inicialmente, traté de ignorarlas, pasándolas como un resultado de un daño a la médula espinal que tuve en 1996. Pero con el tiempo, mi estado empeoró. Músculos se estaban moviendo en la pantorrilla de mi pierna y al mismo tiempo otros músculos estaban en espasmo en mi espalda o en mis brazos. Podrías sentarte y observar estos músculos simplemente brincando arriba y abajo en mi piel. Además, me fatigaba mucho, incluso al caminar por un corto trayecto de escaleras, y mi voz se tornó débil. Decidí que era tiempo de visitar a mi cirujano ortopédico, quien también es un amigo personal. Tras realizar su exploración en mí, fue con gran renuencia que me informó que su diagnóstico era esclerosis lateral amiotrófica (ELA), comúnmente conocida como enfermedad de Lou Gehrig. Yo no me encontraba feliz con este diagnóstico, así que pronto busqué a otro amigo médico para una segunda opinión. Él, también, hizo el mismo diagnóstico. Fui a casa y estudié con atención mis libros de medicina. Lo que descubrí fue bastante grave. El ochenta por ciento de las personas con enfermedad de Lou Gehrig morían en los primeros cinco años de haber desarrollado los síntomas, ¡y yo los había estado experimentado durante al menos un año! De acuerdo a las estadísticas sobre esta enfermedad, ya había vivido entre el 25 al 50 por ciento del resto de mi vida. Muchos de mis pacientes con cáncer tenían un mejor pronóstico que este. Poco después de mi diagnóstico, acudí a un seminario en donde escuché al Dr. Alex Loyd hablar acerca de su nuevo trabajo – Los Códigos Curativos. Encontré muy intrigante el que, mientras comenzaba a trabajar con sus pacientes en terapia y estos comenzaban a curarse emocionalmente, también empezaban a curarse físicamente. Esto era completamente inesperado, pero resultaba ser cierto, mientras que él veía más y más pacientes curarse físicamente. Con mi nuevo diagnóstico entre manos redoblé mis esfuerzos para investigar el descubrimiento del Dr. Loyd.

ESCRUTANDO CONCIENZUDAMENTE LAS BASES FILOSÓFICAS

Las bases filosóficas eran importantes para mí, ya que si la filosofía estaba mal, el trabajo estaría mal. Como este libro explicará más a profundidad, uno de los conceptos básicos del método de Los Códigos Curativos es que todo recuerdo es almacenado como imágenes, y algunas de estas imágenes cuentan con mentiras o no-verdades en ellos, los cuales si permanecen sin ser corregidos, resultan eventualmente en enfermedad emocional y/o física. Yo no tenía ningún problema con el hecho de que los recuerdos fueran almacenados como imágenes, ya que el cerebro funciona de manera muy similar a una supercomputadora. La idea de las mentiras o las no-verdades en estas imágenes era un poco nueva para mí, pero tenía mucho sentido. Todos desde Freud y más atrás habían propuesto que atábamos energía en un estado anterior y que subsecuentemente éramos incapaces de tratar posteriormente con problemas de la vida. Lo que era nuevo para mí era el concepto de que estos eventos, estas imágenes, no fueran verdad. Por ejemplo, ¿si alguien se sintiera no amado, él o ella verdaderamente no eran dignos de amor? ¡Por supuesto que no! Si nos sentíamos incompetentes, ¿esto significaba que nuestro cuerpo y mente eran verdaderamente incapaces de realizar esa acción? Probablemente no. Lo más probable, es que simplemente no pensábamos que pudiéramos. Así, me encontraba bien con el concepto de creer las no verdades. Pero ¿cómo podía esto traducirse en enfermedad? Intenté comparar esto con un modelo de computadora que pudiera entender. Somos creados con ciertos programas. Uno de nuestros programas es el programa de "auto-curación". Mientras creemos no verdades, los archivos de este programa se corrompen, provocando que el programa corra más y más lentamente y que eventualmente falle. Si pudieras encontrar una manera de corregir los archivos ...¡Voilá! ¡La capacidad innata del cuerpo para curarse a si mismo como fue diseñada por Dios sería restaurada! Esto era lógico en un modelo de computadora y viable en un modelo humano.

Pero ¿cómo remueves los datos incorrectos y los reemplazas con los datos corregidos? Para mí esto llegaba a una cuestión de física, ya que todo, incluyendo la información digital, existe a final de cuentas como su denominador más común: energía, con una frecuencia vibracional correspondiente. Cualquier frecuencia puede ser cambiada si solamente pudiéramos saber como hacerlo.

DANDO EL PASO

Ahora me sentía cómodo con la ciencia y la filosofía de Los Códigos Curativos. Era tiempo de dar el paso, así que me inscribí para un seminario instructivo. La instrucción era buena, y comencé a aprender algunas técnicas simples utilizadas por los Coaches de Los Códigos Curativos. También decidí comprar un trabajo de curación de una hora con el Dr. Loyd para mi propio uso personal.

Tenía dos cosas en las que quería trabajar inmediatamente. Primero y sobre todo estaba mi nuevo diagnóstico de la enfermedad de Lou Gehrig. También tenía un problema de larga evolución con el insomnio, el cual era tan severo que en las últimas décadas no había ido a dormir sin una pastilla para dormir por las noches. Recibí un Código para mi insomnio para ser realizado tres veces cada día. La primera noche, luego de hacer solamente un Código, me fui a dormir y dormí toda la noche. Durante las siguientes cinco semanas, no tomé una sola pastilla para el sueño. No voy a decir que ya nunca he vuelto a tomar alguna subsecuentemente, ya que viajo mucho y las camas extrañas y los ruidos únicos se tornan circunstancias difíciles en ocasiones. Sin embargo, mi patrón de sueño, ha permanecido extraordinariamente mejorado, y raramente tomo una pastilla para dormir.

Mientras que mis fasciculaciones musculares, la fatiga, y otros síntomas del Lou Gehrig –se han ido. Luego de solamente tres meses de practicar Los Códigos Curativos, regresé con el primer cirujano que me diagnosticó. Realizó la prueba para el Lou Gehrig (EMG – electromiografía) y encontró que se había ido al 100 por ciento. He estado libre de síntomas desde Marzo del 2004. Para esos de ustedes que no lo sepan –no hay cura para la enfermedad de Lou Gehrig. Tras experimentar personalmente los resultados de las técnicas de Los Códigos Curativos, elegí aprender el trabajo por completo. También he entrenado al staff en mi clínica del cáncer en Atlanta, para que así mis pacientes puedan también tener los beneficios de este gran trabajo. En base a los resultados que mi staff y yo estamos viendo, ahora sé que he encontrado el método de curación que estaba buscando. No sé de nada más que trate y cure los asuntos emocionales y físicos de manera tan efectiva y completa.

Recientemente me encontré un Viernes por la noche sin nada que hacer, así que mis hijos y yo decidimos ver una película. No queriendo acudir a la fría tienda de video local, los niños buscaron en nuestra colección de películas. Encontraron una copia de 2001: Odisea del Espacio, quisieron saber de qué se trataba, ya que nunca la habían visto. Mientras pensaba en el tema de la película –de que la humanidad se encuentra al borde de otro salto evolutivo—pensaba acerca de la frecuencia a la cual nuestro conocimiento en todos los campos de la ciencia se está incrementando de una manera exponencial. Lo mismo está sucediendo en la medicina. Yo he creído por mucho tiempo en que estamos listos para movernos a un nivel diferente en el paradigma de la curación.

En el Capítulo número Dos, en donde hago una breve historia de la medicina y la curación, verás más claramente porque creo que Los Códigos Curativos han hecho un intrépido salto hacia el siguiente paso principal en el paradigma de la curación. Ha evitado el misticismo que usualmente rodea a tales terapias. Es sólido filosófica y científicamente. ¡Sin mencionar que funciona! ¡Yo soy una prueba viviente de ello!

FUNDAMENTOS

INTRODUCCIÓN

(¡No Te Brinques Esto!)

Hay un dicho en el negocio de los noticieros, de que nunca, nunca enterrar el meollo del asunto.

Este capítulo es el meollo del asunto. Si captas esto, captas todo. Así que, capta esto ...

Las Tres "Una's Cosas"

¿Un título loco, no? Vamos a tratar de explicarnos.

En la película original City Slickers (traducida al español Una Aventura en el Oeste o también como Cowboys de Ciudad), con Billy Crystal, y Curly, interpretado por Jack Palance, era el viejo vaquero duro y pesado el cual casi nunca hablaba. Pero debajo de ese duro exterior, Billy Crystal encontró la sabiduría de los tiempos. En un encuentro improbable de corazón a corazón entre ellos, Curly le comparte a Billy el Secreto de la Vida. El Secreto de la Vida, dijo, era una cosa. Cuando se le urgía para decir cuál era esta, Curly se rehusaba a divulgar qué era esa una cosa. Decía que Billy tendría que encontrar esa una cosa por si solo. Y, ciertamente, todos necesitan encontrar esa una cosa por si mismos.

Verás, "Una Cosa" puede hacer toda la diferencia. ¿Alguna vez has hablado con alguien acerca de cuando en su vida hubo algún dramático cambio positivo en su forma de ser?

En algún momento, una chispa aparecía en sus ojos cuando hablaban de una persona, un momento, un evento, una puerta abierta, un descubrimiento ... UNA COSA.

Queremos ofrecerte ahora mismo, tres "Una's Cosas". Creemos que en lo que respecta a tu vida, tu salud, y tu prosperidad, estas tres cosas hacen toda la diferencia. No solamente te vamos a decir cuáles son, vamos a demostrártelas y a compartir contigo un nuevo descubrimiento que puede convertirse en la chispa en tu ojo a la cual mirar por el resto de tu vida.

Si no estás de acuerdo en que hagamos lo que acabamos de decir que íbamos a hacer, entonces por favor, solicítanos el reembolsarte el dinero que gastaste por este libro.

LAS TRES "UNA'S COSAS"

Una Cosa #1: *Existe una cosa sobre el planeta Tierra que puede curar casi cualquier problema de tu vida.*

Una Cosa #2: *Existe una cosa sobre el planeta Tierra que desconectaría a la Una Cosa #1.*

Una Cosa #3: *Existe una cosa sobre el planeta Tierra que volvería a conectar a la Una Cosa # 1.*

UNA COSA # 1

Existe una cosa sobre el planeta Tierra que puede curar casi cualquier problema en tu vida.

¿Qué cosa es? Los sistemas inmunológico y curativo del cuerpo. Piensa acerca de o escribe los dos o tres problemas principales en tu vida. Problemas de salud, de carrera, relaciones, finanzas –no importa lo que sea. Estoy asumiendo, que a menos de que el problema haya surgido justo este mismo minuto, ya has intentado algo (o muchas cosas) para resolverlo o disminuirlo como un problema en tu vida. Si no lo has hecho ¡muy bien! Puedes comenzar ahora con lo que verdaderamente lo arreglará. No hay problema. Si has intentado otras cosas, entonces creemos que has llegado al final de tu búsqueda. Aquí está el porqué. Imagina por un minuto que cualesquier que sea tu problema, pudieras llegar hasta Dios mismo, y que él te diera una pastilla, un líquido, un secreto, un mapa del tesoro supernatural ... en otras palabras, una solución no de este mundo, que estuviera garantizada en que funcionará. ¡Amigo, eso sería genial! ¿Adivina qué? ¡Ya lo tienes! Cada persona tiene un sistema de curación absolutamente milagroso en su propio cuerpo que puede curar cualquier asunto físico o no físico que una persona pudiera tener. Se llama el sistema inmunológico. Nacemos con un programa de auto-curación en el interior, el cual está diseñado para ser capaz de arreglar cualquier problema antes de que llegue a convertirse en un problema. Incluso si un problema apareciera, no te preocupes. El programa puede arreglarlo una vez que haya surgido el problema. Hace un tiempo mi computadora no estaba funcionando adecuadamente. No siendo alguien que sepa de computadoras, me frustré al intentar todo lo que sabía hacer al respecto. Finalmente, llamé a un buen amigo mío que es un chico prodigio de las computadoras. Tras hacer unas cuantas preguntas sencillas, me dijo confiadamente que necesitaba defragmentar mi disco duro. Nunca había escuchado de tal cosa, pero estaba emocionado en descubrir que era una simple cuestión de presionar un par de botones. Luego de hacerlo, mi computadora corrió casi como nueva. Estaba asombrado de que tan maravillosa función pudiera estar dentro de mi computadora y que yo lo sabía.

Tal como el programa de "defragmentación" de la computadora, tu sistema inmunológico es capaz de curar cualquier asunto que puedas tener con una velocidad y eficiencia asombrosas. Yo (Ben) puedo decirte que si fueras a hacerle una pregunta importante al respecto, a casi cualquier doctor o facultativo de la atención a la salud en el mundo, y ellos contestaran honestamente, cada uno de ellos contestaría "no". Entonces ¿cuál es la pregunta? "¿Existe alguna enfermedad o padecimiento que un sistema inmunológico funcionando óptimamente no pudiera curar"? Respuesta: No. De hecho, muchos expertos creen (y yo coincido) que la única curación que alguna vez sucede para cualquier persona, respecto a cualquier asunto de salud, sucede debido al sistema inmunológico.

Puede que estés pensando, "¿Pero cómo puedo aplicar esto a las relaciones, las finanzas, o mi carrera, o a las otras cosas no físicas que pudieran ser una lucha en mi vida?" Como verás posteriormente en el libro, específicamente en el Secreto # 3 (¡pero no hojees!), nuevos descubrimientos en varias de nuestras mejores y más prestigiosas escuelas de medicina han encontrado que el origen del padecimiento y la enfermedad también es el origen de los otros problemas en nuestras vidas. Además, creemos y te presentaremos pruebas de que realmente hemos descubierto una parte del sistema de curación del cuerpo del cual la gente ni siquiera lo sabía anteriormente. Creemos que este nuevo mecanismo de curación y cómo ponerlo en funcionamiento pueden ser la Una Cosa que de lugar a un progreso respecto a las luchas de tu vida.

Si eres una persona razonablemente inteligente y piensas en esto el tiempo suficiente, es muy probable de que llegues a esta pregunta: "¿Si este sistema de curación realmente puede curar cualquier cosa y ya está dentro de mí, entonces porqué en primer lugar, tengo los problemas? ¿Porqué no los ha curado ya, o porqué no previno que sucedieran?"

Nos alegra de que hayas preguntado. Ya que eso nos lleva a la Una Cosa #2.

UNA COSA #2

Existe una cosa sobre el planeta Tierra que desconectaría a la Una Cosa #1.

¿Entonces, cuál es esta? El estrés. (Pero probablemente no lo que piensas cuando piensas en el estrés).

Si el sistema inmune y los sistemas de curación del cuerpo pueden curar cualquier problema que tengas, entonces la cosa que apague esos sistemas debe ser la causa única de todo padecimiento y enfermedad. Lo es. De acuerdo con la Escuela de Medicina de la Universidad Stanford en una investigación presentada en 1998 por el Dr. Bruce Lipton, un altamente renombrado y respetado biólogo celular, el estrés es la causa de al menos el 95 por ciento de los padecimientos y enfermedades. El Dr. Lipton reporta que el restante 5 por ciento es genético, y fue provocado, adivinaste, por el estrés en algún lugar en la ascendencia de esa persona. Incluso el Gobierno Federal de los Estados Unidos, los Centros para el Control de Enfermedades (CDC por sus siglas en inglés), afirman en sus sitios web que el 90 por ciento de todo padecimiento y enfermedad está relacionado con el estrés. Casi todas las fuentes autorizadas que pudieras nombrar están de acuerdo en ello –Harvard, Yale, Vanderbilt, La Clínica Mayo, y la lista continúa.

Es especialmente notable lo que la Escuela de Medicina de Harvard dice en su sitio web. "Demasiado estrés durante demasiado tiempo crea lo que se conoce como 'estrés crónico' el cual ha sido relacionado con enfermedades cardíacas, enfermedades vasculares cerebrales, y también puede influir en el cáncer y en enfermedades respiratorias crónicas. Y el padecimiento es simplemente la punta del iceberg. El estrés te afecta también emocionalmente, estropeando el gozo que obtienes de la vida y de tus seres queridos". [5]

---

5 "Manejo del Estrés: Abordajes para Prevenir y Reducir el Estrés", Publicaciones Médicas Harvard, Escuela de Medicina de Harvard, http://www.health.harvard.edu/special_health

En otras palabras, cualquier problema que tengas, de alguna manera u otra, probablemente vino del estrés. Hasta este momento, no habían estado muy seguros en qué hacer al respecto, ya que lo que funciona para un problema y para una persona no es efectivo para otro problema y otra persona. La conclusión ha sido dolorosamente clara durante décadas. Si vamos a encontrar una manera de curar el padecimiento y la enfermedad desde su origen, tenemos que encontrar una manera de curar el estrés en forma consistente y predecible.

Y tal como el reporte de la Escuela de Medicina de Harvard lo menciona, el padecimiento simplemente es una manifestación del estrés. Si queremos tratar con otros asuntos también –asuntos de relaciones, asuntos de desempeño que afectan al éxito—necesitamos tratar con el origen. Como te lo demostraremos, el estrés también es el origen de estos tipos de asuntos por igual, como queda evidenciado por el hecho de que cuando las personas curan el origen de su estrés, sus relaciones mejoran, su ingreso se va a las nubes, y su satisfacción sube muy alto. Es importante el notar que el tipo de estrés del cual estamos hablando, y que da lugar a este padecer y enfermedad no se basa en las circunstancias que desearías pudieras cambiar. Es estrés profundamente arraigado que vive dentro de ti y que es totalmente independiente de tus circunstancias actuales. De hecho, el cambiar tus circunstancias actuales al eliminar cosas que te parezcan estresantes puede muy bien tener poco efecto sobre este estrés que apaga tu sistema inmunológico. En nuestra investigación, más del 90 por ciento de las personas que dicen, antes de ser sometidos a las pruebas de estrés, que no están estresados, se encuentran realmente bajo estrés fisiológico, de acuerdo con los resultados de sus pruebas. Muchos de los estudios de investigación de las escuelas de medicina de los que se habló arriba dicen esto mismo – lo que estresa a una persona no estresa a otra. Depende de tu programación "interna".

LA PREGUNTA REAL POR HACER

Esto significa que la primer pregunta que debieras estar haciendo en cualquier momento que tengas un problema el cual parece que no puedas superar es, "¿Qué estrés está evitando que mi sistema inmunológico cure esto, y cómo lo arreglo?" El problema es que este tipo de estrés puede ser casi imposible de hallar, puede que no tengas ni idea de que está ahí, y si lo encuentras, se encuentre literalmente protegido contra el ser arreglado (más acerca de todo esto más adelante).

Por otra parte, puede que no te des cuenta de qué tan buena noticia es esto. ¿Porqué digo eso? Debido a que no es tu culpa. El problema y la solución no se basan en las obras, y todos tienen este tipo de estrés, ya sea que hayan sido buenos chicos y chicas o no. Así que relájate y perdónate a ti mismo. No tienes que ser perfecto. Tenemos lo que has estado buscando. ¿Qué tenemos? Es ...

UNA COSA #3

Existe una cosa sobre el planeta Tierra que puede volver a poner en funcionamiento a la Una Cosa # 1.

¿Qué cosa es? ¡Curar los asuntos del corazón!

Vamos a revisar de manera muy rápida. Los sistemas humanos inmunológico y de curación, cuando funcionan de manera correcta, se encuentran diseñados para curar – y son capaces de curar—casi cualquier cosa. Sin embargo, cierto tipo de estrés desconectaría estos sistemas inmunológico y de curación, o al menos los disminuiría hasta el punto en que desarrolláramos problemas de salud o de otros aspectos.

El Código Curativo puede volver a conectar a los sistemas inmunológico y de curación ya que cura los "asuntos del corazón espiritual". Los Códigos Curativos®, encapsulan el descubrimiento de un sistema que ha estado en el cuerpo desde los albores del tiempo. ¿Cómo sabemos que El Código Curativo puede conectarlos otra vez? Porque cuando usamos una prueba médica estándar de oro que no responde ni siquiera al 1 por ciento por efecto placebo, los resultados no tienen precedentes en la historia de la medicina.

¿Cuáles son exactamente estos resultados de las pruebas? Cuando este sistema del Código Curativo es activado en el cuerpo, el estrés fisiológico desaparece, ya sea completamente o al menos de manera significativa. Utilizando solamente un poquito de lógica, si la una cosa sobre el planeta Tierra que desconectaría a los sistemas inmune y al de curación fuera forzada a desaparecer, entonces los sistemas inmunológico y de curación deberían volverse a encender. Eso es exactamente lo que hemos tenido el placer de observar con gente de todo el mundo desde la primavera del 2001. No solamente el mecanismo de El Código Curativo es revolucionario, sino que la gente nos cuenta que la teoría detrás de El Código tuvo un impacto aún mayor en sus vidas. Llamamos a la teoría "Los Siete Secretos". Un aspecto asombroso de todo esto es que ningún Código Curativo "trata" jamás ningún asunto de salud. Los Códigos Curativos solamente están dirigidos hacia los "asuntos del corazón" de los que Salomón escribió al respecto hace más de 3,000 años, cuando expresó en Proverbios 4:23, "Guarda tu corazón por encima de todo lo demás, puesto que de él emanan todos los asuntos de la vida".

Nota que dice que todos los asuntos de la vida provienen del corazón. Esto es el porqué los resultados de las personas reportan la curación de casi cualquier asunto de salud que te puedas imaginar, luego de usar El Código Curativo.

ANTES DE QUE VAYAMOS MÁS LEJOS ...

Quizá tengas curiosidad acerca de qué es El Código Curativo y quieras ir directamente a este. Eso está bien – simplemente sigue hacia la Parte Dos y obtendrás todos los detalles acerca de lo que es un Código Curativo y cómo hacerlo. Pero en algún punto, queremos que aprendas Los Siete Secretos de la Parte Uno. A fin de usar El Código Curativo de manera más efectiva, necesitas entender cómo es que los problemas se desarrollan y qué es lo que puedes hacer para curarte a ti mismo por el resto de tu vida, dirigiéndote al origen de tus problemas.

Los Siete Secretos en la Parte Uno son tan revolucionarios como El Código Curativo en si mismo, ya que esta teoría no trata únicamente con los síntomas, tal como casi cualquier otro sistema de autoayuda lo hace. Cualquier otro sistema trata una o más de cinco áreas: las emociones; pensamientos; creencias conscientes; acciones y conductas o comportamientos; o la fisiología del organismo. A partir de nuestras investigaciones, como se bosquejará en las páginas siguientes, creemos que estas cinco cosas son solamente los síntomas. La teoría y la aplicación de El Código Curativo trata a los asuntos desde su origen, y no únicamente los síntomas.

Así que la Parte Uno de este libro, te ofrece una breve historia de la atención a la salud y Los Siete Secretos de la Vida, la Salud y la Prosperidad. Descubriremos y explicaremos la teoría y las investigaciones que revelan el origen no únicamente de todos los problemas de salud, sino también de casi cualquier otro problema. Sabemos que esa es una tarea difícil, ¡pero estamos totalmente dispuestos a demostrártelo!

La Parte Dos es acerca de los resultados. Algunas personas podrían encontrar interesante el leer un libro que les permita saber porqué sus vidas están arruinadas, pero si ahí es donde termina, la mayoría se frustraría al ser incapaces de cambiar el problema. Este libro no te dejará a medias. La Parte Dos te dará la información que necesitas para comenzar a curar el origen de tus problemas y aquello que pudiera estar bloqueando tus sueños y esperanzas. A manera de bono, también te ofreceremos un ejercicio de 10 segundos para tratar con el estrés circunstancial que surja en cualquier día dado. Así que la Parte Dos te ofrecerá una manera para curar tanto el estrés del cual eres bien consciente, y también el estrés inconsciente el cual es la verdadera causa subyacente de todos tus otros problemas.

Puede que estés tentado a dejar el libro ahora mismo. ¿Porqué? En el pasado has escuchado ya demasiadas historias de "balas mágicas". Demasiadas promesas de avances, de cambios de vida, de milagros, etc. ¡Nosotros también! Sin embargo, debemos decir la verdad, y los descubrimientos, revelaciones e historias que se encuentran en este libro fueron la olla de oro al final del arco iris de mi búsqueda en la vida por encontrar un método curativo que fuera real y que pudiera producir resultados, y fueron también el origen de la curación de la enfermedad de Lou Gehrig (ELA) de Ben. ¡No podemos dejar de compartir esta información!

No te pedimos que aceptes esto como la verdad ahora mismo. Solamente te pedimos que sigas adelante y que leas el resto de este libro, antes de que puedas decidirlo. Ese es nuestro reto para ti. Tienes varias horas de tu vida que "perder" ... y potencialmente, décadas de bienestar por ganar.

Ahora, que sabes Las Tres Una Cosa's y que tienes algo de antecedentes con lo cual trabajar, nos moveremos al corazón de la materia. Para obtener lo que quieres, necesitas entender lo que yo llamo "Los Siete Secretos de la Vida, la Salud y la Prosperidad". Al entender estos siete asuntos críticos, llegarás a saber cómo es que tus problemas se desarrollan, de dónde vienen, en qué consisten, porqué es que se resisten a ser curados, y finalmente, el sencillo mecanismo que puede empezar a desenmarañar la estructura de aquello que no quieres en tu vida.

Aunque, antes de que lleguemos ahí, queremos extender una muy seria y cordial advertencia.

La información en este libro tiene el poder de causar una gran curación en tu vida. El mecanismo que llamamos El Código Curativo puede desconectar tu estrés y hacer que tu sistema inmune funcione de la manera en que Dios lo quiso. Como resultado verás asombrosos cambios en tu vida.

No obstante, el dolor tiene un propósito, un propósito espiritual, y si El Código Curativo te ayuda a tratar con el dolor pero no con la fuente última de tu dolor, entonces te habremos hecho en realidad un des-servicio.

Y es que, la curación más profunda que cada persona sobre la tierra necesita no es física o emocional, sino espiritual, y esta involucra el curar cualquier trastorno de una relación con un Dios amoroso. Eso es algo que solamente Dios puede hacer. Eso es algo que es entre tú y Dios.

La gente nos ha dicho una y otra vez que El Código Curativo les ha ayudado a curar los asuntos que evitaban que pudieran creer en un Dios amoroso. Una persona dijo, "Es como si la estática de mis propios asuntos fuera eliminada para que así pudiera finalmente escuchar los mensajes que Dios me estaba diciendo acerca de la manera en la cual Él realmente es, y no las distorsiones causadas por mis propios asuntos del corazón".

No es la intención de este libro el decirte en qué creer. [6]

Pero esperamos y rezamos fervientemente porque llegues a conocer al Único que creo al cuerpo humano, a la energía y a todas las cosas que hacen que El Código Curativo funcione de la manera en que lo hace. Esa es la curación más importante que puede ocurrir, y mientras que El Código Curativo puede ayudar en el proceso, como una herramienta, este no puede hacer ese trabajo. El Código Curativo es una herramienta muy maravillosa. Pero a lo que tú al final de cuentas necesitas asirte es a la Mano que porta la herramienta.

---

6 Nosotros mismos somos seguidores de Jesús. Cuando Yo (Alex) descubrí el sistema de Los Códigos Curativos, fue de hecho un proceso para mí el asegurarme que esto era algo que pudiera utilizar en concordancia con mis propias creencias, como se mencionó en el Prefacio. Para más información acerca de nuestra filosofía y nuestras creencias, vea "Unas Palabras acerca de Nosotros y de Nuestra Filosofía" en la p. 289.

PARTE UNO

Los Siete Secretos de la Vida, la Salud y la Prosperidad

CAPÍTULO UNO

El Secreto #1: Existe Un Origen para la Enfermedad y el Padecer

A fin de ver la puerta por la cual estamos ahora listos para cruzar, echemos un vistazo al camino que nos trajo hasta aquí. Vamos a decirte por adelantado que la puerta que tenemos enfrente había sido predicha por las mentes científicas más grandes de nuestro tiempo desde hace décadas, e incluso desde hace siglos en algunos casos. Entonces esta puerta a la que estamos listos a cruzar es una puerta dorada a la cual la ciencia la ha estado buscando, y lo que se halla del otro lado va a cambiar el mundo de la salud para siempre. El decir que este es un cambio de paradigma sería quedarse corto.

Como ya lo mencioné antes (Ben), fui curado de la enfermedad de Lou Gehrig tras usar Los Códigos Curativos por menos de tres meses. Estaba tan impresionado con este programa que había empezado a ofrecer conferencias por todo el país acerca de Los Códigos Curativos y cómo es que funcionan. Esto también me condujo a ser el único médico que aparece en el popular DVD, El Secreto. Una de las cosas de las que hablo en las conferencias son las Cinco Eras de la Curación, ya que esto nos ofrece un antecedente importante respecto a como hemos llegado hasta este punto de la historia y también puede explicar el porqué Los Códigos Curativos no pudieron haber sido descubiertos antes de este tiempo.

LAS CINCO ERAS DE LA CURACIÓN

Existen cinco eras principales de las cuales vamos a hablar aquí. La primera era fue la oración. Antes de que los seres humanos supieran o entendieran de nutrición o de cualquier tipo de medicina, todo lo que podían hacer era orar. Este pudiera parecer un lugar extraño en el cual comenzar la historia de la medicina, sin embargo pensemos acerca del Hombre en los inicios. Cuando la humanidad tenía algún problema de salud, todo lo que podían hacer era pedirle la curación a las deidades. La historia se encuentra repleta de ídolos, prácticas religiosas, y ceremonias para la curación. En la mitología Griega, se creía que Apolo era la fuente principal de la curación, y que él había transmitido sus poderes a su hijo Asclepio, el cual no solamente evitaba que la gente muriera, sino que inclusive levantaba a algunos de la muerte. En el norte del Perú, todavía se llevan a cabo ceremonias de curación por mujeres llamadas curanderas. Las curanderas hacen uso de la oración y de objetos sagrados, limpian al paciente con agua bendita, e invocan al espíritu por el poder para ayudarles a descubrir la causa de la afección y para limpiarlos y poderlos curar.

Hoy, Dios sigue siendo buscado como la única fuente de curación por muchos individuos, culturas y religiones. A lo largo de los años, algunas personas han creído que el poder de la oración se encontraba en el orar en si mismo, mientras que otras han creído que la fuente de poder es una intervención sobrenatural de un poder más grande. Recientemente, muchos estudios científicos han señalado la efectividad de la oración en el área de la curación. El Dr. Larry Dossey, MD, ha escrito varios libros acerca del poder de la oración en la curación (Palabras que Curan: El Poder de la Oración en la Práctica de la Medicina; Milagros de la Mente: Explorando la Consciencia No local y la Curación Espiritual; Reinventando la Medicina: Más allá de la Mente-Cuerpo hacia una Nueva Era de Curación, etc.). Se ha llevado a cabo un estudio denominado "El Proyecto Estudio Mantra" en la Universidad de Duke (Horrigan, 1999) y se encontró que pacientes con angina de pecho tenían un mayor beneficio al recibir oración. Las personas a lo largo de las épocas han orado ya que creen en un poder superior. Otra teoría es la de que la curación fluye desde el creer en la curación en si misma. La ciencia también ha comprobado que la creencia por si sola es una sanadora muy poderosa. La medicina ha pasado por alto esto e incluso lo ha menospreciado, llamándolo el "efecto placebo". Sin embargo, el efecto es muy real y no debiera ser descartado.

A un nivel más físico, no tomaría mucho el darse cuenta de que ciertas hojas, ramitas, raíces y cortezas fueron valiosas en la curación. Así comenzamos una larga historia del uso de las hierbas. Esto cayó en una mala fama de corta duración y en una disminución en su utilización en la civilización Occidental durante el siglo veinte. Sin embargo, ha tenido un regreso formidable. Difícilmente puedes conducir por la calle sin ver una tienda nutricional o de herbolaria. En nuestros recientes viajes ofreciendo conferencias alrededor del mundo, a donde quiera que vamos oímos a la gente hablar acerca de las alternativas de las vitaminas, los minerales y de la herbolaria. Este resurgimiento ha sido todavía más notable debido a que los que han llegado a las mismas conclusiones con respecto a la herbolaria y los suplementos de las cuales otros han sabido por centurias han sido no los incultos sin educación sino los mismos sofisticados intelectuales. China ha estado usando herbolaria desde tiempos inmemoriales --todo el tiempo que ha habido registros de la historia.

La civilización Occidental ha subido la apuesta sobre la medicina China al tratar de concentrar ciertas partes de alimentos de origen vegetal, lo cual ha resultado en una enorme industria vitamínico/nutricional. Las librerías están llenas de los hallazgos de los milagros modernos de las plantas. Las tiendas nutricionales tienen cientos de productos que han sido extremadamente beneficiosos para las personas con virtualmente cualesquier enfermedad.

Sin embargo, esto está llegando a un alto en seco. Se ha aprobado una nueva ley denominada "CODEX", promovida por la Organización Mundial de la Salud, la cual limitará las concentraciones de vitaminas, minerales, aminoácidos y aceites esenciales a niveles que se quedarían cortos de los efectos curativos que hemos tenido durante décadas. Cualesquiera de estas cosas anotadas arriba tendrán que ser prescritas por un médico y tendrán que ser vendidas a un precio dramáticamente más elevado. Pudieras pensar que estoy hablando de algún evento futuro, pero cualquier gobierno que haya ratificado el acuerdo de la OMS ya se encuentra bajo esa ley. Incluso en países como los Estados Unidos con constituciones extremadamente fuertes se encuentran bajo esta ley debido a que leyes de tratado pueden invalidar leyes constitucionales. El CODEX se llevó a cabo en Roma en Junio del 2005 y afirmó los estándares impuestos por la industria farmacéutica en un documento guía Codex titulado "Guía de Vitaminas y Minerales". Ya ha tenido efecto en Alemania, en donde ahora solamente puedes conseguir unas vitaminas a dosis significativas por la vía de prescripción de un médico. Yo pronostico que muchos gobiernos se moverán lentamente para regular esta industria para así evitar el tener una protesta del público. Pienso que intentarán la manera de abordar de la "rana en el agua". Esto es particularmente perturbador cuando se le considera a la luz del peligro más grande de los medicamentos farmacéuticos --especialmente en esta circunstancia se encuentran los medicamentos farmacéuticos que se venden sin receta-- que con el CODEX efectivamente serán mucho más fáciles de obtener que las vitaminas.

Uno podría preguntarse el porqué los gobiernos aprobarían una ley como esta, la cual transforma a las vitaminas y minerales en ilegales por encima de los medicamentos que se venden sin receta pero mucho más tóxicos y que siguen estando sin restricciones. La industria farmacéutica no obtiene beneficios cuando alguien se mejora; solamente obtienen beneficio cuando alguien trata los síntomas mes tras mes y año tras año.

Esto nos lleva a nuestra siguiente era de la medicina, la era química/medicamentosa. ¿Porqué digo que son químicos? Pues simplemente, porque eso es lo que son. La manera en la cual la mayoría de los medicamentos son desarrollados es al encontrar alguna planta que tenga algún beneficio. Posteriormente intentan descomponerla en sus partes y así encontrar los ingredientes "activos". Ahora, esto todavía no puede ser llevado a una patente. Y recuerda, no hay beneficio sin exclusividad. Así que el paso siguiente en el proceso de hacer un medicamento es el que tenemos que alterar el ingrediente "activo" para que así ya no sea natural.

Ahora tenemos un químico. Pensarías que eso no es tan malo, pero entiende que los órganos y sistemas del cuerpo están diseñados para tratar solamente con materiales orgánicos. Entonces tenemos una sustancia, un medicamento que el cuerpo no puede descomponer. A esto se le llama una toxina. Tenemos toda una industria que está erigida alrededor de fabricar toxinas cuando pudiéramos estar utilizando materiales orgánicos naturales que funcionan de manera mucho más eficiente con la fisiología del cuerpo y todos ellos provenientes de los componentes naturales que son parte de la planta o sustancia orgánica original. Ejemplo: Uno de los medicamentos líderes en ventas de toda la historia se llama Valium (diazepam). Se extrae de la raíz de la Valeriana. Esta raíz es uno de los mejores sedantes y agentes ansiolíticos naturales. Nunca ha habido un solo caso en la historia de una persona que se haya hecho adicta a la raíz de la Valeriana. Se encuentra de forma silvestre en la naturaleza. La sintetización de la raíz de la Valeriana, a fin de crear un medicamento más poderoso y de patente ha resultado en la necesidad de tener clínicas para tratar la adicción al Valium en todo el mundo.

Para continuar nuestro viaje, en seguida le echaremos un vistazo a la cirugía. La humanidad ha incursionado en la cirugía durante siglos. Sin embargo, había sido demasiado cruda hasta el descubrimiento de la anestesia. Anterior a esta, los médicos solamente podían llevar a cabo lo que la persona pudiera tolerar en base a su nivel de dolor o en base a cuanta gente tuvieras para sostenerlos. El alcohol era utilizado ocasionalmente como un anestésico general. El valor y el propósito de la cirugía era el remover algo que estaba poniendo en peligro la vida. Por ejemplo, si alguien tenía gangrena en un pie, el cirujano hacía que agarraran a la persona, tomaba una segueta y cortaba la pierna. El fuego era inicialmente utilizado para cauterizar. Sobra decir que hemos recorrido un largo trayecto respecto a nuestras técnicas quirúrgicas. Sin embargo, ahora no solamente la cirugía se utiliza para situaciones que ponen en peligro la vida, sino que algunos incluso dirían que se usa frívolamente en la cirugía cosmética, una industria en auge. Mientras que las estadísticas indican que un número importante de cirugías se llevan a cabo de manera innecesaria, la medicina quirúrgica de trauma ha sido un gran regalo para la civilización, y es la responsable de salvar incontables vidas.

LA FRONTERA FINAL

Ahora lo que han estado esperando: la puerta dorada. Lo que las mentes científicas más grandes de nuestros tiempos, comenzando con Albert Einstein, han predicho y que ahora se ha descubierto, validado y se ha puesto a la disposición del público en general. Muchos otros grandes científicos han hablado acerca de este tema, pero dejaremos esto para el Segundo Secreto, para más tarde en el libro. Comenzaré con una cita de una de esas grandes mentes:

"La medicina del futuro estará basada en controlar la energía del cuerpo".

– Profesor William Tiller, Universidad de Stanford

Así es, la energía es la frontera final. Es la forma última de curación. La medicina ha estado chapoteando en esto durante algunos años, e inclusive sin darse cuenta ha sido arrastrada hasta ello, pero irresistiblemente ha llegado. No siempre supimos que la luz del sol tiene un efecto curativo. Madame Curie nos ayudó a entrar en esta era con el descubrimiento del radio y de los rayos X. También descubrió qué tan dañina podía ser la energía. En los siguientes capítulos aprenderás más acerca de lo que es la "energía", y que tan extremadamente curativa o dañina puede ser. También entenderás porqué la energía es el futuro de la salud y de la curación.

MÁS ALLÁ DEL COMPLEJO SINTOMÁTICO

La manera en la cual casi todos los problemas de salud se diagnostican y se tratan hoy en día se basa en lo que se denomina un "complejo sintomático". El complejo sintomático se usa no solamente en la medicina tradicional, sino también en la atención a la salud alternativa, y ha sido utilizada durante cientos de años.

La manera en la que funciona un complejo sintomático es tal como suena. El doctor, o el profesional de la atención a la salud, el solucionador de problemas, consejero, o el que esté ayudando, toma nota de todos los síntomas que tiene una persona. Una vez que han identificado los síntomas, consultan un libro, una tabla, o a su propia experiencia para determinar cual es el problema más probable en base a ese particular conjunto de síntomas. Una vez que han determinado cual es el problema más probable --a esto se le llama el diagnóstico-- entonces pasan al tratamiento, preguntándose, "¿Cuál es la mejor manera de tratar ese problema en el estándar de la práctica?" El tratamiento viene predominantemente determinado por la metodología del profesional. Los médicos tradicionales usan la cirugía, los medicamentos --cosas así. Los proveedores de atención a la salud alternativa utilizan la herbolaria, las vitaminas y minerales, no para "tratar" a la enfermedad, sino para apoyar a una salud óptima. Los consejeros y terapeutas enseñan y recomiendan el pensar acerca del problema de manera diferente y utilizan técnicas conductuales, o simplemente ofrecen el apoyo de un oído comprensivo.

Así, el complejo sintomático involucra básicamente tres etapas:

1. La presentación de los síntomas.
2. El diagnóstico, basado en la presentación de síntomas, éste viene a partir de la experiencia, el estudio o de un libro.
3. El tratamiento, terapia o la intervención en si del problema en base al diagnóstico.

Existen literalmente miles de posibilidades para cada una de estas tres etapas. Cuando hablas de problemas de salud, está la salud física y la salud mental. Otros problemas incluirían a los problemas de las relaciones, problemas profesionales, problemas de alto rendimiento (tales como en el atletismo, en el desempeño de tareas, en la oratoria, y las ventas). Cada uno de estos asuntos tiene diferentes posibilidades, dependiendo de cuáles son los problemas con los que estás tratando y de la metodología del profesional. En otras palabras, este proceso puede llegar a ser extremadamente complicado e incluso controversial, debido a que los diferentes expertos están en desacuerdo con respecto a cuál debiera ser el diagnóstico, e incluso aún más con respecto al tratamiento, terapia o intervención que se requiere.

Si quieres tener una idea de qué tan frustrante este asunto puede llegar a ser, entra a Internet y escribe cualquier problema de salud en un buscador. No importa de cual se trate --busca una enfermedad, elige un problema de salud mental, busca dolores de cabeza, lo que quieras. Probablemente vas a encontrar mucha información interesante, pero también vas a encontrar una gran cantidad de desacuerdo, no solamente con respecto a la causa del problema, sino especialmente respecto a qué hacer en ese caso. Puede que te marches un poquito desilusionado, al darte cuenta de qué tanto están en desacuerdo los expertos. Entonces, si los expertos no se ponen de acuerdo, ¿cómo hace una persona que no sea un experto, alguien que es simplemente una persona con un problema, para descubrir y determinar cuál es el mejor curso de acción a seguir por ellos sin dedicar una enorme cantidad de tiempo o de dinero?; o en el peor de los casos, ¿con la posibilidad de arriesgar su vida al intentar una solución que no sea la correcta para ellos?

Vamos a hablar un poco más acerca del gastar tiempo y dinero. Vamos a decir que hiciste esa búsqueda en Internet y encontraste que había diez sugerencias diferentes respecto a como tratar con tu problema. Digamos que intentaste seis de ellas antes de probar la que te brindó el mayor beneficio. En este caso, probablemente gastaste una enorme cantidad de dinero y de tiempo en las primeras cinco que no ayudaron con tu problema.

¿No sería maravilloso si hubiera un solo origen para todos los problemas? Si hubiera un solo origen para todos los problemas, podrías simplemente tratar eso que fuera el origen para así resolver cualquier problema que hubiera. Esto tendría varias ventajas. No gastarías tanto dinero ni tanto tiempo, ya que ¡solamente estarías trabajando en una sola cosa! Si hubiera solo un origen para todos los problemas entonces ese también sería el origen de tus propios problemas, y así podrías sentirte con la confianza de que si estás curando ese origen, entonces estás mejorando en todos los órdenes. Incluso podrías ir un poco más allá y decir, "Si estoy curando el único origen, entonces sé que estoy haciendo lo que es mejor para mi problema".

Podrías estar tranquilo ya que sabes que estás haciendo lo mejor, estás trabajando en el origen único. Podrías estar tranquilo porque sabes que definitivamente te estás ahorrando mucho dinero. Podrías estar tranquilo al saber que te estás ahorrando mucho de tu preciado tiempo y de tu energía ya que puedes dirigirte a tratar directamente ese único origen.

La razón final, que pudiera ser la mayor de todas. Es que, si hubiera un único origen para todos los problemas, y si tú tuvieras diez problemas, podrías aliviarlos todos de una sola vez, ya que todos se remontarían a ese único origen. Si curas ese único origen, podrías realmente estar curando todos esos diez de los peores problemas que evitan que tengas la vida que deseas tener, que tengas las relaciones que quieres tener, que tengas la paz, la prosperidad, y el éxito que deseas tener. Podrías estar tratando con todos ellos al mismo tiempo en lugar de tener que hacerlo a la vieja usanza de tratar uno a la vez e ir a lo largo de ese complejo sintomático y hacer uso de una intervención diferente para cada uno de ellos.

Entonces habría múltiples ventajas en tener un único origen para todos los problemas de salud.

Bien, prepárate para festejar, porque la única cosa en la que están de acuerdo la mayoría de las personas en el campo de la salud es que hay un único origen para casi todos los problemas de salud. ¡Ese es nuestro primer Secreto!

SECRETO #1: EL ÚNICO ORIGEN DE LA ENFERMEDAD Y LOS PADECIMIENTOS

Regresemos a nuestro ejemplo de hacer una búsqueda en la red acerca de un problema de salud. ¿Recuerdas nuestra frustración debido a que los expertos no estaban de acuerdo acerca de cómo tratar el problema? Bueno, la única cosa en la que casi todos están de acuerdo es que casi todos los problemas de salud se originan de un único problema -- ¡el ESTRÉS! De hecho, durante los últimos 10 a 15 años esto ha llegado a ser tan universalmente aceptado que inclusive el gobierno federal de Los Estados Unidos se ha mostrado públicamente de acuerdo con esto.

Como dijimos antes, los Centros para el Control de Enfermedades en Atlanta declaran que el 90 por ciento de todos los problemas de salud están relacionados con el estrés. Por otra parte, el Dr. Bruce Lipton, en una investigación dada a conocer en 1998 por la Escuela de Medicina de la Universidad de Stanford, está en desacuerdo con el CDC. En base a su trabajo de laboratorio, el Dr.

Lipton cree que más del 95 por ciento de todas las enfermedades y padecimientos están relacionados con el estrés.

Los principales medios de comunicación cubren regularmente el tema. La Guía para la Salud en linea del New York Times señala que el "estrés puede provenir de cualquier situación o pensamiento que te haga sentirte frustrado, enojado, o ansioso. Lo que es estresante para una persona no necesariamente es estresante para otra".

En Septiembre del 2004, la revista Newsweek dedicó su portada y su número principal a "La Nueva Ciencia del Cuerpo y la Mente". Los artículos cubrían "El Perdón y la Salud", "El Estrés y la Infertilidad", "Pistas en la Enfermedad Cardíaca" y más. Regresaremos a la idea del "Perdón y la Salud" más adelante.

Otra prominente revista de noticias, la Time, en su portada llamó a la presión arterial elevada "el asesino sigiloso" y que se estaba saliendo fuera de control. El estrés se ha identificado una y otra vez como una de las causas de la presión arterial elevada.

Tengo páginas y páginas de investigaciones acerca de cómo el estrés es el origen del padecimiento. Un artículo en la revista USA Today del 30 de Mayo del 2004, intitulado "Maneje el Estrés, Maneje el Padecer", citaba fuentes de Harvard, de la Universidad del Estado de Arizona, de la Universidad de Carolina del Norte, del Instituto Nacional de la Sangre, el Corazón y los Pulmones (National Heart, Lung and Blood Institute), de la Universidad Tecnológica de Michigan, de la Asociación Médica Americana (AMA), de la Universidad de Tulane, del Centro del Cáncer de la Universidad de Indiana, y del Departamento de Servicios de Salud y Humanos. Otros estudios son de la Clínica Mayo, de la Universidad Vanderbilt, del Centro Yale del Estrés, de la Escuela de Medicina de Harvard, del CDC, del Centro del Cáncer Anderson, de la Academia Nacional de Ciencias, de la Universidad de Boston --y la lista sigue, y se le van agregando cada semana conforme nuevas investigaciones se dan a conocer.

Entonces, ¿qué significa todo esto? Significa que la primerísima pregunta que debiéramos hacernos a nosotros mismos con base en las últimas investigaciones es: "¿Cuál es el estrés que está causando esto y cómo puedo solucionarlo"?

Antes de que podamos responder a esta cuestión, necesitamos responder otra pregunta, "¿Qué es exactamente el estrés en el cuerpo?"

LA FISIOLOGÍA DEL ESTRÉS

¿Qué es exactamente el estrés? ¿Es el que te llegue en la correspondencia alguna cuenta por pagar? ¿Que las cosas en el trabajo no vayan según lo planeado? ¿Preocupaciones acerca de tu salud? tú di, y sí, eso puede ser estresante. Sin embargo, hay una diferencia crítica entre problemas circunstanciales los cuales normalmente tomamos como estrés y el estrés fisiológico el cual resulta en enfermedad y padecimientos.

El estrés fisiológico, puesto de manera simple, es cuando nuestro sistema nervioso se sale de balance. El sistema nervioso central puede ser descrito al utilizar la analogía de un automóvil. Si solamente pisas el pedal del acelerador, terminarás rompiendo algo. De forma semejante, si te montas sobre los frenos, terminarás rompiendo algo. El auto está diseñado para que funcione adecuadamente trabajando en balance armónico entre el acelerador y el freno. Lo mismo se puede decir del sistema nervioso central. Este sistema consta de dos partes, tal como el freno y el acelerador del auto. El acelerador es semejante al sistema nervioso simpático (amplificando las cosas), mientras que el sistema nervioso parasimpático es semejante a los frenos (refrenando las cosas). En la medicina establecida la prueba más de avanzada para medir el estrés fisiológico se denomina "Variabilidad de la Frecuencia Cardíaca" (HRV), y mide el balance o la carencia del mismo, en este sistema. Hablaremos más acerca de esta prueba más adelante.

La parte más grande del sistema nervioso es el denominado sistema nervioso autónomo (SNA). "Autónomo" significa "automático", debido a que no tenemos que pensar en ello. Sucede de manera automática. De hecho, el 99.99 por ciento de todo lo que sucede en el cuerpo en cualquier momento dado está bajo el control del sistema nervioso autónomo. Tenemos cerca de cinco trillones de trozos de información llegando al cerebro cada segundo. Y solamente somos conscientes de cerca de unos diez mil trozos.

Por ejemplo, tú no piensas acerca de la comida que ingeriste en el desayuno y que se encuentra en tu intestino delgado. No tienes que pensar en moverla hacia el siguiente segmento del intestino. No tienes que pensar en agregarle amilasa para descomponer la azúcares. O agregarle lipasa para descomponer la grasa. No tienes que pensar en incrementar la secreción de insulina para manejar un exceso de azúcar. No piensas en que tus riñones se vayan a deshacer del exceso de sodio debido a que le agregaste una cantidad extra de sal a tu comida. No piensas en que tu hígado elimine las toxinas que había en las verduras, ni en que tu sistema inmune luche contra las bacterias que vienen en la comida. Pudiéramos continuar con los ejemplos, sin embargo captas la idea. Casi todo lo que está sucediendo en tu cuerpo incluyendo el crecimiento de tu cabello, se hace de manera automática. No tienes que pensar en ello. Y, ¿qué acaso eso no es maravilloso? ¡Al día le faltarían horas si tuvieras que pensar de manera consciente en que sucedan todas estas cosas!

TODO SE TRATA DEL BALANCE

El sistema nervioso autónomo consta de dos partes, y de nuevo, todo se trata del balance. Está el sistema nervioso parasimpático (SNP), el cual se encuentra a cargo del crecimiento, la curación, y el mantenimiento. Abarca la mayoría de las cosas automáticas de las que estábamos hablando.

Después está el sistema nervioso simpático (SNS). El cual está diseñado para ser utilizado de una manera mucho menos frecuente, sin embargo, juega un enorme papel en la salud y la enfermedad. El SNS es lo que denominamos el sistema de "ataque o huida". Es la alarma contra incendios. Está diseñado para salvar nuestras vidas en cualquier momento, de manera muy semejante a como cuando estás manejando un auto en la autopista. Usas el acelerador la mayor parte del tiempo, pero los frenos pueden salvarte la vida cada ocasión que manejas.

Cuando entramos en el modo de ataque o huida, suceden muchas cosas. El flujo sanguíneo cambia por completo. Ya no se dirige hacia el estómago para digerir los alimentos. Ya no se dirige hacia los lóbulos frontales del cerebro para tener un pensamiento creativo. Ya no se dirige hacia los riñones ni al hígado. La mayor parte de la sangre se dirige ahora hacia los músculos, debido a que tu cuerpo cree que tiene que pelear más fuerte o correr más rápido que cualquier cosa que esté amenazando tu vida. Y así, si es que no sobrevives en los siguientes minutos ya no importará si es que necesites digerir la comida que se encuentre en tu intestino o limpiar las toxinas de tu hígado, o equilibrar los electrolitos en los riñones, o tener un pensamiento creativo. Y de nuevo, estas cosas suceden de manera automática.

EL CRUCIAL NIVEL CELULAR DE ESTRÉS

Aunque estos cambios estén diseñados para salvarte la vida, cuando se sostienen por mucho tiempo, debido a un estrés continuo, pueden provocar daño a tus órganos, afectando de manera especial y directa al sistema inmune. Eso es lo que sucede a un nivel de órganos. Vamos ahora a hablar solo un minuto acerca de lo que sucede a nivel celular. Tengo una buena amiga que es médico naturópata y tiene un doctorado en nutrición. Ella no entendía el porque tanta gente no lograba curarse o mejorarse cuando les daba los nutrimientos, vitaminas y minerales adecuados. Ahora, no te equivoques, ella les daba los correctos. Ella es una doctora muy buena. Lo que no comprendía por completo era el efecto del estrés a nivel celular.

En la Armada, cuando una embarcación es atacada, cesan todas las actividades normales y las de reparación y mantenimiento. Incluso la tripulación que esté durmiendo o comiendo tiene que "acudir a sus puestos de batalla". Cuando la alarma contra incendios (el SNS) se dispara, todas nuestras células dejan de tener su crecimiento, curación y mantenimiento normales. ¿Porqué? Puesto que la alarma contra incendios se supone que solamente se dispara en una emergencia, y todas esas actividades pueden esperar unos minutos mientras que corremos o peleamos para salvar nuestras vidas. Las células literalmente se cierran, igual que un barco cierra las escotillas en el momento de un ataque. Nada entra ni sale. Durante una batalla no ves a una embarcación acercarse a un buque de batalla para hacerle llegar comida o para llevarse la basura. De la misma manera, nuestras células no reciben la nutrición, el oxígeno, los minerales, los ácidos grasos esenciales, etc., ni sacan sus toxinas ni productos de desecho mientras se encuentran bajo estrés. Todo se detiene, excepto lo que es necesario para sobrevivir. Esto resulta en un ambiente en el interior de la célula que es tóxico y que no permite la reparación ni el crecimiento. De hecho, el Dr. Bruce Lipton menciona que así es exactamente cómo llegamos a tener enfermedades y padecimientos genéticos. Por otro lado, la misma investigación en Stanford encontró que las células que estaban abiertas y en modo de crecimiento y curación eran literalmente impermeables al padecimiento y la enfermedad. Permíteme decirlo otra vez, ya que es la declaración más significativa que he escuchado en el campo médico en mucho tiempo. "Una célula en modo de crecimiento y curación es impermeable a la enfermedad". ¡Eso es algo enorme!

Como puedes ver la reacción de ataque o huida es una respuesta necesaria para salvar nuestras vidas en las emergencias, pero no debiera mantenerse durante largos periodos de tiempo. El problema es que la persona promedio se mantiene en ese estado de ataque o huida durante largos periodos de tiempo. Cuando eso sucede, hay un resultado inevitable. Eventualmente algo se rompe y se manifiesta como un síntoma. Cuando tenemos varios síntomas llamamos a esto una enfermedad. Una enfermedad está simplemente donde el eslabón más débil de la cadena se rompió bajo la presión denominada estrés.

¿QUÉ TAN LLENO ESTÁ TU BARRIL?

La doctora Doris Rapp, MD, es considerada por mucha gente como la principal alergóloga del mundo. Ha escrito múltiples libros, especialmente acerca de las alergias y los niños. La Dra. Rapp acuñó una teoría denominada "el barril de estrés". En la teoría de la Dra. Rapp, todos nosotros tenemos un barril interno el cual es la cantidad de estrés con la cual podemos tratar antes de que algo se estropeé. Mientras de que nuestro barril no se encuentre lleno, podemos tener algunas nuevas cosas estresantes que lleguen a nuestras vidas o a nuestros cuerpos y podremos tratar con ellos de manera bastante efectiva para que no nos afecten negativamente. Una vez que nuestro barril se desborda, el eslabón más débil se rompe.

Cuando la alarma contra incendio se arranca, un mensaje directo va desde el cerebro hasta el sistema inmune por las células que están directamente conectadas a las terminales nerviosas. Éstas se denominan dendritas. Cuando yo estaba en la escuela de medicina, se nos enseñó que éstas eran células inmunológicas. Y ciertamente, lo son. Posteriormente los neurólogos las reclamaron ya que éstas células tienen unos neurotransmisores, los mismos transmisores que utilizan las células nerviosas. Y entonces, ahora son llamadas "células neuroinmunológicas" ya que las dos cosas son ciertas. Son parte del sistema nervioso, y están en enlace directo con el sistema inmune. Su mensaje es, "cerrarse", "detenerse".

EL SISTEMA INMUNE EN ESPERA

¿Porqué el cerebro le enviaría tal mensaje al sistema inmune? Bien, piensa en ello. ¿Cuál es el propósito del SNS? salvar nuestras vidas. Y ¿el del sistema inmune? ¿Cuál es su propósito? Luchar contra las bacterias, virus, hongos, hacer las reparaciones, y destruir las células anormales (como las del cáncer). ¿Algo de eso tiene que suceder en los siguientes cinco minutos? Por supuesto que no. Además, el sistema inmune utiliza una enorme cantidad de energía. Y recuerda que nosotros queremos toda nuestra energía y nuestros recursos para un solo propósito durante los siguientes minutos -- ¡el salvar nuestras vidas! Así que todo lo que no sea esencial en los siguientes minutos deja de funcionar.

Bueno, está bien si nuestro sistema inmune no lucha contra las bacterias o los hongos durante 5 minutos, y también está bien si los alimentos no se digieren por otros 5 minutos. El problema hoy en día es que vivimos en un estado de continuo ataque o huida. Al viajar por el mundo realizando la prueba de Variabilidad de la Frecuencia Cardíaca, ha surgido un fenómeno relevante. Cuando hacemos estas pruebas, a cada persona le hacemos una pregunta: "¿Te sientes estresado el día de hoy"? Casi el 50 por ciento contesta que "sí", y casi el 50 por ciento que "no". Del 50 por ciento que contestó que no se sentían estresados, al realizar la prueba de la HRV casi el 90 por ciento se encontró que tenía estrés fisiológico --el tipo de estrés fisiológico que puede conducir hacia el padecimiento y la enfermedad.

El otro día vi una calcomanía en la defensa de un auto. Decía, "Si lo tienes, lo trajo un camión". Ahora, a mí no me gustan los camiones. Me parece que estos enormes camiones en la autopista son muy riesgosos. Al menos, me hacen entrar en el modo de ataque o huida. Pienso que todo lo que transportan debiera ir por vía ferroviaria. Sin embargo, tengo que admitir que todo lo que hay en mi hogar llegó en camión -- ¡incluyendo mi misma casa! En realidad mi casa la fui construyendo por una planta a la vez y tuve que remolcarla hasta el sitio de la construcción en un camión. Si tienes un problema de salud, vino por el estrés fisiológico -- todos los problemas de salud, todas las veces.

Recibimos una llamada de un señor que había acudido recientemente a uno de nuestros seminarios. Nos llamó para contarnos que después de escuchar esta información en nuestro seminario llegó a su casa e hizo una búsqueda en Internet acerca del estrés. Encontró más de 67 millones de sitios web que cuando menos incluían en ellos a la palabra estrés. Si exploras en esos sitios, probablemente te encontrarías con que si tienes un problema de salud, te vino por el estrés. Al ser esto cierto, cada vez que tienes un resfriado, cada vez que tienes un dolor o sufres de algo que no puedas identificar, si es que tu doctor pone sobre ti la temida palabra cáncer, en pocas palabras, no importa qué te suceda en forma negativa desde el punto de vista de la salud, tú deberías preguntarte, "¿Qué estrés provocó esto y cómo puedo eliminarlo?"

Entonces, ¿porque no nos hacemos esa pregunta? Porque hasta ahora, no contábamos con una manera confiable, consistente y validada de tratar al estrés. Lo que funciona para unas personas y para algunos problemas no funciona para otras personas ni para otros problemas. La razón es que había una pieza faltante en el rompecabezas. Y ese es el Secreto #3 al cual llegaremos en unos cuantos minutos.

TU CENTRO DE CONTROL DEL ESTRÉS

El estrés es controlado por el sistema nervioso central. En particular, el estrés fisiológico se crea a través del eje hipotálamo-hipófisis-adrenal (H-P-A). El hipotálamo y la hipófisis (o pituitaria) se creyó en un tiempo que eran las glándulas maestras. En realidad la pituitaria es una interfase de liberación a la sangre para que las hormonas puedan ser secretadas en el torrente sanguíneo. El hipotálamo funciona como una unidad central de procesamiento para todo el cerebro. Cuenta con conexiones hacia todo el sistema límbico --los centros emocionales del cerebro. De hecho, tiene conexiones nerviosas con virtualmente todas las partes del cerebro, y se conecta con el resto de nuestro cuerpo a través de las hormonas que produce y las cuales libera por medio de la glándula pituitaria. Aquí hay una breve lista de algunas funciones que controla el hipotálamo:

1. Presión arterial sanguínea
2. Temperatura corporal
3. Regulación del agua corporal por medio de la sed y de la función renal
4. Contractilidad uterina
5. Leche materna
6. Impulsos emocionales
7. Hormona del crecimiento
8. Glándulas suprarrenales
9. Hormona tiroidea
10. Funcionamiento de los órganos sexuales

Fisiológicamente, los efectos del estrés resultan en un cambio en todos los órganos arriba mencionados, especialmente en cuanto a la liberación de adrenalina, cortisol, glucosa, insulina, y hormona del crecimiento.

¿Cómo medimos el estrés en el cuerpo? Podemos medir los niveles individuales de lo arriba citado; sin embargo, la denominada prueba de Variabilidad de la Frecuencia Cardíaca (HRV) se ha convertido en el estándar para medir el estrés fisiológico. Es extremadamente valiosa ya que refleja el balance que existe en el sistema nervioso autónomo. La Prueba de la Variabilidad de la Frecuencia Cardíaca es un bello ejemplo de esto. En idea es simple en cuanto a que mide el incremento y decremento (variabilidad) de la frecuencia cardíaca en relación con los patrones de la respiración. Es de confiar ya que es una prueba "estándar de oro". Es la mejor prueba médica con la que contamos para medir al sistema nervioso autónomo.

El balance del SNA equivale a crecimiento y curación, los cuales suman en cuanto a salud, mientras que el desequilibro o estrés en el sistema conduce a la enfermedad y a una mala salud. Ese balance es lo que somos capaces de cambiar y medir científicamente con Los Códigos Curativos, y Los Códigos Curativos pueden hacerlo de manera consistente. Nuestro programa de HRV de calidad comercial, fue bastante caro cuando lo compramos, pero ahora puedes conseguir equipos y programas de HRV económicos para usar en la computadora de tu casa por menos de mil dólares y probarlo en ti mismo.

LOS SÍNTOMAS: EL ESLABÓN MÁS DÉBIL SE ROMPE

¿Cómo es que el cuerpo hace manifiesto el estrés? Con lo que llamamos síntomas o enfermedades. ¿Si hay solo una causa, porqué tantos síntomas y enfermedades diferentes? La respuesta es simplemente que hemos roto el eslabón más débil. Este puede ser una predisposición genética o ser el resultado de una toxina que hayamos ingerido o algo que tengamos por algún daño físico anterior.

Vamos a ir en esto paso por paso. Digamos que tienes un problema con una enfermedad con la etiqueta de "reflujo ácido, o reflujo gastroesofágico". Tienes estrés. El estrés disminuye el tono muscular que rodea la parte inferior del esófago, ya que ello requiere sangre y energía, las cuales nosotros las estamos utilizando para atacar o para huir. Entonces el ácido del estómago se regresa bañando al esófago y dañando el revestimiento del mismo esófago. Estas células son dañadas de forma repetida, causando dolor y posteriormente úlceras o cáncer. Pero hacen eso únicamente porque no se encuentran en el modo de crecimiento, reparación y curación, sino estas células podrían protegerse a si mismas del baño ácido. Y así manifiestas la enfermedad del "reflujo gastroesofágico".

La solución médica es el dar una pastilla de color morado para detener al ácido. Esto funciona de manera muy efectiva para reducir el ácido, pero el problema es que el ácido se requiere para digerir la comida. El ácido también sirve para matar las bacterias que hayamos ingerido con la comida. Y al enmascarar nuestro síntoma, hemos creado ahora dos problemas nuevos. La carga bacteriana extra que agobia al sistema inmune y la comida que permanece en el estómago durante más tiempo hasta que éste produce el suficiente ácido para digerirla, pero eso hace que el tiempo de exposición del esófago al ácido sea mayor. Esto se convierte en un ciclo vicioso. Entonces, ¿queremos enmascarar el síntoma o queremos curar su origen?

Obviamente, mejor curaríamos el origen, y, como lo hemos mostrado claramente, el origen es el estrés.

¿QUÉ ES LO QUE EL CÓDIGO CURATIVO LE HACE AL ESTRÉS?

Como se mencionó, la prueba de Variabilidad de la Frecuencia Cardíaca es la mejor prueba médica en existencia para medir el estrés fisiológico en el sistema nervioso autónomo. Se ha utilizado durante más de 30 años en la medicina, y se encuentra a la misma altura que las tomografías computadas y las resonancias magnéticas nucleares, en cuanto a que no responde ni siquiera en un 1 por ciento al "efecto placebo", lo que significaría básicamente que, "todo está en tu cabeza".

Cuando descubrí Los Códigos Curativos, busqué maneras de poderlos probar, ya que quería asegurarme, primero que todo para mí mismo, de que esto era algo "auténtico y verdadero". Yo estaba familiarizado con la prueba HRV y, de hecho, la había utilizado para someter a pruebas a otras modalidades, tales como el balance de los chakras y puntos de acupuntura-- lo que se denomina el sistema de meridianos.

Muchas personas encuentran alivio con estas modalidades las cuales involucran generalmente el dar golpecitos o frotar en puntos de acupuntura, meridianos o chakras, pero nuestra experiencia es que las personas se "salían de balance" (y eso significa estrés) una o dos horas después de la terapia.

De hecho, aquí están los resultados concretos. De 1998 al 2001, realicé cuatro diferentes pruebas de HRV en modalidades que utilizaban el sistema de los chakras o puntos de acupuntura. El número de personas que seguía en balance de acuerdo a la HRV después de una sesión variaba del 52 por ciento al 89 por ciento (dependiendo del grupo). Sin embargo, al pasar 24 horas, el número de personas que seguía estando en balance (el estado normal o un estado de carencia de estrés fisiológico) cayó dramáticamente, solamente el 20 por ciento seguía estando en balance.

En contraste, cuando a personas a las que se les había realizado una prueba HRV, y que posteriormente realizaron un Código Curativo, y que después fueron sometidos a otra prueba de HRV, del 82 al 84 por ciento estaban todavía en balance después de una sola sesión de Códigos Curativos (es decir, una sesión de 20 minutos o menos). Y pasadas las 24 horas, el 77 al 79 por ciento seguía estando en balance.

En 1990, en un libro titulado Pare las Pesadillas del Trauma, el Dr. Roger Callahan revisó 30 años del uso de las pruebas de Variabilidad de la Frecuencia Cardíaca y declaró que solamente había dos modalidades citadas en la literatura, las cuales se había encontrado que habían llevado al sistema nervioso autónomo del desequilibrio al balance de manera consistente. A ambas les tomó al menos seis semanas llegar a ese balance. Una fue realizada en humanos y una en perros. Claramente, el sistema nervioso autónomo es muy resistente al cambio rápido. Esta es la razón del porqué puede ser tan difícil cambiar nuestro metabolismo o el perder peso.

Compara eso con las personas que habían sido sometidas a las pruebas con El Código Curativo, y que pasaron del "fuera de balance" al "balance" en 20 minutos o menos. Esto significa que en 20 minutos o menos el sistema inmune de la persona pasó de no estar operando de la manera en que debiera, a ser capaz de funcionar de manera normal y así ser capaz de curar cualquier cosa que requiera ser curada.

Una de las cosas que me asombraron mucho (Ben) -- y que otros médicos confirmaron, junto con fabricantes y expertos de HRV-- fue que nuestros resultados no solamente carecían de precedente en la historia de la medicina, sino que hasta que los obtuvimos repetidamente, habrían sido considerados por muchos médicos como imposibles.

Aunque estos resultados de las pruebas HRV no fueron un estudio clínico formal, controlado, ni doble ciego, ciertamente proporcionaron una pieza de la evidencia que necesitábamos para mostrarle a personas de mente abierta que Los Códigos Curativos pueden remover el estrés del cuerpo de la manera necesaria para una curación a largo plazo, y de una manera que nunca se había medido antes. De hecho, el Dr. Callahan declaró que "en general, los estudios de doble ciego son para mostrar que un tratamiento tiene algún impacto". Si es obvio que la terapia o tratamiento tiene impacto y que no provoca daños, la necesidad de estudios doble ciego se disminuye en gran medida.

También de acuerdo con el Dr. Callahan, la necesidad de estudios controlados o doble ciegos no es tan crítica cuando se trata de la Variabilidad de la Frecuencia Cardíaca ya que la HRV no es ni siquiera 1 por ciento susceptible al efecto placebo del "todo esta en tu cabeza". Ese es el principal factor que hace necesarios a los estudios controlados y doble ciego-- para descartar el efecto placebo. Muchos expertos están de acuerdo en que al utilizar la HRV significa de manera automática que has descartado el efecto placebo.

La otra pieza de "prueba" fue proporcionada por los mismos resultados de nuestros clientes los cuales fueron predecibles y consistentes.

Aquí está lo que sucedió en una conferencia que realizamos, según lo informado por el director:

> El Dr. Alex Loyd y el Dr. Ben Johnson fueron los ponentes principales en nuestra más reciente conferencia Internacional PQI en Ixtapa, México. Había cientos de personas de todo el mundo. Durante un periodo de tres días el Dr. Loyd trabajó con 142 personas quienes tenían algo que les molestaba física o no físicamente. El Dr. Loyd le dio a cada persona el Código Curativo adecuado para la memoria celular conectada con lo que más les molestaba. Todas las 142 personas informaron por si mismas que el recuerdo había llegado hasta cero en unos cuantos minutos-- ¡Una frecuencia de éxito del 100 por ciento! Durante los tres días hubo personas riendo y llorando de gozo, y esperando en fila alrededor del stand de Los Códigos Curativos. Inclusive las personas informaron de dramáticas curaciones físicas que resultaron de la autorealización de un solo Código Curativo. La palabra milagro fue la palabra más frecuentemente escuchada. Una dama de Montreal, Canadá, de las que habían dicho que era un milagro había comentado antes de hacer El Código Curativo que "si ese recuerdo llegaba a cero ella iba a colocar posters del Dr. Loyd en todas las habitaciones de su casa". Mientras que muchas curaciones como esta ocurrieron, se corrió la voz en la conferencia de que podías tener una experiencia que te cambiaría la vida en el stand de Los Códigos Curativos. Creo que en un momento llegaron a tener más de cien personas en la lista de espera para los Códigos Curativos personales. El Dr. Loyd y el Dr. Johnson también hablaron en cinco ocasiones en la conferencia y tuvimos que despedir a las personas de varias de ellas (de las sesiones), ya que se había corrido la voz acerca de Los Códigos Curativos.
>
> —Dr. Ellen Stubenhaus, Miembro del Consejo PQI

Esta es la razón por la cual decimos confiados que El Código Curativo trata el origen del padecimiento y la enfermedad en el cuerpo.

MUCHOS SÍNTOMAS, UNA CAUSA

Recientemente tuvimos un testimonio de un señor que había comprado el paquete de Los Códigos Curativos para otra persona. Llegó a casa, hojeó el manual, y decidió probarlos en su propio problema antes de dárselo a su amigo. Tenía múltiples lesiones en la piel, por todo su cuerpo. De hecho, él ya había hablado con su médico acerca de extirparlas y realizar cirugía plástica. Tenía una lesión en su frente y otras más en la espalda, y una en la parte superior de su cabeza. Comenzó a hacer Los Códigos Curativos, y en un lapso de tiempo relativamente corto, en cuestión de unas semanas, las lesiones se habían descamado hasta que finalmente, para cuando nos estaba llamando, habían desaparecido todas, con excepción de la que tenía en la cabeza, dentro de la línea del pelo. Para ese momento, casi había desaparecido al 90 por ciento, y la persona se encontraba confiado de que también iba a desaparecer.

Bien, ¿cómo es posible que algo físico, como esas múltiples lesiones en la piel, pudieran sanar en un periodo de unas semanas? Ya que el estrés se encuentra en la raíz del problema, y porque Los Códigos Curativos curan el estrés. Una vez que el estrés es eliminado, tus sistemas inmune y de curación son capaces de curar casi cualquier cosa. Normalmente cuando pensamos en intentar algo como Los Códigos Curativos, pensamos en problemas emocionales, pero el estrés se encuentra en la raíz de todos los problemas, emocionales y físicos.

Ahora bien, de todos los problemas físicos y no físicos de los que estamos hablando --enfermedades, problemas mentales, emocionales, dolores de cabeza, fatiga-- Los Códigos Curativos no "tratan" a ninguno de esos. A ninguno. Nunca lo han hecho, y nunca lo harán. El Código Curativo solamente cura los asuntos del corazón, lo cual reduce o elimina el estrés fisiológico en el cuerpo.

Ese es el Secreto #1: El origen único del padecimiento y de la enfermedad en el cuerpo es el estrés fisiológico, y se ha encontrado que Los Códigos Curativos eliminan este tipo de estrés del cuerpo de una manera que no tiene precedentes en la historia.

¿QUÉ ES LO QUE DICEN LOS QUE HAN UTILIZADO LOS CÓDIGOS CURATIVOS? (RESULTADOS DE LA HRV)

El Dr. Alex Loyd y el Dr. Ben Johnson fueron los ponentes principales en nuestra Reunión de Becarios este año que pasó. Le enseñaron a todos Los Códigos Curativos, tanto antes como después de las pruebas HRV para así mostrar su efectividad, y enseñaron el material de entrenamiento avanzado de Los Códigos Curativos. De las cincuenta personas que se encontraban en la conferencia, solo hubo dos quienes no se encontraban en balance en la prueba de HRV después de una sesión de Códigos Curativos. Seis de esas mismas personas fueron sometidos a otra prueba veinticuatro horas después y todos los seis estaban aún en balance en la prueba HRV sin ninguna intervención adicional. No creo que esto fuera alguna coincidencia. Cuando se les pidió, al final de la conferencia, que levantaran las manos si es que habían tenido alguna curación física o no física durante el fin de semana como resultado de hacer Los Códigos Curativos todas las cincuenta persona levantaron sus manos. Había entre los participantes, algunos con enfermedades mayores, algunos con muy buena salud, y casi todos se encontraban en medio de eso. Los Códigos Curativos funcionaron para todos.

—Bill McGrane, Instituto McGrane, Inc.

Yo asistí a una de sus increíbles sesiones. Mi HRV salió tan baja que ustedes se preocuparon por mí. Solamente hice el Código que nos enseñaron en esa ocasión. Mi depresión se ha ido, y yo he estado tan bien que me he olvidado de hacer los Códigos. ¡Oooooops!

—Marilyn

En el 2003, asistí a un entrenamiento para coaches que se estaba realizando en Kansas City. En un punto, se le pidió a unos voluntarios que pasaran al frente del cuarto para que fueran observados por la clase mientras de que eran monitorizados por HRV y pensaban en ese momento acerca de un asunto que les provocara emociones intensas. Yo fui uno de los voluntarios ya que me había visto a mí misma en un creciente estado de ataque o huida por una decisión de negocios que había hecho unas semanas atrás. Estaba sintiendo una presión financiera extrema en ese tiempo y la imagen de salir a mi buzón de correo para recoger lo que seguramente sería de inicio un montón de facturas, era un detonador que me estaba poniendo en un absoluto estado de pánico.

Lo más perturbador de esto fue que yo había hecho mi respectiva diligencia antes de tomar la decisión, me había sentido muy bien e inclusive ya había establecido clientes para mis servicios. No tenía nada de que arrepentirme hasta ese momento. Sabía que el nudo en mi estómago y el miedo paralizante no tenía fundamento en nada que estuviera sucediendo ahora.

Cuando pasamos al frente de la habitación en el entrenamiento, me senté en una silla. La gran pantalla estaba fuera de mi vista pero las personas en la habitación podían observar los resultados de mi HRV. El Dr. Loyd me pidió que cerrara los ojos y que me relajara mientras de que comenzó a hacerme

El Código Curativo con la intención de curar las imágenes asociadas con ese asunto. Yo era ajena a lo que estaba sucediendo en la habitación y en la pantalla. Me estaba enfocando en la sensación física de ansiedad y también me preguntaba si El Código Curativo funcionaría en esta situación. Seguí viendo esa imagen de salir hacia el buzón de correo con un sentimiento de pavor. Estaba intentando mantener la imagen fuera de mi mente para así poderme relajar pero los sentimientos de pesimismo y negatividad eran muy predominantes.

Sucedió una cosa asombrosa. No estoy segura de cuánto tiempo tomó, pero de repente noté que el nudo en mi estómago se había esfumado. Encontré que mis pensamientos tomaban un rumbo hacia recuerdos de otras cosas en las que había tenido éxito. Un sentimiento de confianza se apoderó de mi. La realización de que inicialmente había tomado los pasos necesarios para tener éxito me condujeron a la convicción de que simplemente necesitaba ponerme a trabajar y seguir el plan que yo misma había realizado. El pánico que había estado sintiendo me pareció casi cómico mientras de que un sentimiento de paz me sobrevino, ya que me di cuenta de lo infundado que era el pánico. Dos días después, aún me sentía muy en balance y mientras pensaba en salir al buzón de correo, la lectura de la HRV mostró la comprobación de que todavía me encontraba en un estado balanceado.

—Teri, Nashville, Tennessee [7]

7 Para más testimonios, visita www.thehealingcodebook.com.

CAPÍTULO DOS

El Secreto #2: El Estrés es Causado por un Problema de Energía en el Cuerpo

En 1925 un tipo de cabello alocado de nombre Albert garabateó en su pizarrón $E=mc^2$ y el mundo nunca volvió a ser el mismo. Para saber el porqué, simplemente tienes que entender qué significa $E=mc^2$. De un lado se encuentra la E, que significa energía. Del otro lado se encuentra todo lo demás. En realidad, ese es el significado de $E=mc^2$: Todo es energía, y todo se reduce a energía.

Todos nuestros problemas de salud se originan de una frecuencia energética destructiva. Para explicar el cómo, te voy a pedir que utilices tu imaginación un poquito. Digamos que de alguna manera supimos que yo desarrollaría un tumor en mi hígado en 10 días. No sé como lo supimos; lo estamos suponiendo, ¿si? ¿Qué tal si hiciéramos un pequeño experimento y fuéramos al Hospital Vanderbilt aquí en Nashville para que me hicieran una RMN diariamente en los siguientes 10 días? ¿Qué sucedería en nuestro experimento? El doctor vendría con los resultados de la RMN del día uno y podría decir, "Todo está limpio" ... para el día dos, "No hay problema" ... para el día tres, ¿Porqué estamos haciendo esto"? ... en los días cuatro, seis, ocho, "Esto me parece que no tiene sentido" ... día diez; "Oh, Dr. Loyd, tenemos aquí en su hígado unas células anormales --deberíamos tomar una biopsia y estudiarlo".

Pregunta: ¿De dónde vinieron las células anormales? Estuvimos midiendo cada día todo lo físico que una RMN puede medir. La respuesta es que ¡las células anormales tienen que comenzar en algún lugar no físico! De hecho, todos tus problemas se originan de algo no físico.

Antes de 1925, la ciencia seguía la física Newtoniana, la cual decía (entre otras cosas) que el átomo es materia sólida, dura. Ahora hemos sabido por ya algún tiempo que esto nunca fue verdad. Si miras en un microscopio electrónico que esté enfocado en un átomo y nos movemos más y más cerca del átomo, eventualmente dirías, "¿A dónde se fue? ¿Qué le pasó?" debido a que entre más cerca está tu foco del átomo más el átomo desaparece, hasta que finalmente pasas a través de él. ¿Qué es lo que estoy tratando de decir? Que el átomo no es para nada sólido. El átomo está hecho de energía. Igual que todo lo demás en el planeta Tierra.

Todo es energía, y toda la energía tiene tres elementos comunes:

1. Una frecuencia
2. Una longitud de onda
3. Un espectro de color

Entonces, ya sea una mesa, un plátano, tu vesícula biliar, o uno de los elementos de la tabla química de la preparatoria, todo es energía. Para saber qué tipo de energía es algo, puede determinarse por la frecuencia. Una vez que esto fue probado matemáticamente por Albert Einstein (y, a propósito, esto ha sido recientemente validado por las investigaciones del telescopio Hubble), todo cambió en el mundo. Cada industria que te puedas imaginar comenzó a moverse hacia la electrónica y la energía. La industria automotriz, la industria de las comunicaciones, la televisión, el radio, tú dirás. La única industria que se ha rezagado más que la mayoría es la industria médica. Especialmente en la medicina Occidental, esta industria ha seguido por la línea de la física Newtoniana de antes de 1925, a pesar del hecho de que ahora sabemos que se encuentra limitada en su capacidad para describir la manera en la que funciona el mundo real.

Cuando descubrí Los Códigos Curativos, una de las cosas que me convencieron de que este sistema era legítimo, fue mi investigación en la biblioteca acerca de lo que las mentes más grandes de nuestros tiempos han dicho cuando hablan acerca de problemas de la salud. Lo que encontré me asombró por completo, y nunca lo había visto antes, ni inclusive en dos programas de doctorado que me tomaron seis años de mi vida.

Lo que encontré fue que algunas de las mentes científicas más grandes de nuestros tiempos --Ganadores de Premios Nobel, gente con doctorados en varios campos, médicos, autores, inventores-- habían dicho, cuando hablaban acerca de problemas de la salud, que la raíz de toda la salud y de la enfermedad siempre es un asunto de energía en el cuerpo. También dijeron que algún día, íbamos a encontrar una manera de arreglar el problema de energía que se encontraba detrás de cada problema de salud, y que el día que eso sucediera, el mundo de la salud cambiaría para siempre.

Aquí hay unos cuantos ejemplos de lo que encontré:

"Toda la materia es energía".—Albert Einstein

"Todos los organismos vivientes emiten un campo de energía".
—Semyon D. Kirlian. Ex-URSS.

"El campo de energía lo inicia todo".
—Prof. Harold Burr, PhD, Universidad de Yale

"La química del cuerpo está gobernada por campos celulares cuánticos".
—Prof. Murray Gell-Mann, Ganador del Premio Nobel (1969), Universidad de Stanford

"Las enfermedades tienen que diagnosticarse y prevenirse por medio de la evaluación del campo de energía".
—George Crile, Sr., MD, Fundador de la Clínica Cleveland

"Tratar a los humanos sin el concepto de energía es tratar materia inerte".
—Albert Szent-Gyorgyi, MD,
Ganador del Premio Nobel (1937), Hungría

Entonces si vas a curar asuntos de salud desde su raíz, tienes que curar el problema energético. Debes curar la frecuencia destructiva en las células que una RMN identifica y lo que es interpretado por un médico como una célula potencialmente cancerosa o la enfermedad de Parkinson o cualesquiera que sea el problema.

ENERGÍA: EL SALTO CUÁNTICO PARA ENTENDER NUESTRO MUNDO

En el pasado, casi todos los fenómenos energéticos fueron atribuidos a las deidades, o a las travesuras de algún espíritu. Durante los periodos de la Era de la Iluminación y del Renacimiento, empezamos a entender de manera más completa y exacta cómo es que funcionaban realmente las cosas, y elaboramos teorías para describir los fenómenos. Científicos como Copérnico, Kepler, y Galileo cuestionaron consideraciones previas de la astronomía y de las órbitas celestes y trajeron a la luz nueva información, específicamente el que los planetas, incluida la tierra, giraban alrededor del sol, lo opuesto a la teoría previa de que todos los planetas y el sol giraban alrededor de la tierra. Isaac Newton trajo más iluminación científica con la bien conocida teoría de la gravedad que descubrió cuando (como cuenta la historia) fue golpeado en la cabeza por una manzana. También desarrolló el cálculo y las tres leyes del movimiento. Todas estas teorías funcionaron muy bien para lo que sabíamos en ese tiempo. Sin embargo, sabíamos que había muchas cosas que estas no explicaban.

Cuando Albert Einstein, uno de los científicos más brillantes que ha existido, demostró que $E=mc^2$, el mundo científico fue lanzado hacia un nuevo paradigma, uno que encajaba mucho mejor con lo que estaba sucediendo en el universo. La ciencia ha hecho un salto cuántico con este conocimiento. Ahora sabemos cómo usar la energía en maneras que como niño yo leía en las historietas de héroes de ficción. Recuerdo a Dick Tracey hablando con su compañero por su radio-video de muñeca de dos vías --ahora tenemos celulares así de pequeños. Literalmente podrías usarlos en tu muñeca si ese fuera el capricho. Y hombres yendo a la luna --¡Qué fantasía! Pero lo hicimos. No tengo duda de que algún día tendremos un aparato tricorder como el del doctor de Viaje a las Estrellas que usaba cuando transportaba personas de lugar a lugar utilizando campos de energía.

UNA CUESTIÓN DE FÍSICA CUÁNTICA

¿Cómo puede ser posible todo esto? Se llama física cuántica. La física cuántica es muy difícil de explicar, pero permíteme darte algunos ejemplos de los experimentos que el Departamento de Defensa de los Estados Unidos llevó a cabo.

En 1998, rasparon unas células del techo de la boca de un sujeto y las colocaron en un tubo de ensayo. Conectaron el tubo de ensayo a un polígrafo de un detector de mentiras. Posteriormente, conectaron al sujeto a un polígrafo, pero en un área totalmente diferente del edificio. Pusieron al sujeto a ver diferentes tipos de programas en la televisión. Programas pacíficos y tranquilizadores, y programas violentos, estimulantes. Lo que encontraron fue que las células del individuo registraron exactamente la misma actividad en el mismo instante exacto que la persona. Cuando el individuo estaba viendo los programas tranquilos, calmantes, la respuesta fisiológica de tanto el individuo como de las células se tranquilizaría. Cuando cambiaban hacia el material estimulante, el individuo y sus células mostraban una excitación fisiológica. Siguieron separando al individuo y sus células más y más lejos entre sí hasta que finalmente estuvieron a 50 millas de distancia. Habían pasado cinco días desde que las células se habían raspado del techo de la boca del sujeto, y todavía seguían registrando exactamente la misma actividad exactamente en el mismo instante.

Otro experimento con efectos muy similares, pero de un individuo a otro en lugar de las propias células de una persona, fue llamado el experimento Einstein-Podolsky-Rosen. En este prominente estudio, tomaron a dos individuos que eran virtualmente unos extraños, se les dieron unos minutos para conocerse de manera superficial, y posteriormente se les separó 50 pies (15 metros aprox), cada uno en una jaula de Faraday (jaula electromagnética). Una jaula de Faraday está diseñada para evitar que las frecuencias de radio y otras señales entren o salgan. Por ejemplo, podrías colocar una antena de radiodifusión FM en una jaula de Faraday y a 50 pies (15 metros) de distancia, no serías capaz de encontrar señal con tu radio para esa frecuencia ni recibirla debido a que la jaula de Faraday bloquea de manera efectiva esas frecuencias. En pocas palabras, una jaula de Faraday bloquea la energía normal, pero permite el flujo de energía cuántica.

Una vez estando en la jaula de Faraday, engancharon a ambos individuos a un electroencefalógrafo (EEG), el cual monitorea la actividad neurológica. Alumbraron a los ojos del primer individuo con una linterna de bolsillo, pero no al otro. Al alumbrar los ojos de alguien eso provoca actividad neurológica medible y una constricción visible de las pupilas. En el instante que hicieron esto, la actividad neurológica de ambos sujetos mostró la misma actividad en el EEG y una constricción pupilar. Cambiaron de sujeto y los separaron aún más y más lejos, obteniendo los mismos resultados cada vez.

¿FENÓMENOS PARANORMALES O FÍSICA CUÁNTICA?

La conclusión derivada de ese estudio es que constantemente transferimos información de persona a persona de manera inconsciente, con personas con las cuales estamos conectadas incluso de manera superficial. Por primera vez, esto explica cientos de casos validados de lo que por décadas parecía ser actividad paranormal. Como por ejemplo: Una mamá está desayunando con una amiga en la ciudad de Nueva York y a las 12:15 hrs. levanta la vista de su ensalada con una mirada de horror en su rostro, y le dice a su amiga, "Algo le pasó a Jane ... Debo llamar a Jane". De inmediato abandona el desayuno y telefonea a California en un esfuerzo por encontrar a su hija, Jane. Se entera de que exactamente a las 12:15 Jane tuvo un accidente automovilístico, que está agitada, pero bien.

Yo personalmente supe de uno de esos eventos cuando era un muchacho. El nombre de mi mejor amigo era John. Sus papás, Marina y George, habían salido en un pequeño viaje hacia Fairfield Glade hacía una hora y media, para una salida rápida, dejando a John al cuidado de su hermana mayor, Tina. Cerca de la mitad del camino hacia Fairfield Glade, la madre de John le dijo a su esposo, "Tenemos que ir a casa ahora mismo. Johnny está en problemas". Al llegar a casa poco después, encontraron a John con la cabeza atorada entre los pasamanos de la escalera, mientras que su hermana se encontraba escuchando música con unos audífonos, incapaz de escuchar llorar a John. John se encontraba bien, aunque estaba agitado.

Entonces, ¿Cómo sabía Marina que John estaba en aprietos y en peligro? Durante décadas, se lo atribuímos a la PSE (Percepción Extrasensorial) o a otros variados fenómenos paranormales. Ahora sabemos, gracias al experimento Einstein-Podolsky-Rosen, que eran simplemente estrictas reglas de la naturaleza denominadas física cuántica. En el caso de Jane y su madre, y el de mi mejor amigo John, la transferencia inconsciente de información simplemente llegó al pensamiento consciente de las personas involucradas. Mientras que es raro, esto está más allá de lo inaudito. De hecho, más y más personas están descubriendo maneras de acceder a esta información inconsciente a través del uso de la física cuántica para propósitos de curación.

Esto nos trae el tópico del misticismo, ya que fuera de la explicación de la física cuántica, estos experimentos científicos parecieran ser místicos. Lo que en el pasado hemos denominado "místico" es la mayor parte de las veces solamente donde alguien ha aprendido a utilizar las funciones naturales de la física cuántica para una aplicación en particular. O, como en el caso anterior, sucede por accidente. Hay personas que pueden doblar objetos de metal. Hay personas que pueden levitar. O hay los que parecen saber cosas de las cuales no tienen manera de poderlas saber. Ahora, seguro que hay magos también, pero ellos no utilizan la física cuántica, ellos usan la prestidigitación o la ilusión. Esto no es de lo que estamos hablando. La verdad simplemente es que hasta ahora no habíamos comprendido cómo era posible que sucedieran. Y al comenzar a entender a la física cuántica, hemos obtenido conocimiento acerca de cómo es que estas cosas pueden realmente suceder. De hecho, una de las teorías de referencia de la física cuántica es que, dada la suficiente oportunidad, virtualmente nada es imposible. Entonces, lo que hemos considerado que era místico no es místico en absoluto, sino simplemente física cuántica que no habíamos comprendido debido a que habíamos estado operando bajo las teorías Newtonianas.

UN CAMBIO DE PARADIGMA CON RETRASO

¿Debemos tener miedo de la física cuántica? Para nada. Es la manera en la que el universo funciona y siempre lo ha hecho así. Simplemente no lo habíamos comprendido anteriormente. Como verás más adelante en este libro, el entendimiento de la física cuántica da paso a los más grandes descubrimientos de la salud y la curación que hemos tenido alguna vez. Es un nuevo entendimiento, un nuevo cambio de paradigma del pensamiento, pero uno que debemos hacer. Solo piensa en esto: Si fueras transportado a Salem, Massachusetts, en 1692 y sacaras tu celular y le llamaras a un amigo, ¿qué crees que sucedería? Ellos no entenderían la física de un micrófono, ni las baterías, los chips, las pantallas de LEDs ni las radiofrecuencias viajando por el aire. Hubieras sido perseguido como a una bruja debido a que ellos no entendían la física. ¿Hay algo maligno en los teléfonos celulares? (Mi esposa diría que "si"), ¿eso quiere decir que la física no existía? Si hubieras tenido en ese entonces dos radios y los usaras, ¿podrían haber hablado uno al otro? ¡Por supuesto! La física no ha cambiado, solamente ha cambiado nuestro conocimiento, nuestro entendimiento y aplicación de ella.

Las personas que fueron las primeras en descubrir ciertos aspectos de la física, y la manera en la cual el universo fue creado siempre han sido malentendidas y en ocasiones han sido perseguidas y martirizadas. La lista es larga y distinguida. Copérnico (quien descubrió que la tierra y otros planetas giran alrededor del sol), Galileo (quien comprobó matemáticamente la teoría de Copérnico), Cristóbal Colón (quien comprobó que el mundo era redondo), y muchos otros fueron perseguidos por descubrir verdades científicas. Los marinos de la Niña, la Pinta y la Santa María estaban todos absolutamente convencidos de que iban a caerse por el filo de la tierra, debido a que ellos creían que la tierra era plana. Creían en una vieja teoría, la cual no solamente no era verdad en ese entonces, sino que nunca lo había sido.

Pero no esperes encontrar un gran entendimiento de la física cuántica entre el público o inclusive entre los educadores. Yo (Ben) busqué recientemente en el libro de ciencias del octavo grado de mi hija, y aún se le seguía enseñando la misma física Newtoniana que a mí se me enseñó en el octavo grado hace cuarenta y cinco años. La tragedia es que, sabíamos incluso cuando yo estaba en el octavo grado, que esta teoría era anticuada. Toma años o incluso décadas para que una vieja teoría salga de la perspectiva general incluso y cuando ya no encaje más en esta.

Afortunadamente, ahora más y más personas están llegando a comprender el significado de la energía como lo describe la física cuántica, a pesar de esta ser ignorada en la educación general.

El revisar los principios es esencial para que comprendas el revolucionario poder de Los Códigos Curativos.

LOS MUCHOS ROSTROS DE LA ENERGÍA

La energía puede tomar muchas formas. Por ejemplo, está la energía que llamamos "luz". Ésta abarca un cierto espectro de la frecuencia de energía, de 4.3×10^{14} a 7.5×10^{14}. Detectamos estas frecuencias con nuestros ojos. Están las frecuencias del sonido. Detectamos estas con nuestros oídos y con receptores en nuestros pies y tejidos corporales. Está la energía infrarroja. Detectamos esta como calor. Está la ultravioleta, la cual se encuentra justo más allá de lo que podemos ver al final del espectro de la luz. Existen muchas otras frecuencias de energía para las cuales no tenemos receptores en el cuerpo para poderlas detectar. A estas, por supuesto, en algún momento se les consideró que eran místicas, pero ahora tenemos los instrumentos que pueden detectarlas. Las llamamos rayos X, ultrasonido, radar, UHF, VHF, etc. La lista es infinita.

Existen tres componentes principales de las frecuencias. Uno es el que indica cuántas veces cambia la frecuencia de positiva a negativa en un periodo dado. Usualmente llamamos a esto ciclos por segundo. Por ejemplo, la electricidad tiene 120 ciclos por segundo en Europa y 60 ciclos por segundo en los Estados Unidos. Está la amplitud, y esta es la magnitud de la onda por encima y por debajo de la linea basal, o punto cero. Después está la forma de la onda. Así es, las ondas tienen formas. Puedes tener una onda senoidal, la cual es una hermosa onda, suave, curvada, simétrica que te recuerda al oleaje de un océano. Están las ondas en espiga o punta, las cuales son hacia arriba y hacia abajo, como una aguja. Están las ondas cuadradas, y de muchas otras formas. Hay frecuencias que usamos para transportar otras frecuencias. Ahora hemos encontrado como enviar cientos de miles de mensajes por segundo a través de una fibra muy delgada utilizando la frecuencia de la luz. Llamamos a estas fibras ópticas, y las utilizamos a diario cuando hablamos por teléfono. Sigue siendo todavía muy místico para mí, debido a que no entiendo por completo como es que funciona, pero ¿la utilizo? ¡Podrías apostarlo!

¿Qué hay acerca de la medicina y la frecuencia? ¿Utilizamos la frecuencia en la medicina? Bien, si, sobre unas bases muy limitadas cuando es que tenemos que hacerlo. Pero entiende esto: cuando te das cuenta de lo que es una frecuencia y lo que puede hacer, entiendes que usar la frecuencia en la medicina eliminaría literalmente a la industria farmacéutica tal como la conocemos. ¿Crees que permitirán que eso suceda? Usar la frecuencia para el diagnóstico es seguro, y cada vez más común. Los rayos X fueron lo que primero se utilizó de una frecuencia para hacer diagnósticos. Los electrocardiogramas, electroencefalogramas, las HRVs son todos ejemplos de detectar energía/frecuencias para hacer un diagnóstico. El ultrasonido utiliza ondas de sonido en este proceso. La última entrada es la Resonancia Magnética Nuclear (RMN). Ahora la mayoría de las personas piensa que la palabra más significativa en RMN es "magnética". Pero el campo magnético solamente aumenta la resonancia, o frecuencia, de los átomos para hacerlos más visibles. Toda la razón de que la RMN funcione es debido a la resonancia, o frecuencia, de los átomos; esto es lo que la RMN detecta.

LO QUE LA INDUSTRIA MÉDICA/FARMACÉUTICA NO QUIEREN QUE CREAS

Bueno, ¿Y qué hay de la curación? Recuerda, este es territorio muy "peligroso". ¿Tomarías un palo y te meterías a la guarida del león y sacudirías al león? La industria farmacéutica tiene más dinero, poder, y palancas políticas de lo que se puede imaginar. La verdad es que, la frecuencia ha sido utilizada para curar durante décadas. Hubo un doctor en los años 1920s y

30s con el nombre de Royal Raymond Rife el cual tenía un éxito consistente en pacientes con cáncer utilizando solamente frecuencias. Él fue realmente el descubridor de cómo usar una frecuencia para transportar otra, como se acabó de mencionar. Rife inventó un microscopio de luz que tenía un poder de resolución para observar hasta de 30, 000, décadas antes del microscopio electrónico. Anteriormente ningún microscopio de luz podía tener un poder de resolución mayor a 100. Sin embargo, sus brillantes descubrimientos aparentemente fueron una amenaza para algunas personas. Su laboratorio (con sus registros) fueron misteriosamente quemados, y él fue denigrado como científico. Uno de los científicos más brillantes del siglo veinte murió en la ruina y en la mendicidad.

Así, al uso de las frecuencias de energía solamente se le ha permitido entrar a la medicina para donde no hay medicamentos efectivos; por ejemplo, con las piedras del riñón. Usamos energía a la frecuencia del sonido para romperlas. Los dermatólogos ahora usan ciertas frecuencias de luz para estimular la curación y el crecimiento de pelo en piel dañada. La Revista Parade del periódico reportó de una terapia experimental para el cáncer en la cual insertan una pequeña sonda en aguja en el interior de un tumor, y esta quema el tumor. Así que la medicina está empezando a entrar a la "era de la energía". Pero no te equivoques, existen fuerzas tremendas en contra de este paso, especialmente si la gente ordinaria fuera capaz de usarla por si solos en sus propias habitaciones. Piensa en la pérdida de poder, dinero, y control a lo largo de todo el establecimiento médico si es que las personas pudieran curarse a si mismas sin un doctor o un facultativo médico.

ABORDAJES ESTÁNDAR

Vamos a echar un vistazo a cómo la medicina estándar aborda actualmente un achaque mayor en nuestra sociedad: el cáncer. La pregunta de la medicina estándar es, "¿Cómo matamos las células cancerosas?" Nunca les oyes decir --y no sería importante el preguntar-- "¿Qué es lo que provocó el cáncer"? ¡Que pregunta tan fenomenal! ¿Qué provocó el cáncer? Parece ser una pregunta lógica, pero una que Yo (Ben) nunca la escuché hacer en la medicina estándar en todas las décadas que ejercí, y el cáncer es mi área de especialización. El abordaje de la medicina estándar es, "Vamos a intentar eliminar la manifestación local del proceso que llamamos 'cáncer'".

Esto no es una cosa ilógica para hacer con un tumor local. Sin embargo no cambia lo que causó al cáncer. No podría decirte cuántos pacientes con los que he trabajado se encuentran en su cuarto o quinto tipo de cáncer debido a que nadie jamás pensó en cambiar el "porqué" de lo que causó su cáncer. Si es que vas a obtener una cura médica estándar para el cáncer, casi siempre es quirúrgica. Pero, otra vez, no podría decirte cuántos pacientes he visto en mi clínica a los que se les dijo "lo sacamos todo", solamente para "tenerlo" de nuevo de regreso.

El siguiente abordaje de la medicina estándar es matar las células cancerosas. Esto se hace con radiación o con quimioterapia. Ambas funcionan de una manera similar, por medio de dañar a las células. Desafortunadamente, las células cancerosas se ven, actúan, y metabolizan extraordinariamente igual que el resto de las células sanas de tu cuerpo. Pero no solo eso, las células cancerosas aprenden rápido y pronto aprenden cómo defenderse a si mismas de la quimio y de la radiación. De hecho, son mucho más resistentes que las células normales.

Así es como funciona la quimio: Daña el ADN de las células que se dividen rápidamente. Las células cancerosas se están dividiendo rápidamente, bueno, eso es algo bueno, ¿cierto? Bueno, si; sin embargo, hay muchas otras células en nuestro cuerpo que también se están dividiendo rápidamente. Lo más desafortunado de todo es que tus células inmunes son normalmente las células que más rápido se dividen en el cuerpo.

¿Qué es lo primero que el doctor de la quimio checa antes de dar la siguiente dosis de quimio? Tus glóbulos blancos en sangre. Tus células inmunes. Pero permíteme (Ben) ayudarte otra vez a tener un mayor entendimiento del significado del daño a las células inmunes. Si le fueras a preguntar a un oncólogo (médico de las quimios) si la quimio pudiera matar a todas las células cancerosas, la respuesta honesta sería un sonoro "¡nunca!" No funciona de esa manera. A lo sumo, la quimio podría matar el 60, 70, o quizás incluso al 80 por ciento de las células cancerosas, pero siempre habrá algunas que queden. Eso nos conduce al siguiente pensamiento. "Si la quimio no va a matar a todas las células cancerosas, y si es que yo voy a vivir, ¿qué va a matar al resto de las células cancerosas?"

Si tu sistema inmune no puede reforzarse y matar al restante 20 ó 30 por ciento de las células cancerosas, morirás por el cáncer que quedó. Aquí se encuentra la ironía. La quimio destruye a lo único que te puede salvar la vida. A menos de que tu sistema inmune sea capaz de conectar ese jonrón al final de la novena entrada, el cáncer ganará. La pregunta es, ¿en qué forma quieres que esté tu cuarto bateador, si es que tiene que conectar el jonrón? Escucha esto por favor: Al final, no hay nada hecho por el hombre que pueda curar el cáncer. Tu sistema inmune debe terminar el trabajo. De hecho, no hay nada hecho por el hombre de lo cual yo tenga conocimiento que realmente pueda curar alguna enfermedad. Sé de muchos doctores que han adquirido mucho crédito por curar el cáncer, pero después de considerar todos los aspectos, siempre es el sistema inmune el que termina el trabajo. El sistema inmune siempre es la verdadera estrella.

TRATA EL ORIGEN

¿Entonces cuáles son las causas del cáncer? Finalmente es el estrés que es provocado por los recuerdos o memorias celulares. A nivel físico existen cuatro causas, pero vas a tener que esperar hasta el Secreto #3 para leer acerca de estas causas.

En general, si quieres tratar el origen, no importa cuál sea el síntoma o la enfermedad, tienes que hacerlo con energía, ya que la energía es el origen. Ese es uno de los propósitos principales de este libro --el hacerte saber que ha habido descubrimientos y aplicaciones de estos descubrimientos, que te permitirán tomar en tus manos mucho de tu vida, tu salud, y tu prosperidad. No solamente evitarás sacrificar resultados, sino que puedes lograr resultados que nunca antes fueron posibles.

EL ESTRÉS ES PROVOCADO POR ENERGÍA INSUFICIENTE

Todos los padecimientos y enfermedades son provocados por insuficiente energía a nivel celular. El síndrome de fatiga crónica (SFC) es un diagnóstico relativamente nuevo con lo que concierne a la historia de la medicina. La medicina estándar ha rechazado, negado, y mal diagnosticado a estas almas desafortunadas durante décadas. Me hace recordar la mujer con el problema de la sangre que acudió con Jesús para ser curada. "Había sufrido ella demasiado bajo el cuidado de muchos doctores y se había gastado todo el dinero que tenía, sin embargo, en lugar de mejorar, se puso peor" (Marcos 5:26). Algunas cosas nunca cambian, ¿o sí? Este no es un golpe en contra de la medicina estándar. Hay cosas buenas y malas en todos los tipos de medicina y de curación que he encontrado. Algunos verdaderamente brindan cuidados y quieren ayudar, y algunos solamente están ahí por el dinero.

Permíteme ayudarte a entender qué es lo que sucede a nivel intracelular en los estados de energía baja, tales como el síndrome de fatiga crónica. Como lo mencionamos anteriormente, la energía baja es realmente la base de todo padecimiento. Recuerdas que hablamos acerca del ataque y la huida, es decir, del estrés y cómo éste afecta a las células. Echemos un vistazo más de cerca. Cuando las células se cierran para conservar la energía del cuerpo, el oxígeno no entra a la célula, los nutrientes no están entrando a la célula, y la glucosa (el combustible para las células) no está entrando a la célula.

Las plantas de energía de la célula no se pueden alimentar. Estas pequeñas plantas de energía se llaman mitocondrias. Como le sucede a las mitocondrias, así le sucede a las células. Como les sucede a las células, así le sucede al cuerpo. Estas pequeñas plantas de energía --las mitocondrias-- se asemejan a una bacteria. De hecho, los evolucionistas creen que eran bacterias que establecieron una relación simbiótica con las estructuras celulares para así proveerlas de energía. Algo en lo que rara vez pensamos es en el efecto de muchos de los medicamentos que tomamos. Debido a que nuestra atención está en aliviar los síntomas, frecuentemente olvidamos los detalles, y el diablo está en los detalles. Hemos estado sobre-dosificando a la sociedad con antibióticos, pasándolos como dulces. Hemos sabido durante años que casi todas las infecciones de las vías respiratorias son virales. Los antibióticos no tienen efecto sobre los virus, sin embargo siguen siendo prescritos frecuentemente. El Gobierno Federal de los Estados Unidos ha iniciado una campaña para que los médicos dejen de prescribir innecesariamente antibióticos para el resfriado común y las infecciones del oído.

Ahora, recuerdas que nuestra pequeña mitocondria tiene parecido a una bacteria. Los antibióticos frecuentemente van a matar a las mitocondrias junto con las bacterias. De hecho, los antibióticos que hemos estado dando de manera innecesaria pueden ser una de las causas principales no solamente del SFC, sino del incremento de muchas otras enfermedades y la causa de nuevas enfermedades también. Se publicó un estudio recientemente que mostraba que las mujeres que habían recibido ocho dosis o más de antibióticos antes de su cumpleaños número dieciocho tenían un incremento dramático en el cáncer de mama. Ya no podemos hacer la vista gorda acerca de los efectos secundarios de los medicamentos que estamos dando y que se nos dan. A propósito, no hay nada "secundario" en los efectos secundarios. Son efectos directos no deseables de los medicamentos.

EL "GENERADOR DELCO" INTERIOR

Nuestros cuerpos no son como las casas de una ciudad, las cuales están todas conectadas por un transformador eléctrico hacia una planta eléctrica gigante. Son justamente lo contrario. Hace cien años, antes de que tuviéramos transformadores eléctricos, si es que querías tener electricidad ocupabas tu propio generador. Nosotros teníamos un viejo generador Delco en nuestra granja. Le ponías gasolina en el tanque para abastecer al generador. Requería una fuente de oxígeno (la entrada de aire) y también tenía que sacar los subproductos en la forma de humo. Mientras de que el combustible durara, tenías electricidad.

Es lo mismo con nuestras células. Una célula requiere de oxígeno y de glucosa (combustible), y ha de ser capaz de sacar los desechos de la misma célula. Cuando detienes ese proceso, tienes una "caída del voltaje" con lo cual la célula no puede funcionar adecuadamente, y al final un "apagón" semejante a lo que sucedía con el generador Delco cuando se le agotaba el combustible. Si el proceso va demasiado lejos, la célula literalmente morirá. Entonces puedes ver como el estrés al enviar a estas células hacia un estado de alarma puede provocar un corto de energía, conduciendo al daño celular y a lo que eventualmente etiquetaríamos como una enfermedad. El tipo de enfermedad o el diagnóstico que se manifiesta simplemente viene determinado por cuál de los eslabones de la cadena es el que se rompe.

Un estudio que salió en el 2007 y que encabezó los titulares por todo el mundo, era acerca del descubrimiento de los genes que elaboran a las proteínas que entran a las mitocondrias. Estudios anteriores en la Escuela de Medicina de Harvard y en otro lado ya se habían cerciorado de que incluso si el resto de la célula se destruye --el núcleo y otras partes-- esta aún puede funcionar si es que las mitocondrias están vivas. El último descubrimiento, en el 2007, por David Sinclair, un patólogo de la Escuela de Medicina de Harvard que ayudó a conducir la investigación, quien aisló la proteína que activa los genes que mantienen a la mitocondria con buena salud. Esto ha hecho que los investigadores sueñen acerca de una "píldora milagrosa" que combata el envejecimiento. "Lo que estamos intentando hacer es encontrar los procesos naturales del cuerpo que puedan enlentecer el envejecimiento y que puedan tratar enfermedades como la enfermedad cardíaca, el cáncer, la osteoporosis y las cataratas", declaró Sinclair. [8]

Los investigadores están cada vez más esperanzados en que puedan llegar a la fuente de lo que nos mantiene saludables. Esto es alentador, pero la medicina se encuentra todavía muy lejos de pensar en términos de ir a la fuente. ¿Tú qué preferirías tratar? ¿A los síntomas o a la causa? ¿A la enfermedad o al evento que la inició? Nosotros creemos que hemos descubierto eso que los investigadores esperan que una píldora haga algún día.

INTERRUMPIENDO LA SEÑAL

¿Cómo interviene un Código Curativo en el proceso celular? El cerebro detecta y envía frecuencias de energía diciéndole a todas las otras partes del cuerpo lo que hay que hacer. En el cerebro, el hipotálamo envía señales de 911 ("de emergencia") a otras partes del cuerpo cuando hay alguna emergencia presente y que el cuerpo necesite prepararse para defenderse a si mismo en contra de cualquier cosa que sea la emergencia. Cuando no hay una emergencia real, pero que sin embargo somos arrojados a la modalidad de ataque o huida, estas frecuencias son destructivas en lugar de salvarnos la vida. Un Código Curativo cambia las señales y frecuencias de energía de destructivas a unas saludables. La manera en la cual cambia una frecuencia de energía destructiva en una saludable o en una que ya no sea dañina es relativamente simple. Aquí tenemos una onda sinusoidal:

8 "La Píldora Milagrosa Para Combatir El Envejecimiento Podría Llegar A Ser Una Realidad", *Reuters*, Septiembre 21, 2007, http://gulfnews.com/news/world/usa/wonder-pill-to-fight-ageing-could-become-a-reality-1.201890

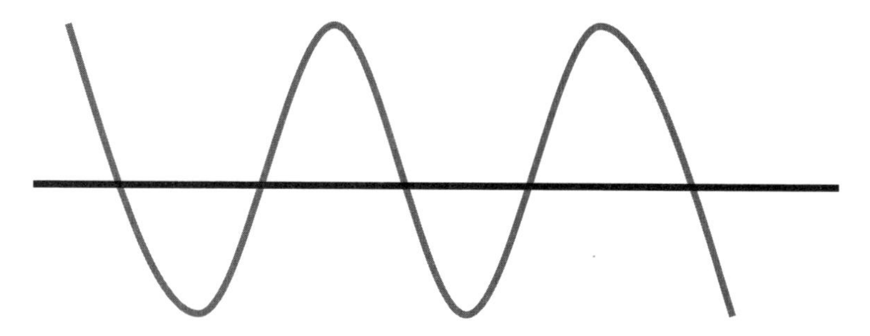

Vamos a suponer que esta es la frecuencia de energía del cáncer. La manera en la cual cambias esa frecuencia es el golpearla con una que sea exactamente la contraria. Eso se vería así:

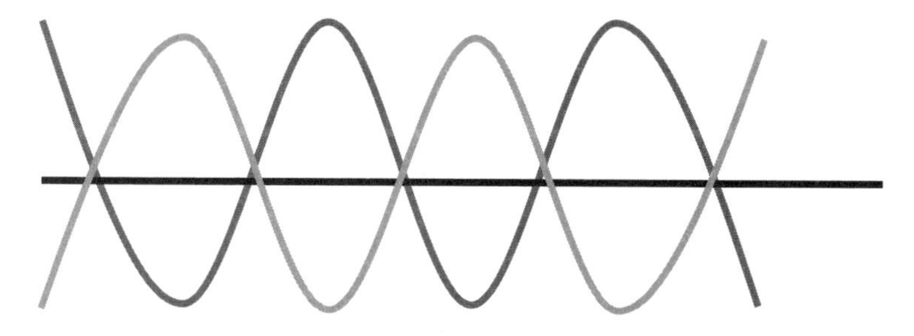

Cuando haces eso, esto es lo que obtienes:

Acabas de neutralizar esa frecuencia destructiva, y si puedes neutralizar la frecuencia, la fuente de esa frecuencia es curada o se curará si es que puedes mantener esa frecuencia neutralizada. Y eso es lo que hace un Código Curativo.

LA FÍSICA DE LOS AUDÍFONOS ANULADORES DE RUIDO

Ben me comentó recientemente de una experiencia que tuvo, la cual es una bella ilustración de lo que hemos estado hablando. El Dr. Ben se encontraba de camino para ser filmado para el DVD, El Secreto. Volaba desde Chattanooga hacia San Francisco. Ahora, a Ben no le gusta el ruido. Si nos encontramos en la misma habitación de un hotel para un tour de conferencias, cualquier ruido pequeño (el cual yo ni siquiera lo noto) lo enloquecería. Bien, despegó el avión de Ben, los motores rugiendo, la gente hablando, bebés llorando. Antes del viaje, la esposa de Ben le había dado unos audífonos anuladores de ruido. Así que los sacó, se los colocó, accionó el interruptor de encendido, y WOW --¡no más ruido! ¡No llantos, no motores rugiendo-- sino un hermoso silencio! Ben no lo podía creer. Se los quitó, el ruido estaba todavía allí-- se los volvió a colocar ¡y de nuevo la tranquilidad!

Casi aturdido, Ben estuvo hurgando en busca de las instrucciones. Tenía que saber cómo este milagro era posible. El folleto decía que había un micrófono en los audífonos los cuales grababan el ruido exterior. Una vez grabado, los audífonos creaban una frecuencia igual pero opuesta al ruido, la cual cancelaba el ruido. Esta es en pocas palabras la física cuántica de Los Códigos Curativos. El Código Curativo es como unos audífonos anuladores de ruido, pero para los asuntos del corazón, no para el ruido.

El Código Curativo evita que el hipotálamo envíe esa señal de 911 ("de emergencia") cuando esa señal no debiera enviarse. Una señal de 911 ("de emergencia") del hipotálamo es lo que hace que tus células entren a una modalidad de estrés; es lo que hace desviar tu flujo sanguíneo alejándolo de tus órganos internos, de tus funciones mentales superiores, y de tu sistema inmune, de lo cual hablamos en el Capítulo Uno acerca del origen del estrés en tu cuerpo.

Otra manera de decirlo es que El Código Curativo evita que el hipotálamo envíe la señal de la frecuencia de energía que inicia una respuesta de estrés en el cuerpo, cuando una respuesta de estrés no debiera suceder. ¿Que cómo lo hace? Por medio de usar las frecuencias de energía saludables del propio organismo (las que son opuestas a las frecuencias destructivas) para así vencer a las frecuencias de energía destructivas, como al encender una lámpara en un cuarto oscuro. La luz siempre vence a la oscuridad. La energía saludable vencerá a las frecuencias de energía destructivas.

¿Podemos comprobarlo? Como se describió en el Capítulo Uno, podemos comprobar que Los Códigos Curativos eliminan el estrés por medio de los resultados de la HRV. ¿Podemos comprobar que Los Códigos Curativos reparan el problema de energía asociado a un problema en el organismo? La manera en la cual podemos comprobarlo es por medio de los testimonios de los resultados de los clientes que hacen Los Códigos Curativos. En otras palabras, sus problemas se van cuando hacen Códigos Curativos. La única manera en la cual los problemas pudieran irse es si las frecuencias de energía destructivas son eliminadas, el hipotálamo deja de enviar la señal de 911 ("de emergencia") cuando no debiera hacerlo, si las células en la modalidad de estrés se abren, y se le permite al sistema inmune que cure de la manera en la cual fue diseñado por Dios para que curara.

Entonces, ¿cuáles son algunos de esos resultados de los clientes?

CARCINOMA BASOCELULAR (CÁNCER)

Uno de mis mejores amigos es un médico brillante. Cuando le mostré por primera vez el pequeño tumor en mi brazo no se preocupó. Aunque estábamos en el mismo grupo de estudio semanal de la Biblia, mi calendario de seminarios y mi ropa de invierno mantuvieron alejados al peligro "creciente" en mi brazo oculto a su vista durante meses. La primera vez que mi amigo médico me vio en un cálido día de primavera en una camisa de manga corta ya estaba yo en problemas. Con una mirada me llevó a un lado y me dijo, "Larry, esto es un carcinoma basocelular, te lo tienen que quitar inmediatamente antes de que tenga metástasis o te podría matar". El siguiente lunes por la mañana, antes de que pudiera hacer una cita para la cirugía, Alex Loyd me llamó y me preguntó si es que podríamos vernos para hablar acerca de las bases Hebreas de los resultados que estaba obteniendo con lo que posteriormente se llamaría "Los Códigos Curativos". Nos quedamos de ver para ir a comer. Si alguna otra persona, no Alex, me hubiera estado hablando acerca de energías curativas, hubiera salido corriendo. La medicina energética sonaba mal para mis oídos occidentales y mi programación religiosa. Después de escuchar por un largo rato, me arremangué la camisa y le pregunté, "¿Me estás diciendo que puedo deshacerme de este carcinoma basocelular por medio de hacer circular mi propia energía por mi cuerpo?", Alex dijo, "Solamente te puedo decir acerca de los asombrosos resultados que algunos de mis clientes han tenido". Mi contestación fue, "Necesito un par de días para orar y para estudiar las raíces Hebreas de las palabras, no puedo hacer esto hasta que llegue a estar en paz con ello". Dos días después, con ideas claras acerca de los resultados físicos del "estrés" en el corazón espiritual, telefoneé a Alex y el resto ya es historia. Lo que viví después fue absolutamente asombroso --a tal grado que desde entonces le he estado contando a gente por todo el mundo acerca de Los Códigos Curativos en mis seminarios del "Redescubrimiento Del CORAZÓN". Puedo hablar de una diferencia en el tumor a los tres días, observaba como se iba haciendo más y más pequeño día tras día, desapareció por completo en cuatro o cinco semanas. Eso fue ya hace ocho años --incluso al día de hoy, no ha vuelto ni rastro del tumor. No puedo recomendar lo suficiente a Los Códigos Curativos. Son, en mi opinión, un descubrimiento mayor que cura cualquier asunto desde su esencia. Lo que la creación de la computadora ha hecho para los negocios, Los Códigos Curativos lo pueden hacer para la Salud y la Curación.— Larry

TIROIDITIS, FIBROMAS, PIEDRAS EN LA VESÍCULA BILIAR, VIRUS DE EPSTEIN BARR, SÍNDROME DE FATIGA CRÓNICA, ETC.

Para Agosto del 2003, había estado teniendo problemas de salud durante ya tres años. Los diagnósticos que había recibido incluían: Tiroiditis de Hashimoto, adenomiosis, fibromas en el útero, enfermedad fibroquística de los senos, enfermedad por reflujo laringofaríngeo, una vesícula biliar repleta de piedras, virus de Epstein Barr, ataques de pánico y síndrome de fatiga crónica. Había gastado miles de dólares en facturas médicas. Había intentado la medicina, la nutrición, y los suplementos alimenticios. Había estado en cama por dos meses, y la gente de mi iglesia le llevaba alimentos a mi familia. Yo no podía cumplir con mis roles como esposa ni como madre. Me tuve que tomar un descanso sabático de mi trabajo por razones de salud.... Después de hacer los ejercicios (el Código Curativo) de 3 a 5 veces por día durante seis semanas, tuve una dramática curación. ¡Un ultrasonido realizado a las diez semanas de haber comenzado Los Códigos Curativos ya no mostró los fibromas! Cuando le preguntaba a los doctores acerca de lo que pudo haber causado esto, uno inclusive dijo que el radiólogo que interpretó los ultrasonidos que confirmaban los fibromas durante dos años seguidos debía haberse equivocado. No podía explicar la asombrosa curación. No he tomado mi medicina para la tiroides en el último año y estoy ya sin prescripción de medicamentos. Hasta este día, no me han quitado la vesícula (se me dijo hace dos años y medio que estaba repleta de piedras y que me la tenían que quitar). Solamente he tenido un único cuadro de dolor de la vesícula desde que empecé los ejercicios y fue al principio. Llevo una dieta normal y me siento de maravilla. Mi fuerza y mi energía han vuelto y sigo practicando los ejercicios a diario. Le doy gracias a Dios por la curación que Hizo en mi cuerpo y por revelarnos Su poder curativo por medio de Los Códigos Curativos descubiertos por Alex Loyd. Yo le recomiendo Los Códigos Curativos a todo el que necesite una curación física o emocional. — Jennifer

CÁNCER, PROBLEMAS NEUROLÓGICOS, DEPRESIÓN

Se me diagnosticó con cáncer, trastornos neurológicos y depresión. Con el Código, poco a poco los problemas se fueron. Nuestros cuerpos están programados para que al dársele las acciones correctas puedan reiniciarse al igual que las computadoras. Gracias. — Anisti

SÍNDROME DE FATIGA CRÓNICA Y FIBROMIALGIA

Fui una de las personas más exitosas en mi campo en los Estados Unidos hasta que desarrollé síntomas severos y me diagnosticaron con fatiga crónica y fibromialgia. Después de dos años me encontraba casi completamente postrada en cama, con dolor constante, con varios medicamentos, y sin esperanza. Después de hacer los ejercicios de Los Códigos Curativos durante seis meses, me encuentro: sin ningún medicamento, estoy totalmente libre de una enfermedad incurable, me siento mejor que antes de que me diagnosticaran, y estoy de nuevo trabajando. En pocas palabras ¡TENGO MI VIDA OTRA VEZ! — Patty

DEPRESIÓN SUICIDA

La depresión suicida había forzado a mi familia a hacer unos cambios mayores por el miedo que tenían respecto a mi bienestar. No tenía la energía, ni el deseo de vivir, y todo me parecía como una tarea colosal. Mi esposo es médico pero se le habían acabado las ideas-- habíamos intentado todo. Yo estaba muy escéptica cuando escuché acerca de Los Códigos Curativos, pero más aún me encontraba desesperada. En menos de dos semanas mi depresión se había ido por completo. No solamente no podía creerlo --nadie de mi gente tampoco podía creerlo. Ahora toda mi familia y algunos amigos hacemos los ejercicios --algunos a diario, otros cuando surge la necesidad. Los Códigos Curativos han sido verdaderamente un regalo de Dios. — Mary

TERRORES NOCTURNOS

Mi hijo había estado teniendo terrores nocturnos por lo que eran casi diez años. Casi todas las noches se despertaba gritando con las pesadillas --intentábamos confortarlo pero no estaba despierto ni se despertaba. En ocasiones los episodios duraban mucho rato -- era muy traumático y cansado para toda la familia. Intentamos de todo, desde cambiar los hábitos de sueño, tomar hierbas especiales, la oración y con médicos. ¡Nada ayudó! Después de un ejercicio de Código Curativo los terrores nocturnos fueron curados y nunca volvieron --eso fue hace más de un año. Yo le he dicho a todos los que me escuchan que prueben El Código Curativo -- ¡Funciona! — David

FOBIA A MANEJAR Y ATAQUES DE PÁNICO

Tuve una fobia a manejar con tráfico pesado la cual trataba con EFT. Me encontré con que la fobia regresaba siempre que me encontraba con mucho tráfico, especialmente durante la noche. Me daba un ataque de pánico mientras conducía, lo cual es de temerse. Mientras estaba en Nashville trabajé en esto con los ejercicios de El Código Curativo. En mi camino a casa tuve que manejar diez horas bajo una fuerte lluvia por las montañas, sin visibilidad. Llegué a casa sin la más mínima ansiedad. Desde entonces me he dado cuenta de que esto no solamente estaba afectando a mi manejo, sino también era una parte de mi vida en muchas áreas como una ansiedad de desempeño. Ahora me doy cuenta que estoy muy relajada en cada área de mi vida. — Maryanna

ASUNTOS DE ABANDONO

A las pocas semanas de haber estado trabajando con Los Códigos Curativos, he cambiado, ahora me siento libre de hablar con las personas y de expresar mi propia opinión. Eso podría sonar insignificante para algunos, pero para mí es un gran paso. Me las he visto con asuntos de abandono durante toda mi vida, siempre preocupándome acerca de que si digo algo a otros podría no gustarle y que me dejen, me ignoren, o simplemente no me escuchen o no me vean --un miedo a ser invisible para otros. Curar esta creencia marca una gran diferencia en mi vida diaria. —Therese

PERFECCIONISMO

Luché contra el perfeccionismo durante años. Todo lo que yo decía estaba salpicado de una falta de aceptación de la responsabilidad. Preocupada de que la gente siempre me estuviera juzgando. Después de encontrar una imagen relacionada con mi perfeccionismo, utilicé los ejercicios para curar esa creencia. Vaya diferencia. No tengo miedo de hablar y decir lo que pienso. —Lucy

CIERRE DE FOP (UN AGUJERO EN EL CORAZÓN)

En Septiembre del 2007 tuve un AIT ("ataque isquémico transitorio" mini-evento cerebral agudo). Había comenzado a hacer Los Códigos Curativos tres meses atrás. Me recuperé rápidamente del AIT, pero por supuesto me hicieron todo tipo de pruebas para encontrar la causa. Llegaron a la conclusión (por algunos puntos en mi cerebro que observaron en una RMN) que había tenido otro AIT no detectado, y que la causa era un FOP --Foramen Oval Permeable, o una especie de agujero entre las cámaras del corazón. Esto había provocado que sangre no filtrada se fuera hacia el cerebro, lo que resultó en los AIT's.

Aparentemente los FOPs se cerraban por medio de colocar un pequeño aparato para "tapar" el agujero. Sin embargo, la FDA decidió ya no permitir este procedimiento. El nuevo protocolo eran los medicamentos (Plavix (clopidogrel) y aspirina (ácido acetil salicílico)). Muchos doctores no están de acuerdo con esta solución, y están tratando que se apruebe nuevamente el aparato. El Director del Programa de Eventos Cerebrales Agudos del Instituto de Neurociencias del Hospital Central de Dupage y el jefe del Hospital del Corazón del Hospital Edwards en Illinois me preguntaron si estaba dispuesta a ser parte de un estudio clínico. Les dije que si, y entré al grupo "del aparato".

Mientras tanto seguí haciendo Los Códigos Curativos. Le dije al personal médico que sabía que no iban a dar oídos a lo que iba a decir, y que probablemente pensarían que estaba loca, pero si tal vez cuando me operaran para colocarme el aparato el agujero ya no era lo que ellos esperaban era porque había estado haciendo algo llamado Los Códigos Curativos y que era posible que el agujero pudo haberse cerrado como resultado de esto. Había escuchado tantos testimonios asombrosos de los resultados al hacer LCC que sabía que era posible.

Por supuesto que no me pusieron atención. Fui internada para el procedimiento del estudio clínico en Enero del 2008. Cuando desperté y pregunté que cómo había salido, mi esposo me dijo que el agujero era demasiado pequeño para el aparato y que me habían sacado del estudio clínico.

Estoy segura de que fue una vergüenza para el personal médico. Pero el jefe del Hospital Edwards del Corazón, el Dr. McKeever me pidió información acerca de Los Códigos Curativos en mi consulta de seguimiento. Dijo, "En toda mi carrera, solamente he oído de tres o cuatro cierres espontáneos de un FOP".

Los médicos todavía querían saber qué era lo que había causado el AIT. Pensaron que pudieran ser malformaciones arteriovenosas en los pulmones. Realizaron las pruebas. El resultado: "Malformaciones arteriovenosas demasiado pequeñas para ser vistas".

Mi propia doctora (la cual tiene los títulos de médico y osteópata) me tradujo lo que quería decir: "Diana, eso significa que no hay tales ("malformaciones")". Ella se fue hacia Los Códigos Curativos, diciendo que no había ninguna otra explicación para mi historia sino que Los Códigos Curativos me curaron.

He seguido haciendo este simple protocolo durante más de dos años al día de hoy. Y estoy casi sin medicamentos (estaba tomando el Plavix, y medicamentos para el asma, alergias, vejiga hiperactiva, reflujo ácido). Mi prueba de densidad ósea mostró que se había agregado masa ósea (mi doctora dijo que esto era extraordinario). Podría seguir también acerca de los resultados emocionales, pero aquí voy a dejarlo. – Diane

CAMBIAS LA FRECUENCIA, CURAS EL PROBLEMA

Lo que queremos que notes en particular acerca de estos testimonios es el rango de problemas que cubren. Todo desde problemas mayores de salud hasta problemas de relaciones, problemas profesionales, y problemas de máximo rendimiento ... casi todo lo que te puedas imaginar.

Así, esto muestra no solamente que Los Códigos Curativos curan los problemas de energía en el organismo, sino que también confirma el Secreto# 1 --que hay un solo origen para todos los problemas de salud. Los Códigos Curativos son un sistema de curación de física cuántica como el que los físicos mencionados anteriormente habían predicho durante muchos años. Mientras de que las frecuencias de energía destructivas son cambiadas hacia unas saludables con los Códigos Curativos, los asuntos tanto físicos como emocionales se curan.

¿Porqué querrías usar a la física cuántica en lugar de químicos (medicinas) o suplementos nutricionales para curar problemas de energía y al estrés? El factor crítico en cualquier abordaje es la transferencia de información hacia el problema. Los químicos y los suplementos nutricionales se transfieren de molécula a molécula a una velocidad de casi un centímetro por segundo, y un poco de ello se pierde en cada transferencia. La transferencia de la información a través de la energía ocurre casi a 186,000 millas por segundo ("300,000 km/s"), y casi no se pierde nada en la transferencia. Este es el porque los celulares y el Internet han llegado a ser tan populares ---permiten una comunicación casi instantánea que treinta años atrás era solo una fantasía de la serie Viaje a las Estrellas. De la misma manera, Los Códigos Curativos hacen posible en el cuerpo y en la mente lo que nuestras mentes más grandes han predicho durante los últimos ochenta y tantos años. Si el origen del problema es la energía, ¿no tiene sentido el que lo curemos con energía?

LA ENERGÍA TRIUNFA SOBRE LA GENÉTICA

Cierto día recibí una llamada telefónica de una mujer de Oklahoma, la cual me contó una historia desgarradora acerca de como su hijo fue diagnosticado con leucemia a los seis meses de nacido. Christopher Ryan había sido sometido probablemente a más procedimientos, cirugías, quimios, radiación, y medicamentos de los que diez personas cualquiera lo están de manera normal durante toda su vida. Su madre, Melissa, me llamó en el 2004 cuando Christopher tenía once o doce años de edad. Habían comenzado a ver de nuevo síntomas familiares en Christopher, lo que les preocupaba mucho. Christopher vomitaba de manera regular y no podían evitarlo. Tenía una hernia que estaba empeorando y empeorando y que le provocaba malestares. Christopher se encontraba cansado todo el tiempo y tenía ojeras bajo los ojos. Melissa dijo, "Vamos a regresar al hospital Saint Jude en Memphis, a donde habíamos estado yendo desde que tenía seis meses de nacido, y estoy tan asustada de lo que lo va a resultar en los exámenes".

Bien, tenían doce días hasta ese momento, antes de que fueran al Saint Jude, así que de inmediato le envié Los Códigos Curativos. Melissa y Christopher empezaron a hacer los Códigos Curativos ese mismo día y los realizaron con fervor durante doce días. Christopher comenzó a sentirse continuamente mejor. Sus vómitos se detuvieron, sus ojeras se fueron, y le regresó la energía. Melissa dijo que la luz en sus ojos le había vuelto. Al final de los doce días Melissa Ryan estaba convencida de que Christopher estaba curado.

Yo me encontraba haciendo un seminario cerca de su casa no mucho tiempo después de esto, y al final del seminario un hombre joven, bien parecido, se me acercó con algunos documentos en su mano. Dijo, "Dr. Loyd, mi nombre es Christopher Ryan y quería traerle los resultados de mis exámenes". Todo ---RMN, una TAC, estudios de sangre, estudios del tubo digestivo alto y bajo, EEG--- todo--- estaba 100 por ciento en orden. No más vómitos. La hernia había desaparecido. ¡Todo estaba perfecto! Unos cuantos meses después Melissa Ryan nos hizo llegar un testimonio en video en el cual Melissa se encuentra tomando a Christopher con sus brazos y luchando por contener unas lágrimas de gozo. Pone su mano sobre un gran montón de facturas que están sobre una mesa cerca de ella y dice, "Esto es más de un millón de dólares en facturas médicas. Lo que un millón de dólares en facturas médicas no pudieron hacer, Los Códigos Curativos lo han hecho".

Ahora, ¿cómo es posible que esto suceda con algo tan severo que tiene tal historia concreta física, estructural y genética? Si puedes eliminar el estrés, puede curarse casi cualquier cosa. Medimos este estrés por medio de detectar las frecuencias de energía destructivas. Cuando las frecuencias de energía destructivas se han ido, también se ha ido el estrés. Las investigaciones en Stanford y en el Institute of HeartMath en California indican que si puedes eliminar el estrés, aún incluso problemas genéticos muy frecuentemente podrían curarse y se curarán.

En esta situación, una frecuencia de alarma había sido enviada por alguna razón, y eso estaba poniendo al organismo de Christopher en la modalidad de estrés cuando no debió haber sido así. Con el tiempo, esto se manifestó como su leucemia y como los otros problemas físicos que estaba teniendo. Los Códigos Curativos nunca "trataron" su leucemia, su vómito, su hernia, su falta de energía, ni ningún otro de esos problemas. Todo lo que Los Códigos Curativos hicieron fue el permitirle eliminar el estrés de su sistema nervioso al evitar que se enviara una frecuencia de energía, siendo esta la señal de estrés. Así es como la curación de Christopher, que parecía un milagro, pudo suceder. Este tipo de resultados puede suceder cuando esa señal que en primer lugar no debiera haberse enviado se detiene, y con ello la respuesta de estrés del organismo se detiene. Lo primero que el estrés apaga es a los sistemas inmune y de la curación, y cuando estos sistemas inmune y de la curación se vuelven a encender o se elevan, son capaces de curar casi cualquier cosa. Los Códigos Curativos no curaron a Christopher; fue curado por su propio sistema inmune.

CURACIÓN INESPERADA

Un caballero, de nombre Joe Sugarman, el cual es dueño de uno de los diarios de Maui y quien es considerado por muchos como uno de los principales redactores de todo el mundo, nos invitó al Dr. Ben y a mí a acudir y ofrecer una conferencia en Hawaii. Durante años, él se había dedicado a llevar gente a Maui para ofrecer conferencias acerca de temas como la curación natural y la salud. Cuando esta persona comenzó a hacer Los Códigos Curativos nos dijo, "Saben, por años he estado trayendo a expertos en la salud a Maui para las conferencias. Mientras de que he visto resultados milagrosos con otras personas, jamás nada me había ayudado con mi problema de salud". Su problema era un dolor crónico en un pie, resultado de un accidente automovilístico. Joe cojeaba visiblemente, también tenía dificultades para dormir, y casi siempre con un dolor constante.

Me preguntó, "¿Crees que Los Códigos Curativos puedan ayudar con mi pie?", y le expliqué, "Bueno, sabes que no tratan problemas de pies; trabajan a nivel de la causa del estrés en el organismo", Joe comenzó a hacer Los Códigos Curativos y casi tres meses después nos escribió para decir que a las tres semanas de haberlos hecho, el dolor de su pie se había ido por completo, al 100 por ciento. Estaba completamente curado y no había vuelto. También nos contó que tenía otros problemas en los cuales no había estado trabajando realmente, los cuales también fueron curados al mismo tiempo, y nada antes había ayudado con ellos tampoco. Lo más importante, aún más importante que la curación de su pie, fue la maravillosa curación emocional de algunas de las cosas que le habían molestado durante toda su vida, una curación que nunca experimentó hasta que hizo Los Códigos Curativos.

Ahora, vamos a revisar hasta donde estamos ahorita:

Secreto #1: Hay un solo origen para casi todos los problemas de salud, y El Código Curativo sana ese origen, como se muestra por las pruebas diagnósticas de la principal corriente médica.

Secreto #2: De acuerdo con las más grandes mentes de nuestro tiempo, todo problema es un problema de energía. Los Códigos Curativos curan el problema de energía, como se prueba por los testimonios de curación de casi cualquier problema que te puedas imaginar, con hacerlos.

Ahora, acerca del Secreto #3.

CAPÍTULO TRES

El Secreto #3: Los Asuntos del Corazón Son El Mecanismo de Control de la Curación

Te dijimos en el Secreto #2 que tenías que esperar a enterarte acerca del origen del estrés. Esperamos que no te hayas brincado hasta aquí, ya que te habrías perdido buena información en esas páginas. Ahora, aquí está la respuesta. Es el punto más significativo y, ciertamente, es la razón por la cual este libro se escribió. Vamos a decirte la causa del estrés en el organismo. Esto lo hemos sabido y hemos estado hablando al respecto durante años, pero ahora ya hay validación científica.

Es la memoria celular.

Esta fue no solamente la pieza faltante del rompecabezas en las ciencias de la salud durante décadas, era también la pieza que me faltaba (Ben) en el rompecabezas para con mis pacientes y conmigo mismo. A lo largo de los años he dado muchas conferencias acerca de las causas del cáncer. Esas causas son asuntos emocionales, metales pesados, deprivación de oxígeno, acidez en el pH, y los virus. Generalmente menciono al final a los asuntos emocionales por diversas razones: (1) nadie quiere admitir que tiene alguno, (2) si lo admiten, no quieren hablar de ello, y (3) no hemos tenido una manera efectiva de tratar con ellos a nivel médico. Los medicamentos solamente enmascaran los síntomas pero no ayudan realmente. la psicoterapia frecuentemente lo empeora ya que abre viejas heridas que tu organismo había estado tratando de curar.

Existen maneras efectivas de hacerle frente a los metales pesados. El EDTA, el DMSA y otros quelantes de metales pesados son muy efectivos, así que podemos sacar del cuerpo a los metales pesados. El balance del pH ácido es un poco más difícil ya que es un proceso largo (de meses a años) el cambiar ese balance, e involucra cambios importantes en la dieta, aunque ahora existen agentes efectivos que podemos usar nutricionalmente para alterar eso de manera más rápida.

Los virus son aún más difíciles ya que los bichitos se pueden ocultar en tu ADN. Es difícil para uno de tus glóbulos blancos de la sangre buscar a los "chicos malos" para encontrarlos cuando estos están dentro de una de tus propias células, en el núcleo, en el ADN de la célula. Pero ahora existen efectivas fórmulas antivirales que utilizan plata de pocos angstrom, graviola, uña de gato, y sangre de dragón (plantas). Existen incluso algunos medicamentos antivirales que tienen un modesto beneficio.

MÁS ALLÁ DE LO FÍSICO

En mi clínica del cáncer de medicina alternativa en Atlanta, Georgia, EEUU., siempre tenía maneras de tratar con los virus, el balance ácido/base, y los metales pesados, pero no tenía manera de tratar con los asuntos emocionales, aunque hice una maestría en psicología y contraté a un terapeuta para tenerlo dentro del staff.

Aún recuerdo el día en que la importancia de los asuntos emocionales se cristalizó en mi mente. Tenía a una joven mujer en mi clínica, la cual tenía cáncer de mama. Había trabajado con ella con mucho éxito. Todos los tumores se habían ido, de acuerdo con el escaneo por tomografía computarizada, los marcadores tumorales, y la exploración física. Pero aún así la paciente murió. Esta mujer tenía un asunto emocional importante en su vida el cual no podía resolver. Su esposo era extremadamente controlador. Realmente tenían mucho dinero, pero ella no tenía tarjeta de crédito ni chequera.

Tenía que pedir e inclusive a veces suplicar por todo lo que necesitaba o lo que quería. Sin embargo había algo que él no podía controlar en la vida de ella, y era si ella iba a vivir o moriría. Ella eligió ejercer su auto-control de la única manera que pudo encontrar.

Me encontraba buscando alguna manera de ayudar con los asuntos emocionales de mis pacientes cuando surgió mi propia necesidad. Una cosa es cuando la casa de tu vecino se está quemando. Es terrible. Cuando tu propia casa es la que se incendia ... eso si que es algo para causar pánico. Como ya mencioné en el Prefacio, se me diagnosticó en el 2004 con la enfermedad de Lou Gehrig, por dos doctores. Mejor se me hubiera dado el diagnóstico de cáncer. El ochenta por ciento de las personas diagnosticadas con la enfermedad de Lou Gehrig muere en los primeros cinco años de su diagnóstico, y yo, en lo personal, no conozco a nadie que haya sobrevivido más de 10 años, aunque he escuchado que hay algunos. No obstante están extremadamente debilitados. Mi casa se estaba incendiando, y no contaba con mucho tiempo para apagarla. Había algunas buenas noticias en el sentido de que no tenía que probar muchas cirugías ni medicamentos debido a que no existía beneficio médico de ninguna terapia.

Un conocido me dijo acerca de Los Códigos Curativos y de que debería ir y escuchar sobre ellos. Ya que mi casa se estaba quemando, pensé que debería investigar. Estaba desesperado. Consideraría cualquier cosa.

"MUÉSTRAME LA CIENCIA"

Lo que escuché esa noche en la presentación del Dr. Loyd era científicamente sólido en el campo de la física. Contaba con muchos testimonios de curaciones importantes, pero yo ya había escuchado testimonios con anterioridad. Miles de ellos. De hecho, a diario, mis pacientes me decían, "Dr. Johnson, leí que XYZ curó a alguien de un tipo de cáncer". A lo cual yo respondía, "Muéstrame la ciencia". Yo estaba dispuesto a considerar cualquier cosa para poder ayudar a mis pacientes a que se pusieran bien, pero tampoco quería darles falsas esperanzas, y ciertamente tampoco que gastaran su dinero. Así que siempre era importante ver si había alguna base científica en alguna afirmación. Estaba impresionado de que el Dr. Loyd realmente había validado sus métodos de forma científica con estudios de Variabilidad de la Frecuencia Cardíaca, la prueba médica de estándar de oro para el estrés fisiológico en el organismo. Tenía que probar Los Códigos Curativos.

Como se mencionó antes, a las seis semanas de comenzar Los Códigos Curativos, todos mis síntomas se habían resuelto. Dos meses después acudí con un neurólogo, el cual colocó unas agujas en mis músculos para detectar los patrones de disparo que son tan característicos en los pacientes con enfermedad de Lou Gehrig. No hubo ni uno solo. Desde una perspectiva médica, nunca se había escuchado de una recuperación de este tipo. Mientras de que escribo esto, más de cinco años después, sigo libre de síntomas.

MEMORIAS CELULARES: LA CLAVE PARA LA CURACIÓN

Entonces, ¿qué era este código perfecto? ¿cuál era esta técnica increíble? En realidad, nosotros no nos habíamos enfocando para nada en la enfermedad de Lou Gehrig. Nos habíamos enfocado en unas cuantas memorias ("o recuerdos celulares") de mi niñez, del tipo de recuerdos con los cuales todos nos podemos relacionar. En mi vida no hubo traumas grandes. Nunca fui abusado sexualmente, nunca fui maltratado, y te puedo asegurar de que nunca me faltó una comida. Tenía un poni, un osito de peluche. Mis padres nunca se divorciaron. No peleaban. (Ahora, tengo que decir que, por supuesto fui terriblemente abusado por mi hermano y mi hermana mayor, quienes nunca lo admitirían ---- es broma Dan y Ann.) Sin embargo aún así tenía una "mala programación" que estaba enviando señales de estrés a mis células y provocando enfermedades.

No por casualidad la escuela de Medicina de la Universidad Southwestern ("del suroeste"), la Escuela de Medicina de la Universidad de Stanford, la Escuela de Medicina de Harvard, y la Escuela de Medicina de la Universidad de Nueva York han todas publicado investigaciones indicando que estos tipos de memorias celulares bien pueden ser la pieza faltante del rompecabezas en la salud y la curación. La investigación de la Universidad Southwestern concluye que lo mejor que podemos esperar en el futuro para curar enfermedades y padecimientos incurables bien puede encontrarse en el encontrar una manera de curar la memoria celular, y que "ahí yace el potencial para un arreglo mucho más permanente" si es que encontramos tal solución.[9] ¿Porqué decimos esto? Porque este parece ser el mecanismo de control de la curación de todas las células del organismo.

¿Y qué es una memoria celular? Es una memoria ("o recuerdo") almacenado en tus células. ¿Cuáles células? Todas tus células.

Durante muchos años, la ciencia creyó que los recuerdos se almacenaban en el cerebro. En un esfuerzo para determinar en qué sitio del cerebro, cortaron cada parte del cerebro, ¿y adivina qué? ¡Los recuerdos seguían intactos en gran medida! Aunque los recuerdos pueden ser estimulados a partir de diferentes áreas del cerebro ---por ejemplo al tener recuerdos placenteros cuando un centro del placer es estimulado--- el lugar de almacenamiento real de la mayoría de los recuerdos parecía no estar confinado al cerebro.

¿Entonces en donde se almacenan? La respuesta puede que se haya encontrado por primera vez cuando la medicina comenzó a realizar transplantes de órganos. Existen muchos casos documentados en los cuales las personas que recibían transplantes de órganos empezaban a tener los pensamientos, sentimientos, sueños, la personalidad, e inclusive los gustos por la comida, de los donadores del órgano. Hoy muchos

---

9 "cell Decision" por Sue Goetneick Ambrose, The Dallas Morning News, September 13,2004.

científicos están convencidos de que los recuerdos se almacenan en las células en todo el cuerpo, y no que estén localizados en un sitio en particular.

Las memorias celulares resuenan frecuencias de energía destructivas y producen estrés en el organismo. La Escuela de Medicina de la Universidad Southwestern publicó un conocido estudio en Septiembre del 2004 en el cual reportaban que el mecanismo de control de la curación en el cuerpo muy bien pudieran ser las memorias celulares ---no solamente para los humanos, sino también para las plantas y los animales. ¿Qué encontraron en el laboratorio en la Universidad Southwestern que hizo que dijeran esto? Encontraron que como son las memorias celulares del organismo, así es la salud del mismo organismo. Una persona, animal o planta con memorias celulares destructivas pasará apuros incluso con buenas circunstancias. Con memorias celulares saludables, una persona puede prosperar incluso si sus circunstancias no son las que esperarías para que alguien pudiera sobresalir. La analogía que la Universidad Southwestern utilizó cuando publicaron esta investigación fue "los recuerdos celulares son como pequeñas notitas adhesivas o post-its que le dicen a la célula qué hacer---solamente cuando existen memorias celulares destructivas los post-its le dicen a la célula que haga algo equivocado". [10]

MEMORIAS CELULARES Y "ASUNTOS DEL CORAZÓN"

Según el Dr. Bruce Lipton, ese "algo equivocado" que a la célula se le dijo que hiciera es el entrar en la modalidad de estrés cuando no debiera hacerlo, y son las creencias equivocadas las que inician las respuestas de estrés del organismo. Estas creencias equivocadas se encuentran incrustadas en las memorias celulares las cuales constituyen a las mentes consciente e inconsciente, junto con los centros de control del cerebro. La conclusión de la investigación de la Escuela de Medicina Southwestern, y que fue publicada en el Dallas

---

10 "Decisión Celular", por Sue Goetneick Ambrose, The Dallas Morning News, 13 de Septiembre, 2004.

Morning News y después reimpresa por todo el país, es que el futuro de la curación de las enfermedades y padecimientos que ahora se consideraban incurables muy bien podría estar en encontrar una manera de curar las memorias celulares.

Estas memorias celulares y creencias equivocadas son lo mismo de lo que hablaba Salomón hace más de 3,000 años. Son los asuntos del corazón que son el origen de todos los asuntos (problemas) que puedas tener en tu vida--- físicos, de relaciones, e inclusive de éxito y fracaso.

El Institute of HeartMath ha realizado durante años algunas de las mejores investigaciones clínicas alternativas del mundo. Un estudio que hicieron cae definitivamente en la categoría de difícil-de-creer, pero es verdad. Colocaron ADN humano en un tubo de ensayo, le pidieron a los sujetos del estudio que lo sostuvieran entre sus manos, y les dieron instrucciones para que pensaran pensamientos dolorosos --en otras palabras, que recordaran memorias destructivas. Es imposible tener pensamientos dolorosos sin recordar memorias destructivas. Después de que los individuos hicieron esto, los investigadores sacaron el ADN del tubo de ensayo y lo examinaron. El ADN había sido literalmente dañado. Posteriormente, colocaron ese mismo ADN de nuevo en un tubo de ensayo, le pidieron a las personas que lo tomaran entre sus manos otra vez, y en esta ocasión les dieron las instrucciones de que tuvieran buenos pensamientos, pensamientos felices. De nuevo, date cuenta de que es imposible hacer esto sin acceder a memorias celulares buenas. Sacaron el ADN del tubo de ensayo, lo examinaron, y descubrieron que había habido un efecto curativo sobre el ADN. ¿Qué significa esto? Significa que la activación de ciertas memorias parece dañar al ADN, mientras que la activación de memorias saludables puede curar literalmente al ADN.

El Dr. John Sarno, profesor de medicina de rehabilitación clínica de la Escuela de Medicina de la Universidad de Nueva York y médico del Centro Médico Universitario de Nueva York, afirma que el dolor crónico y otros padecimientos más son causados por la ira y la rabia reprimidas en la mente inconsciente: "No sabes que llevas esto dentro de ti puesto que no eres consciente de ello". Esta ira y rabia las cuales tienen sus raíces en nuestras memorias celulares, son las mismas cosas que el Institute of HeartMath encontró que se habían dañado en su experimento.[11]

En el 2005, en el programa Good Morning America (Buenos Días América), Charles Gibson entrevistó a la doctora Lonnie Zeltzer, del Hospital Infantil de UCLA para una historia que también fue presentada por USA Today y las Noticias de la Tarde de la cadena ABC. En un estudio en la UCLA, habían descubierto que la enfermedad y el dolor crónico de los niños podía ser causado por la ansiedad de los padres. En otras palabras, que el estrés en los padres creaba memorias celulares destructivas que terminaban manifestándose como estrés en los niños. En la conclusión del estudio, Charles Gibson comenta que el debilitante trastorno de la infancia parecía ser causado por factores psicológicos, no físicos, con lo cual la Dra. Zeltzer estuvo de acuerdo. Las investigaciones que tienen que ver con la memoria celular siguen llegando a raudales.

PORQUÉ EL PENSAMIENTO POSITIVO NO CURA LAS MEMORIAS CELULARES

Una pregunta que pudieras tener después de haber leído los resultados del estudio del Institute of HeartMath es, "Bien, ¿puedo simplemente tener pensamientos positivos y curar todas mis memorias celulares"? Voy a continuar, y te diré que desafortunadamente la respuesta es "no", ya que existen mecanismos en la mente inconsciente que protegen a esas memorias contra el que sean curadas. Pero nos estamos adelantando nosotros solos. Vamos a tratar esto con más detalle en el Secreto #4: El Disco Duro de los Humanos.

---

11 Para una perspicaz entrevista acerca de la teoría del Dr. Sarno, visite el sitio http://www.medscape.com/viewarticle/478840. El Dr. Sarno es el autor de La Prescripción Cuerpo Mente: Curar el Cuerpo, Eliminar el Dolor), La mente dividida: La Epidemia de los Trastornos CuerpoMente, y Libérese del Dolor de Espalda.

El hecho de que nuestras memorias sean el mecanismo de control para nuestra salud ha sido la base para la psicología durante al menos cien años. Esta idea comenzó a ser científicamente validada cuando nuestros jóvenes regresaban con heridas de la primera guerra mundial, aunque no hubieran sido heridos físicamente. Le llamaban tener "neurosis de guerra". Esta fue la primera vez que nos dimos cuenta de que lo que se encuentra en la mente puede enfermarte físicamente.

El hablar acerca de las memorias puede recordarnos a la consejería y la terapia, las cuales frecuentemente involucran el tener que sumirse en todo ese viejo bagaje otra vez. Algunos de ustedes pudieran pensar, "Eso me va a deprimir y a desanimarme", o, "Estoy cansado de tratar con eso". Muchos hombres pudieran decir, "Ni siquiera quiero ir ahí". Con El Código Curativo, no tienes que hacerlo. Simplemente como Joe con el dolor crónico de su pie, puedes hacer el Código Curativo para cualquier cosa que sea la que te esté molestando más y permitirle que cure por ti esas memorias celulares. Incluso más importante que la curación del pie de Joe fue la transformación de su vida emocional, pero fíjate --él no se había enfocado en eso.

Para tener una curación a largo plazo, permanente, tienes que curar las memorias celulares destructivas. Esto lógicamente tiene sentido. Todos en nuestras vidas tenemos recuerdos que están llenos de sentimientos como la ira, la tristeza, el miedo, la confusión, la culpa, la impotencia, la minusvalía ... la lista es interminable. No tiene sentido que ninguno de nosotros podamos tener todo eso dentro y no pagar un precio por ello. El precio es tu salud, tus relaciones, tu carrera, etc. Todos necesitamos curar el origen de nuestros problemas, y no solo los síntomas. ¿Porqué? Si curas solamente los síntomas, el problema probablemente volverá, o quizá serán dos en lugar de uno ya que el asunto que provocó los síntomas sigue ahí. El origen de los problemas que quieres cambiar, en los cuales te pedimos que pensaras al inicio de este libro, son las memorias celulares.

Una vez que entiendes esto, ¿cómo vas a encontrar las memorias celulares que están relacionadas con tu problema? Y segundo, ¿cómo las curas?

PORQUÉ EL "AFRONTAR LAS COSAS" LAS EMPEORA

Otra vez, la psicología ha estado intentando encontrar una manera de hacer eso ("curar las memorias celulares") durante décadas, pero algunas de las últimas investigaciones indican que el hablar sobre los problemas una y otra vez en realidad puede empeorarlos.

Los Códigos Curativos curan las memorias celulares destructivas de manera automática. No curan la memoria celular entrenándote a pensar de manera diferente acerca de tu problema, a lo cual se le denomina "reencuadre". Ni curan balanceando los químicos de tu cerebro ya que el desequilibrio químico es un síntoma, no la fuente del problema. Tampoco curan haciéndote que pienses en otra cosa siempre que te molesten los problemas. No.--Yo llamo a todas estas cosas el "afrontar". Afrontar significa que el problema sigue ahí, pero que simplemente has aprendido una manera más constructiva de manejar el dolor. Lo que realmente todos quieren es que el dolor se vaya. El Código Curativo es un mecanismo físico que se encuentra en el organismo, el cual, cuando se pone en marcha, cambia el patrón de energía (Secreto #2) de la memoria celular destructiva (Secreto #3) en uno saludable. Cuando esto sucede, la respuesta de estrés del organismo se detiene o disminuye (Secreto #1). Esto no quiere decir que ya no tienes esa memoria; la tienes, simplemente que ya no es destructiva.

He aquí el problema: afrontar es igual a estrés. Ya que todo problema conocido para el hombre puede ser remontado al estrés, un mecanismo para manejar nuestros problemas que cause estrés es cuando menos contraproducente, y a decir verdad, loco. Permíteme explicarme.

Nuestros cuerpos y mentes cuentan con una lista de las cosas que se tienen que realizar en cada día, y una cierta cantidad de energía para llevarlas a cabo. Para las cosas que se tienen que hacer, existen unos "se tiene que", "se necesita que", y unos "se requiere de". Los "se tiene que" serían la respiración y el latir del corazón. Los "se necesita que" son cosas como la digestión, la eliminación de los desechos, la limpieza de la sangre, y el funcionamiento de las defensas. Los "se requiere de" son cosas como las actividades de reparación, el resolver antiguas memorias destructivas, y cosas así. Si se reduce la energía que está disponible para el cuerpo, entonces se tienen que reducir las cosas de la lista. Las cosas que sean menos importantes se van a detener primero, las cuales casi siempre incluyen a las funciones de los sistemas inmune y del de curación.

¿Adivina qué? El suprimir las memorias destructivas y mantenerlas así requiere de una enorme cantidad de energía, y de forma constante. Esas memorias se deben suprimir cada hora de cada día, y de esta manera puede que estés consumiendo un buen porcentaje de la energía necesaria para vivir tu vida en nada más y nada menos que el suprimir las memorias celulares. Si te me adelantas y estás imaginando que esto ha de significar problemas de salud, de relaciones o profesionales, permíteme aplaudirte. Tienes toda la razón. De hecho, el Dr. John Sarno, profesor de la Escuela de Medicina de la Universidad de Nueva York a quien ya hemos mencionado, confirma a partir de su investigación que los problemas de salud crónicos, y el dolor crónico en adultos son el resultado del suprimir memorias celulares destructivas. El proceso de supresión crea un estrés constante, hasta que con el tiempo algo se estropea. El trabajo del Dr. Sarno, al igual que el de la Escuela de Medicina de la Universidad Southwestern y el de la Escuela de Medicina de la Universidad de Standford, coinciden que el curar estas memorias, en lugar de suprimirlas (a lo cual nosotros le llamamos el "afrontar"), resulta en la curación de la afección de la salud.

De acuerdo con todas estas fuentes y otras más, lo que se requiere desesperadamente, y lo que cambiará para siempre el rostro de la salud, es una manera de curar las memorias celulares destructivas contrario a simplemente afrontarlas durante toda una vida. Durante décadas creímos que el afrontar estas memorias sería algo que nos permitiría evitar su efecto destructivo. Investigaciones recientes prueban que este era un mortal error de cálculo. Las memorias celulares causan destrucción ya sea que se recuerden de manera consciente o no.

LO QUE SIGNIFICA LA CURACIÓN

Una vez que has curado la memoria, ¿qué significará esto para ti? Esto significará que ya no sentirás la desesperación, la culpa, el resentimiento, la frustración, la ira, las creencias negativas, ni otras emociones destructivas¿Podemos comprobar esto? Absolutamente. La prueba es que de manera consistente, predecible y generalmente rápida, las personas nos informan que sus creencias y sentimientos destructivos son curados. Mientras llevamos a cabo seminarios por todo el país, eso sucede en cada uno de los seminarios. Lo tenemos grabado en video, y en todo tipo de testimonios --personas que hacen Los Códigos Curativos nos cuentan que sus sentimientos, creencias, miedo, ira, resentimiento, todas esas emociones negativas, se curan de manera rápida y consistente. No es para nada raro el que una persona haciendo El Código Curativo nos diga después que un asunto que habían tenido con un miembro de su familia por diez, quince, veinte años o más, se curó en unos cuantos minutos o unos cuantos días. Frecuentemente nos cuentan de todas las cosas que intentaron durante décadas en sus vidas sin obtener los resultados que deseaban. ¿Porqué es esto la prueba? Porque las creencias y sentimientos destructivos que tenemos provienen de nuestras memorias.Y la única manera en la cual se pueden curar es si la memoria de la cual provienen es curada.

Una mujer, a la cual llamaré Amanda, compró Los Códigos Curativos® y me llamó para relatarme su experiencia con el sistema. Había vivido una situación de abuso emocional con su madre. Su madre era extremadamente crítica, negativa, perfeccionista, y cruel. En pocas palabras, cuando era una muchacha, mi cliente terminó sintiéndose despreciable, incapaz y temerosa de casi cualquier situación. Se volvió perfeccionista debido a la creencia subyacente de que solamente sería amada si hacía todo bien (como generalmente sucede en el caso de los perfeccionistas).

La vida de Amanda era un desastre. Aún y cuando tenía mucho éxito en los concursos de belleza, ella se sentía fea. Aunque era una cocinera extraordinaria, sentía que todo lo que cocinaba tenía algo de malo, aún y cuando todos los demás hacían comentarios muy favorables. Cuando las cosas iban bien, no iban lo suficientemente bien, y la catástrofe podía estar a la vuelta de la esquina. Cuando las cosas iban mal, ello era una confirmación de que ella ya sabía que iba a suceder. Se encontraba tan cansada del trabajo que no podía esperar por unas vacaciones, pero después del primer día de vacaciones ya no podía disfrutar el resto puesto que estaba asustada de que las vacaciones acabarían en seis días. A Amanda no le gustaba el sexo por varias razones. Una, no tenía el cuerpo perfecto, así que el rechazo iba a ser seguro (aunque nunca sucedió). Además, de cualquier manera ¿porqué iba a querer relacionarse así con otra persona? El permitir que alguien se acerque simplemente va a hacer que duela más cuando las cosas se estropeen. Ella estaba deprimida y llena de ansiedad. La confusión era una compañía constante. Frecuentemente se paralizaba respecto a dónde ir a comer. Se culpaba a ella misma por todo esto. Después de todo, nunca había sido abusada, golpeada o violada, ni ninguna de esas terribles cosas, y todos los demás pensaban que su madre era increíble. Nada de esto cambiaba el hecho de que ella se encontraba viviendo en la terrible prisión de sus sentimientos, pensamientos y creencias.

Cuando Amanda llegó a Los Códigos Curativos, llegó después de décadas de consejería, terapia, exploración interior, religión, medicamentos, suplementos nutricionales, seminarios de autoayuda, seminarios de crecimiento personal, paquetes infomerciales ... captas la idea. Dijo que cuando había llegado a Los Códigos Curativos, lo único que ella sentía que ya se había resuelto en su vida era su relación con su madre, al menos respecto a los eventos de la infancia. Después de todo, ella se había gastado decenas de miles de dólares y años de su vida para llegar a un sitio en donde pudiera tener un trabajo estable, un matrimonio y una familia, y para tener una vida bastante equilibrada. La sorpresa fue que cuando comenzó a hacer Los Códigos Curativos, lo que seguía viendo una y otra y otra vez eran las cosas de la niñez que pasó con su madre.

Los Códigos Curativos no son ni consejería ni terapia, y no, no tienes que volver y desenterrar tu pasado. Sin embargo, en ocasiones al curar las memorias, llegamos a ser conscientes de cuáles son las que se están curando. Eso es exactamente lo que sucedió con esta mujer. Después de casi un mes de hacer Los Códigos Curativos, las creencias, sentimientos y pensamientos negativos, la ansiedad y el perfeccionismo de Amanda se habían ido. ¡Se esfumaron! Desaparecieron. Me llamó para preguntarme si había sucedido antes que alguien hubiera gastando todo el dinero y esfuerzo igual que ella, y que hayan sentido honestamente que un asunto estuviera curado, cuando en realidad para nada que se había curado. El que no se hubiera curado ("ese asunto") fue obvio para ella al momento de hacer Los Códigos. Cuando esas memorias aparecían en su conciencia al ser curadas con Los Códigos Curativos, ella sentía una ligereza, o curación o un alivio --algo que le hacía saber que se estaban curando. Cuando había pasado un mes, ya podía decir que todas esas memorias se habían curado. La felicité y su pregunta de si había sucedido antes me hizo reír, no por menospreciar su pregunta sino porque simplemente lo que ella describía es lo que le sucede a la mayoría de las personas. La excepción en cuando no sucede.

AFRONTAR NO ES CURAR

Y es que, tendemos a confundir el afrontar con el curar. Cuando yo daba terapia y consejería en mi práctica privada, la curación casi nunca sucedía, pero era bueno para enseñar a las personas a afrontar las cosas. De hecho, eso es en lo que están entrenados la mayoría de consejeros y terapeutas. Casi todos los programas de autoayuda que he visto están llenos de mecanismos para afrontar las cosas. ¿Qué es lo que eso significa para la persona que hace uso de ellos? Significa que vas a tener la basura de tus problemas el resto de tu vida, pero que aprenderás a rociarles perfume cada vez que huelan mal. Vas a tratar de llegar al sitio en el cual ya no te molesten tanto. Inclusive he oído de algunos consejeros o terapeutas que le dicen a sus clientes después de que estos han aprendido a afrontar las cosas, "Tu problema está curado". Después de todo, ellos son los expertos, así que la mayoría de las personas tienden a creerlo. Si el problema verdaderamente está curado, entonces todos los problemas que causó ese también se curarían, y como ya has visto en este libro, estas memorias celulares que están detrás de todo esto son el origen de los problemas de salud físicos. Así que, si la curación verdaderamente ha ocurrido, entonces todo se debería de curar---no solamente las emociones, sentimientos y creencias, sino también los problemas físicos que fueron causados por esas cosas.

La prueba de que Los Códigos Curativos curan estas memorias celulares está en que las personas nos informan una y otra vez que sus sentimientos, creencias, actitudes y patrones de pensamiento se curan al hacerlos. De hecho, tenemos una manera de medirlo en el sistema de Los Códigos Curativos ® y las personas nos informan una y otra y otra vez, usando esa herramienta de medición, cómo es que se están curando en sus vidas esas memorias celulares. No es casualidad que cuando esas memorias celulares se curan (Secreto #2), el problema de energía celular se cura, y las personas relatan que sus problemas de salud se esfuman.

Ahora hemos visto los tres primeros secretos, así que vamos a revisarlos solo un segundo.

Secreto #1: Existe una causa del padecimiento y la enfermedad, y ésta es el estrés. La prueba de que El Código Curativo cura el estrés se encuentra en unos resultados sin precedentes de la Variabilidad de la Frecuencia Cardíaca, la cual es la prueba médica de estándar de oro para medir el balance de estrés en el sistema nervioso autónomo.

Secreto #2: Todo problema es un problema de energía. Si puedes curar el problema de energía, puedes curar cualquiera que sea el problema que haya resultado en la vida. Los Códigos Curativos son un sistema de curación de física cuántica el cual transforma los patrones de energía en el organismo. La prueba de ello son los testimonios de las personas, los cuales relatan que sus problemas se han curado, incluyendo desde enfermedades mayores hasta asuntos de las relaciones, profesionales y del éxito.

Secreto #3: Los asuntos del corazón (llamados de muchas maneras por la ciencia moderna --memoria celular, inconsciente, subconsciente, etc.) son el mecanismo de control de la salud. Pueden hacer resonar frecuencias de energía destructiva y crear estrés. El Código Curativo cura las memorias celulares destructivas tal como se hace evidente al curar los sentimientos, creencias, actitudes y pensamientos destructivos.

¿Cómo encaja todo esto entre sí? Los Asuntos del corazón (Secreto #3) provocan frecuencias de energía destructivas (Secreto #2). Las frecuencias de energía destructivas (Secreto #2) crean estrés (Secreto #1). Y el estrés es el origen único de todos los problemas físicos y emocionales (Secreto #1).

Entonces, si puedes curar los asuntos del corazón, puedes curar casi cualquier problema en tu vida. Los Códigos Curativos curan las memorias celulares. Recuerda la frase de William Tiller: "La medicina del futuro se basará en controlar la energía en el organismo". Los Códigos Curativos son el cumplimiento de esa predicción. Son un sistema de curación de física cuántica, el cual descubre las frecuencias de energía destructiva en el organismo y las cura.

El saber cuales asuntos del corazón controlan nuestra salud es útil. Pero, aún hay más del rompecabezas. "Genial, hay memorias celulares, pero, ¿cómo doy con ellas? ¿Cómo las curo? ¿En dónde se encuentran?"

Eso nos lleva hasta el Secreto #4....

CAPÍTULO CUATRO

El Secreto #4: El Disco Duro de los Humanos

El disco duro de tu computadora es el sitio en donde se almacena todo. De hecho, puedes usar tu computadora solamente hasta la capacidad que tenga tu disco duro. Ahí se encuentran grabados todos tus archivos de word, tus cartas, tus documentos, tus correos electrónicos, etc. Inclusive, cuando borras un archivo, si llevas el disco duro con un experto en computadoras que tenga el equipo y conocimiento adecuados, generalmente podrá encontrar ese archivo.

Dentro de la computadora humana, todo lo que alguna vez te sucede se graba en la forma de memorias o recuerdos. Esto es psicología de primer año. Aún si no puedes recordarlo de manera consciente, incluso si desde el momento en que sucedió nunca fuiste consciente de ello ya que tu atención se encontraba en otro lugar, aún así está grabado. Existen muchos casos documentados de personas que bajo hipnosis o durante cirugía cerebral, quienes, cuando se estimulaban ciertas áreas del cerebro, recordaban cosas inclusive hasta del vientre materno -- cosas de las que nunca fueron conscientes, o de las que no habían sido conscientes durante un largo, largo tiempo.

De todas estas memorias (o recuerdos) que tenemos --todos los registros de todo lo que nos ha sucedido alguna vez-- más del 90 por ciento son lo que se clasificaría como inconscientes o subconscientes, lo que quiere decir que, o es muy difícil o incluso imposible que los recordemos. Estos incluirían tu nacimiento, tu primer baño, y la vez que estabas aprendiendo a caminar y tiraste uno de los jarrones de cristal de mamá, y se rompió en el piso. Cerca del 10 por ciento de los recuerdos son conscientes, lo que quiere decir que podemos recordarlos si lo intentamos. Estos incluirían no solamente lo que comí el día de hoy, sino mi fiesta de cumpleaños de cuando estaba en la secundaria, cuando saqué mi licencia para conducir, cuando me casé con mi esposa, cuando mi hijo nació ... eventos así.

EL 90 POR CIENTO DEBAJO DEL NIVEL DEL AGUA

En psicología, esta relación entre nuestros recuerdos grabados en la mente consciente e inconsciente frecuentemente se ilustran como un iceberg, como puedes ver más abajo. El iceberg representa el 100 por ciento de nuestras memorias (recuerdos). El 10 por ciento por encima del nivel del agua representa las memorias (recuerdos) conscientes, mientras que el 90 por ciento debajo del nivel del agua representa las memorias (recuerdos) inconscientes o subconscientes.

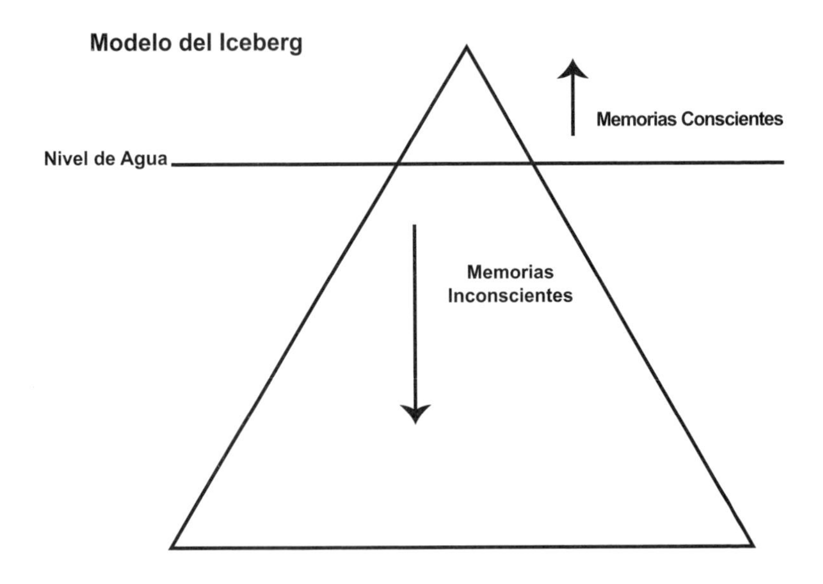

Para los propósitos de este libro, llamaremos a los recuerdos (memorias) inconscientes y subconscientes el "corazón". Pienso que en realidad el corazón es nuestra mente inconsciente + nuestra consciencia + nuestro espíritu.

MEMORIAS (RECUERDOS)—QUÉ SON Y EN DÓNDE ESTÁN

Como ya hemos dicho, la ciencia solía creer que estas memorias (recuerdos) estaban almacenadas en nuestros cerebros. Las últimas investigaciones parecen indicar que estas memorias (recuerdos) se encuentran almacenadas en nuestras células, literalmente en todo el cuerpo. Estas memorias no son de carne y hueso; se encuentran almacenadas en nuestras células como patrones de energía. Esta es la razón por la cual no las podemos encontrar en ningún tejido del cuerpo --no existen como un tejido físico. Recuerda del Secreto #2 que Albert Einstein comprobó con la ecuación E=mc2 que todo se reduce a energía. Bien, eso incluye a nuestros recuerdos (memorias). La substancia de la memoria o recuerdo es un patrón de energía, pero el recuerdo o memoria real es una imagen.

Según el Dr. Pierce Howard, en su libro, The Owner's Manual for the Brain (Manual para el Cerebro), para todas las personas, con excepción de las invidentes de nacimiento, todos los datos se almacenan dentro de nuestros recuerdos (memorias) como imágenes. Estas memorias también se recuerdan en forma de imágenes.

El Dr. Rich Glenn, en su libro Transformation (Transformación), también afirma que todos los datos se almacenan en la forma de imágenes, y que un trastorno en el campo de energía del organismo puede remontarse hasta una imagen destructiva. El Dr. Glenn continúa para decir que la curación de la imagen destructiva produce un efecto curativo permanente en el organismo. Entender esto es vital para curar las memorias celulares referidas en el Secreto #3.

El Dr. Antonio Damasio, jefe del departamento de neurología de la USC (Universidad del Sur de California), dice, "La capacidad para formarse imágenes internas y para ordenar estas imágenes es un proceso denominado pensamiento ... el pensamiento sin imágenes es imposible ... el razonamiento humano siempre es rico en imágenes". [12]

El Dr. Bruce Lipton explica además que el cuerpo es como una cámara. Cualquiera que sea la señal ambiental, es captada por la lente. La cámara ve algo. La lente la capta y la traduce en la película fotográfica en donde se hace una copia complementaria. La cámara siempre hace un complemento de lo que hay en el entorno.

"La verdad es, que en la biología es igual. La célula es como una cámara. La membrana es como una lente, y cualquier cosa que haya en el entorno capta la imagen y la envía al núcleo en donde se encuentra la base de datos. Ahí es en donde las imágenes se encuentran almacenadas.

"La conclusión es esta. Cuando abres tus ojos, ¿qué imagen ves"? [13]

El punto es que lo que ves externamente, o lo que crees que ves, se encuentra determinado en gran medida por cómo estás programado internamente.

PATRONES DE ENERGÍA DESTRUCTIVOS

Todos los datos, todo lo que nos sucede, se encuentra codificado en la forma de memorias celulares. Algunas de estas contienen creencias equivocadas, destructivas, las cuales hacen que se active la respuesta de estrés en el organismo, cuando no debiera hacerlo, ello desconecta al sistema inmune y literalmente produce todos los problemas que conocemos en nuestras vidas. La substancia de estas

---

12 Antonio Damasio, Descartes' Error: Emotion, Reason, and the Human Brain, Penguin, 2005, pp. 89, 98. (El Error de Descartes: Emoción, Razón y el Cerebro Humano)

13 Bruce Lipton, La Biología de la Creencia DVD.

memorias celulares es un patrón de energía destructiva en el organismo. La manera práctica en que estos se almacenan en el organismo es en la forma de imágenes, y también se recuerdan en forma de imágenes.

Permíteme mostrarte esto con un ejemplo sencillo. Relájate un segundo y vamos a intentar una experiencia rápida de aprendizaje. ¿Qué sucede cuando piensas en la Navidad? ¿No recuerdas alguna Navidad o algunos pequeños fragmentos de varias Navidades? Y ¿Cómo las recuerdas? ¿Ves algo? ¿Ves en tu mente los rostros de las personas, un árbol de Navidad, o los regalos?

Vamos a intentarlo de nuevo. ¿Qué pasa cuando piensas en la decepción? ¿Recuerdas algunos eventos decepcionantes en tu vida? ¿Y cómo los recuerdas? ¿Los ves? Aún y cuando no puedas ver una imagen en tu mente, generalmente puedes recordar y describir los colores, formas, objetos u otros elementos visuales. De hecho, no podemos hacer nada para lo cual no tengamos una imagen. Antes de hacer cualquier cosa la imaginamos, ya sea el preparar una taza de te, ir al baño, o hacer los planos de una ciudad. La substancia de cada idea es una imagen, y ¿cuál es la substancia de una imagen? ¿Es el tejido, o la carne y hueso? No, la substancia de los recuerdos o memorias y de las imágenes son una frecuencia de energía. Las imágenes son el lenguaje del corazón.

Este pequeño ejercicio está haciendo uso de tu mente consciente o de la inconsciente y rememorando recuerdos. Si, los ves, pero ¿que no también sientes algo? ¿Cuando pensabas en la Navidad no sentías gozo? ¿Sonreías un poquito aunque no te diste cuenta? ¿Te acuerdas de algún momento cariñoso, maravilloso en tu vida? ¿Oliste el aroma a tocino cocinado o a esencia de pino, o a rompope o a canela? Cuando te acordaste del recuerdo de decepción, ¿no sentiste un poco de opresión en tu pecho o un poquito de incomodidad?

Como lo demostró la investigación del Instituto de las Matemáticas del Corazón que comentamos en el último

Secreto, si tú sigues pensando en recuerdos dolorosos, en los recuerdos tristes, en los recuerdos de depresión, en los recuerdos de enojo, y te enfocas en ello durante un largo periodo de tiempo, no solamente te sentirás mal a nivel emocional, sino que literalmente eso comenzará a poner a tu organismo en la respuesta de estrés de la que hablamos en el Secreto #1, y con el tiempo, pudiera literalmente hacer que te enfermes.

EL PROBLEMA POR DEBAJO DEL NIVEL DEL AGUA

Con tu mente consciente puedes elegir el pensar en los recuerdos y pensamientos buenos, felices y saludables, pero con tu mente inconsciente realmente no puedes elegir en lo que vas a pensar, ya que la mente inconsciente piensa por su propia cuenta. La mente inconsciente trabaja por asociación, así que cuando te acuerdas de la Navidad, y si es que tienes algunos recuerdos muy negativos de la Navidad, tu mente inconsciente pudiera reactivar uno de esos recuerdos negativos de la Navidad, y pudieras empezar a sentirte mal y sin siquiera saber el porqué. Esto sucede todo el tiempo.

Escuchamos a diario de personas que dicen cosas como, "Tengo una ira que se dispara rapidísimo y simplemente no sé porqué, pero la he tenido ya por bastante tiempo". O, "Estoy triste, y no lo puedo entender; no sé el porqué". O, "Parece que me saboteo a mí mismo en el trabajo cuando estoy a la espera de un ascenso. Simplemente parece que yo mismo soy mi peor enemigo, y no sé porqué". La razón de que sucedan estas cosas es que tienes memorias inconscientes que se están reactivando, y así estás sintiendo la emoción de esa memoria (o recuerdo) original. Obviamente, esto puede provocar problemas en tu vida. Vamos a explorar esto un poco más en el Secreto #5.

En el Secreto #4, el hecho central es que todo lo que te ha sucedido se encuentra registrado. Puedes tener acceso a algo de esto, y a esto lo llamamos la memoria consciente. Y algo de ello no lo puedes acceder, y llamamos a eso la memoria inconsciente o subconsciente. Estas memorias se encuentran codificadas en la forma de imágenes o figuras, y lo que pone en funcionamiento la respuesta de estrés en el organismo son las imágenes que contienen una creencia equivocada. Como dice el Dr. Lipton, una creencia equivocada "hace que tengamos miedo cuando no debiéramos de tenerlo".

Así que si tú eres una de estas personas que se ha preguntado por años, "¿Porque me enojo cuando no debería? ¿Porqué como cuando no debiera, y cuando ni siquiera quiero hacerlo, ya que estoy intentando bajar de peso? ¿Porqué pienso en cosas en las que en realidad no quiero pensar? ¡Quiero pensar en cosas buenas, saludables, positivas! ¿Porqué parece que no puedo deshacerme de este problema que tiene que ver con mis pensamientos, sentimientos y conductas?" El problema está en tu disco duro.

DESFRAGMENTANDO EL DISCO DURO HUMANO

Con lo que estamos tratando en el disco duro humano es con memorias celulares, y el disco se pudiera contaminar con archivos fragmentados. El Código Curativo es una manera de defragmentar nuestro disco duro humano sin la necesidad de consejería, sin terapia, sin drogas y sin medicamentos. Es un sistema que ha estado en el cuerpo desde siempre, pero que apenas fue descubierto en el 2001. No es acupuntura, ni mudras, ni chakras, ni yoga, ni ninguno de esos métodos. Es un descubrimiento absolutamente nuevo que ha sido probado con las pruebas de la corriente médica principal de las que hablamos en el Secreto #1.

Ya que cualesquiera que sean los problemas que llevas dentro de ti en este momento, existen como imágenes, como patrones de energía, y la única manera de curarlos es con otro patrón de energía. ¿Recuerdas estas frases del Secreto #2?:

"La medicina del futuro se basará en controlar la energía en el organismo".
—William Tiller, Ganador del Premio Nobel

"La química del cuerpo está gobernada por campos celulares cuánticos"
—Murray Gell-Mann, Ganador del Premio Nobel, E.U.

"Las enfermedades tienen que diagnosticarse y prevenirse por medio de la evaluación del campo de energía".
—George Crile, Sr., MD, Fundador de la Clínica Cleveland, 1864-1943

Cuando haces un Código Curativo, curas las frecuencias destructivas y permites que las creencias equivocadas que se encuentran codificadas en estas memorias celulares se curen. Los Códigos Curativos curan esa memoria celular, curan su patrón de energía destructivo, y nos permiten creer la verdad para que así no tengamos miedo cuando no haya nada de lo cual temer. Así, hemos compuesto lo que estaba ocasionando el problema, desde su fuente. Hemos desfragmentado el disco duro humano. Hemos curado los recuerdos. Eso es lo que hacen Los Códigos Curativos, y ese es el porque es algo tan revolucionario. Nunca antes habíamos contado con una manera de hacer esto. El promedio de los ejercicios de Los Códigos Curativos toma aproximadamente 6 minutos, así que no estamos hablando de algo que sea muy difícil de hacer o algo de lo que tome mucho tiempo. Inclusive puedes hacer un ejercicio estando acostado sobre una cama, o en un sillón reclinable. Hemos tenido algunas personas que nos cuentan que los hacen mientras se encuentran en la ventanilla de espera del autoservicio, cuando están esperando por su hamburguesa. No aconsejamos esto, pero es así de simple.

De hecho, Mark Víctor Hansen, el coautor de los libros Sopa de Pollo para el Alma, ha salido a la luz pública y ha dicho que él cree que esto muy bien puede ser la solución de la crisis de la atención a la salud en los Estados Unidos, nos relató que él sentía que el problema más grande que podríamos tener al convencer a las personas para probar El Código Curativo es que es demasiado simple. Es tan simple que las personas simplemente no creerán que puede hacer una gran diferencia en sus vidas.

Mi hijo adolescente enfermó de gripe hace apenas dos semanas. Dijo que se sentía mal, y le comenté que fuera a hacer un Código Curativo por si mismo. Un par de horas después se sentía completamente normal. La hija de Ben ha estado haciendo Los Códigos Curativos para si misma desde los siete años de edad, completamente sin ayuda. ¡Así es como es de simple!

Vamos a revisar nuestros secretos hasta ahora:

Secreto #1: El estrés es la causa de todo padecimiento y enfermedad.

Secreto #2: Todo es energía.

Secreto #3: Los asuntos del corazón controlan la salud.

Y ahora sabes el Secreto #4: Todas las memorias (recuerdos) son energía almacenada y recordada como imágenes, y el 90 por ciento de ellas son inconscientes.

Entonces desfragmenta tu disco duro humano y cambia tu vida en el proceso. Ya sea que lo hagas con El Código Curativo o no, si es que vas a tener resultados duraderos, permanentes en tu vida, vas a tener que encontrar alguna manera de curar estas memorias celulares, estos asuntos del corazón, los cuales están causando el problema.

CAPÍTULO CINCO

El Secreto #5: Tu Programa de Antivirus Pudiera Estarte Enfermando

La mayoría de nosotros tenemos un programa de antivirus en nuestra computadora, y de igual manera lo tiene el disco duro humano. Es así con la mente consciente y la inconsciente. Y así es, en especial, con lo que yo llamo el corazón (la mente inconsciente + el consciente + el espíritu). Nacemos con un programa de antivirus que debe protegernos de los daños físicos y emocionales asegurando que evitemos aquellas experiencias que nos podrían dañar. Entre más y más experiencias negativas tenemos, así el programa agrega más y más "definiciones de virus", al igual que el programa de antivirus de tu computadora lo hace cuando se conoce algún nuevo virus.

El programa de antivirus del disco duro humano es un programa de estímulo/respuesta. Básicamente, se trata del instinto a buscar el placer y evitar el dolor, y que desarrolla más y más definiciones y distinciones mientras vamos viviendo y aprendiendo. Los niños no utilizan la lógica de la misma manera que lo hacen los adultos, ellos operan mucho más con un principio de dolor/placer. Si un adulto es muy amable, habla en tono muy gentil, y le sonríe al pequeño, eso es placentero, y el bebé tenderá a ser atraído a esa persona. Si permites que el bebé pruebe un poco de helado, verás aparecer en la cara del bebé una mirada que dice, "¿Qué es eso? ¡Quiero más!"

Todos tenemos recuerdos tempranos como ese. Lo opuesto también es cierto, ya sea que el dolor se trate de que no logremos el placer que queremos (como el no tener más helado), o si es un dolor literal (como al tocar un sartén caliente). Los niños aprenden del placer y del dolor, ya sea al buscar o al evitar algo.

Sin embargo, sabemos como adultos que las reacciones de un niño no son necesariamente lógicas. El niño puede buscar lo placentero --el helado o los dulces-- hasta enfermarse. O puede evitar el dolor a tal grado que ni siquiera pueda disfrutar de la vida por estar tan preocupado por un insecto que alguna vez le picó. Como adultos también nos podemos dar cuenta que no todas nuestras propias reacciones son realmente lógicas. Lo que puede que no veamos es que en cada caso también nos estamos comportando de acuerdo a un sistema de estímulo/respuesta de buscar el placer y evitar el dolor.

LOS ORÍGENES OCULTOS DE NUESTRAS RESPUESTAS

La razón por la cual no podemos identificar con facilidad que nuestras acciones son respuestas es el hecho de que podemos ser totalmente inconscientes de los estímulos que los provocaron. El estímulo siempre es un recuerdo ("o memoria"), pero existen tres tipos de recuerdos codificados en nuestros bancos de memoria (disco duro) los cuales puede que no seamos capaces de recordar en absoluto. Aún cuando y sí podamos, nuestra respuesta no siempre parece lógica.

Memorias heredadas, memorias previas al lenguaje y previas al pensamiento lógico, y los recuerdos de traumas, se convierten en un sistema de creencias de estímulo/respuesta programado para proteger.

Primero que todo, vamos a echar un vistazo a estos tres tipos de recuerdos (memorias).

MEMORIAS HEREDADAS

Todos nosotros heredamos memorias celulares de nuestros padres, de manera similar a una persona que recibe las memorias celulares del donador de un órgano. Yo (Ben) pienso que estas memorias celulares se encuentran literalmente codificadas en el ADN de cada una de las células. Cuando un óvulo y un espermatozoide se unen al momento de la concepción, crean una célula que es una hermosa y milagrosa armonía entre un hombre y una mujer. Esto es cierto en lo físico, si, pero también en lo no físico. Así, tal y como el ADN heredado se transmite y así hace que Johnny tenga los ojos de su mamá y el mentón de su papá, Johnny también recibe las memorias celulares de su mamá y de su papá.

Ahora, solo un poco de lógica te diría que este proceso también sucedió cuando la mamá y el papá de Johnny también fueron concebidos. Entonces ¿eso significa que el pequeño Johnny unicelular también está recibiendo las memorias celulares de la abuela y del abuelo, y del bisabuelo y de la bisabuela del lado materno, los cuales vivieron mucho antes de la Guerra Civil? Completamente. De hecho, mi opinión (de Ben) es que estas memorias celulares se transmiten a través del ADN, en particular del de los glóbulos blancos. Ahora el pequeño Johnny unicelular lleva consigo todo lo que algún día llegará a convertirse en un Johnny de veinticinco años de edad, el apuesto hombre en el día de su boda. Eso es fácil que lo relacionemos a nivel físico, pero no es tan común en cuanto a lo del tema de la memorias celulares.

Estas memorias celulares son buenas, malas, y si, feas (para los fans de Clint Eastwood) --y mucho más. La respuesta a la pregunta del millón de dólares que puede que tengas es "Sí". Las memorias celulares de la tatara-tatara-tatara abuela puede que se reactiven dentro de mí y que provoquen pensamientos, sentimientos y conductas no deseadas, ademas de estrés fisiológico.

No te desanimes. Si sientes como que tu laguna mental se tornó un poco turbia y que tus sentimientos de elección y control parece que se te escurrieron por los dedos, ¡hay algo más que esperanza! Las memorias celulares heredadas pueden curarse al igual que cualquier otra usando El Código Curativo, como lo veremos con más detalle posteriormente. Sin embargo, faltaría a mí deber si no dijera que sin El Código Curativo, este asunto podría llegar a ser frustrante, y en ocasiones algo casi imposible de tratar. El hecho de que los pensamientos, creencias y conductas de una persona pudieran estar brotando de algo que ni siquiera sucedió en sus vidas es irritante en el mejor de los casos, y en el peor de ellos, algo que puede conducir a la desesperación, la desesperanza y a la enfermedad. Nosotros creemos que esta es una de las razones por las cuales la consejería y la terapia han sido muy ineficientes para un gran porcentaje de las personas a lo largo de los años. No puedes tratar con un problema que ni siquiera sabes que existe. Afortunadamente, hemos desarrollado un tipo de test para encontrar estos recuerdos (o memorias) incluso si no se les recuerda.

MEMORIAS PREVIAS AL LENGUAJE Y PREVIAS AL PENSAMIENTO LÓGICO

Antes de que fuéramos capaces de pensar de manera más racional o antes de hablar bien, ya ocurrían eventos en nuestras vidas. Todas estas memorias (o recuerdos) se grabaron como cualquier otro recuerdo, pero se encuentran grabados con el nivel de razonamiento de la persona en el momento en que era vividos.

De hecho, dentro de los primeros años de vida, vivimos lo que se llama un estado de ondas cerebrales Delta-Theta. Esto quiere decir que nuestras experiencias se "fijan directamente" en nuestros cerebros sin filtrarse a través de un juicio consciente, más racional el cual desarrollamos más tarde.

Si un bebé se despierta en medio de la noche con los pañales sucios, húmedos y fríos, va a querer gritar tan fuerte como lo requiera para que esa repugnante sensación se aleje. No obstante, si cada vez que despierta a su mamá ésta es tosca, enojosa y quizá inclusive lo lastime, después de un tiempo el bebé quizá también querrá el evitar ser tratado de esa forma tan hiriente. Él no sabe nada acerca de que tan duro trabaja la mamá, y lo miserablemente cansada que está y lo deprimida que se encuentra, ya que es demasiado joven para conocer estas palabras o para tener esos conceptos. Lo único que sabe es que si evita un tipo de dolor (los irritantes pañales), habrá de experimentar otro tipo de dolor (una madre enojada). También sentirá que tiene derecho de estar limpio y seco, y derecho a ser tratado de manera gentil por su mamá, pero no entenderá esas emociones debido a que tampoco cuenta con palabras ni conceptos para ello. Sin embargo toda la confusión se almacenará como una memoria previa al lenguaje, la cual pudiera ser disparada cada vez que tuviera que pedir que se satisfagan sus necesidades físicas. O cada vez que piense en buscar amor y alivio de una mujer. O inclusive, cada vez que se despierte en medio de la noche, especialmente desde que ha vivido la misma situación negativa una y otra vez.

MEMORIAS "PALETA"

Tuve una cliente una ocasión, la cual tenía un IQ de 180, se había graduado con honores de una escuela de la Liga Ivy, y etiquetada con excelencia en Wall Street. Ella decía que no tenía ningún problema de salud, pero que tenía asuntos que ver con el éxito: "Me sigo saboteando a mí misma en mi carrera. Todos dicen que debería ser una de las personas más influyentes en Wall Street, pero cada vez que me encuentro a punto de algo así, encuentro alguna manera de fastidiarme a mí misma". Lo que descubrió a través del proceso de hacer El Código Curativo fue que todo se remontaba a un recuerdo (memoria) de cuando tenía cinco o seis años. Era un día de verano y su mamá le había dado a su hermana una paleta, pero no le dio una a ella.

Puede que estés esperando el resto de la historia: que aventaron la paleta y esta le golpeó en medio de los ojos, se cayó y que estaba muy lastimada y por eso tuvieron que llevarla a urgencias. Pero no --no pasó nada de eso. Esa es toda la historia: Su madre le dio una paleta a su hermana, pero a ella no le dio paleta. De hecho, incluso su mamá dijo, "Tu hermana ya comió bien; cuando tú comas bien puedes también tener una paleta". Así que, ¿qué hizo aquí la mamá de malo? Nada en absoluto. Pero ese recuerdo fue codificado por la mente, a través de los ojos, y a través del razonamiento de una niña de cinco años de edad--, recuerda, ella se encontraba en un estado de ondas cerebrales Delta-Theta. Y así es como el recuerdo permanece. Se fija en el inconsciente con el razonamiento de alguien de cinco años de edad durante toda la vida, hasta que algo lo cambia o lo cura.

Estos recuerdos previos al lenguaje y previos al pensamiento lógico pueden realmente llegar a convertirse para nosotros en el coco a lo largo de nuestras vidas. Y tenemos miles de estos. ¿Cuánto de lo que sabemos acerca del mundo se aprende en los primeros tres o cuatro o cinco años de nuestras vidas? Una tonelada, y todo eso es codificado a través de los ojos y del razonamiento de la edad cuando sucedió. Todo eso queda grabado en ese estado de ondas cerebrales Delta-Theta, sin el beneficio de un razonamiento superior.

Siempre que esas memorias o recuerdos se reactiven, se reactivarán como si se tuvieran cinco meses o cinco años de edad, no como si fuera una persona de treinta años pensando de manera racional en ello.

MEMORIAS O RECUERDOS DE TRAUMAS

Por supuesto que estas son codificadas a lo largo de nuestras vidas, siempre que ocurra algún trauma. También podemos heredar memorias de traumas.

Algo interesante acerca de las memorias de traumas es que cuando pasamos por algún trauma, inclusive por alguno pequeño, nuestro pensamiento racional superior se encuentra desconectado hasta cierto punto. ¿Porqué? Porque la persona entra en algún grado de shock. Si has visto a alguna persona en shock (aunque sea una actuación en televisión) puedes recordar que la persona no era capaz de hablar, puede que no sepa en donde se encuentra, o que no sepa que fue lo que sucedió. Permíteme explicar qué es lo que sucede con este proceso de algún trauma: hace cuatro años me dieron una multa por exceso de velocidad, y decidí acudir a la escuela de manejo en lugar de que se quedara registrada en mi expediente. Esa noche el policía estatal nos dio la bienvenida y comenzó con una pequeña charla, y nunca olvidaré algo que dijo. Él dijo que si mantienes una cierta distancia detrás de alguien en las condiciones normales de manejo, por la noche, y un animal sale corriendo y se les atraviesa a los que van adelante, ellos se frenan en seco, no tienes tiempo suficiente para pensar, "Oh, ese carro de adelante se está frenando en seco. Mejor quito el pie del acelerador y lo pongo en el freno y piso el freno, o me estrellaré contra la parte posterior del auto". Simplemente no tienes el tiempo suficiente para hacer eso y evitar un accidente. Sin embargo, dijo, afortunadamente tenemos un mecanismo que se encuentra en todos nosotros el cual hace todo esto de manera automática. Cuando ves las luces delante de ti, tu cerebro lógico será pasado por alto y pasará hacia tu cerebro reactivo. Tu cerebro reactivo reaccionará inmediatamente, mucho más rápido de lo que tardarías en pensar al respecto; y hará que pongas tu pie en el freno, y no tendrás el accidente.

No se si ese Policía Estatal alguna vez había tomado alguna clase de psicología, pero estaba en lo correcto. Esto es especialmente relevante para las cosas que se encuentran almacenadas por nuestras mentes como traumas. El ejemplo de la niña pequeña a la que su mamá no le dio una paleta --ese evento definitivamente fue un trauma para ella. Eso puede que no tenga mucho sentido racional para nosotros, ya que la madre no hizo nada malo, nadie gritó ni chilló, no hubo golpes involucrados, no perdió su casa ni tuvo que mudarse ... no sucedió ninguna de las cosas de las cuales normalmente pensamos que son un trauma.

Lo que sucedió, y lo que se codificó con ese nivel de razonamiento de cinco años de edad es: "Mi mamá le dio a mi hermana una paleta, pero no me dio una a mí. Eso debe significar que ella ama más a mi hermana que a mí. Si ella ama a mi hermana más que a mí, debe significar que hay algo malo en mí. Entonces cuando estoy con otras personas, ellos tampoco me amarán, porque se van a dar cuenta de que hay algo malo conmigo". Esto se convirtió en un sentimiento profundamente asentado en ella, y una profecía auto-cumplida. Se convirtió en una programación del disco duro. "No voy a ser amada, no voy a tener éxito, porque hay algo mal conmigo". Y ¿adivina qué? Eso es lo que ella vivió durante toda su vida hasta que volvió con El Código Curativo y curó ese recuerdo (memoria).

Una vez que mi cliente curó ese recuerdo de la paleta, recibió un ascenso que la había estado eludiendo y empezó a convertirse en una de las "personas más influyentes" en Wall Street. La relación con su madre, la cual siempre había sido tensa, aunque nadie, incluyéndola a ella, sabían el porqué, también se curó y llegó a estar más cerca que nunca de su madre. Todo en su vida dio un giro ya que ahora no había nada que la detuviera.

Ese recuerdo de la paleta fue un trauma para ella. Al menos así lo fue para su versión de cinco años de edad. Cuando pasaba cualquier cosa que estuviera relacionada con ese recuerdo, ella sentía, pensaba y actuaba sobre las bases del trauma. ¿Cuáles son algunas de las cosas que pudieran estar relacionadas con el recuerdo de la paleta, y con ello reactivarlo? Estar con otras personas; las relaciones, pensamientos o conversaciones acerca del éxito o fracaso, el ser digno o no; casi cualquier tipo de competición; comer o beber; pedirle algo a alguien. De hecho, era difícil para ella el hacer algo que no estuviera relacionado. Cuando un recuerdo (memoria) de trauma se reactiva hace lo que el Policía Estatal había dicho: Se pasa por alto a la mente lógica, y entra en acción la mente reactiva.

CUANDO LA MENTE INCONSCIENTE TOMA EL CONTROL

¿Cómo se le llama a ese proceso? ¡Se le llama respuesta al estrés! Esto es de lo que el Dr. Lipton hablaba respecto al porqué las personas se asustan cuando no deberían tener miedo. Esto nos evita el actuar de la manera en la que somos capaces de hacerlo. No permite que entremos en relaciones de amor de la manera en que queremos hacerlo. Cierra nuestras células y con el tiempo nos provoca problemas de salud.

Siempre que uno de esos recuerdos (memorias) de traumas se reactiva, se pasa por alto a la mente pensante consciente. La mente inconsciente entra en acción y hace lo que tiene que hacer. Eso generalmente involucra el activar en el organismo la respuesta al estrés. Esa es la razón de porque tantas veces decimos o hacemos cosas que están en contra de lo que realmente queremos en nuestras vidas, y lo hacemos una y otra vez, y no sabemos porqué lo estamos haciendo.

Estas memorias --heredadas, las previas al lenguaje y al pensamiento lógico y las memorias de traumas-- se convierten en una sistema de creencias de estímulo/respuesta programado para la protección.

Este sistema es un sistema de protección. ¿Qué significa esto? Quiere decir que la mente utiliza estas memorias (recuerdos) para proteger al bebé, para que así ese bebé sea capaz de crecer y convertirse en un hombre o una mujer. Como pudieras esperarlo, ya que este es un sistema de protección, los sistemas de control del organismo les otorgan a las memorias (recuerdos) dolorosas la mayor prioridad. Siempre que una de estas memorias de trauma, heredadas, o previas al lenguaje sea una memoria (recuerdo) dolorosa y que algo en nuestras circunstancias la reactive, vamos a volver a experimentarla al tiempo que nuestro pensamiento lógico se hace a un lado. Pero ¿qué reactivaría a una memoria como esa?

Un verano cuando mi hijo más pequeño, George, tenía casi un año de edad, tuvimos a la madre de todas las tormentas eléctricas. Vientos de hasta setenta millas por hora hacían volar cosas por el aire. Hubo un par de ramas de árbol que fueron golpeadas por los rayos, cayendo al suelo con estruendo. Granizo, enormes truenos, rayos, de todo había --fue una de esas tormentas eléctricas que asustan hasta a un adulto. La peor parte de esta experiencia es que nos quedamos atrapados en medio de la tormenta. Incluso cuando regresamos al interior de la casa, un transformador fue golpeado por un rayo y se nos fue la luz. Así que George ni siquiera se sentía a salvo cuando llegamos al lugar en el que se suponía estaríamos a salvo. Eso traumatizó a George, y eso es exactamente lo que la mente de un niño de un año de edad se supone que haga. ¿Porqué? Para que así no se quede afuera en esta tormenta (o en la que sigue) y pueda ser dañado. Se asustará y así correrá para ponerse a salvo. Cuando la tormenta termine, el recuerdo se almacena como un trauma, así que George se escapará de la siguiente tormenta que pudiera hacerle daño.

Cuando menos durante el año y medio siguientes, si es que había algunas nubes en el cielo, George se asustaba y en ocasiones empezaba a llorar. Si el viento soplaba muy fuerte, si llovía, si había unos cuantos truenos --entiendes lo que digo. Si alguna de las partes de esa tormenta que había traumatizado a George hace año y medio, ocurrían en sus circunstancias actuales, George lloraba y gritaba. ¿Eso era lógico y razonable, en base a las condiciones climáticas actuales? No, pero aún así George sentía lo que sintió durante la tormenta original cuando tenía un año de edad.

Esa es la manera en la que funciona este sistema de programación para la protección. Siempre que algo en nuestras circunstancias actuales sucede, y que la mente lo asocie con un trauma, el trauma original se reactiva. La mente funciona por asociación, especialmente, la mente inconsciente.

Te acabo de decir un gran secreto que apenas alguien sabe sobre la tierra. Cuando haces cosas las cuales realmente no quieres hacer, cuando piensas cosas que realmente no quieres pensar, o sientes cosas que ciertamente no quieres sentir, es que tienes una memoria (o recuerdo) que se está reactivando. Tu sistema de programación de protección está tomando la determinación de que de alguna manera la circunstancia en la que te encuentras está relacionada con un trauma, posiblemente con tu propia memoria (recuerdo) de alguna "paleta".

EL CORAZÓN SOLAMENTE RECONOCE EL MOMENTO PRESENTE

Estos son los asuntos de tu corazón --y para tu corazón, esos asuntos no se encuentran en el pasado, están sucediendo ahora mismo. El corazón todo el tiempo es una realidad de tiempo presente de sonido envolvente de 360 grados. Y así, cuando un recuerdo de dolor o placer se reactiva, no estás tratando con algo que sucedió hace diez, veinte o treinta años atrás --es una emergencia que está ocurriendo ahora mismo. ¿No es así como se siente? ¡Sí que lo es! Lo que no tiene sentido es que parece que no encaja en tu situación o circunstancias actuales. Entonces eres catapultado hacia un estado de confusión y conflicto. Lo que sientes es muy fuerte y requiere de tu atención, pero parece que no tiene sentido en tu vida en estos momentos.

Cuando enfrentas una situación como esta, lo que sucede generalmente es que la racionalizamos para evitar el volvernos locos. Le asignamos nuestros sentimientos a algo que está sucediendo en el ahora, lo cual sigue sin encajar o sin sentirse bien, pero al menos hace que tenga más sentido que cualquier otra cosa en la que podamos pensar. La mujer en la historia de la paleta no tenía idea de porqué se seguía saboteando a ella misma. Pensaba que debía ser porque no era lo suficientemente asertiva ---y por eso tomaba cursos de entrenamiento. Eso no funcionó, entonces se imaginó que era por otra cosa. Por el hecho de que era mujer, o porque había algo en su personalidad, o lo que fuera. Seguía buscando alguna razón para explicar el porqué ella se saboteaba en cuanto a su éxito.

Cuando hacemos esto, comienza todo un nuevo problema. Ahora hemos arruinado algo en nuestra vida en tiempo presente, culpando a algo que puede que no sea un problema en absoluto. Y lo peor de todo, es que ahora nos creemos una mentira, una mentira la cual es en primer lugar la causa de todos los problemas. Eso es exactamente lo que hacen a todos los asuntos del corazón un problema.

El último punto de este secreto es que tu programación para protegerte es en realidad un sistema de creencias. Este sistema de creencias, para el momento en que llegas a los seis, ocho o diez años de edad, tiene en si unas creencias profundamente codificadas las cuales están basadas en recuerdos (memorias) de casi cualquier asunto en el cual puedas pensar: los padres, las relaciones, la identidad, el cómo son los extraños, el qué tan bueno soy para las cosas, si voy a ser capaz de tener éxito o voy a fallar, si soy una buena persona o no, si soy una persona que valga la pena o no, si me encuentro seguro o no, si debo de tener miedo, o ¿puedo vivir mi vida con amor, gozo y en paz?

Este sistema de creencias programado para la protección puede tener un impacto enorme en la manera en la que vivimos nuestras vidas. ¿Porqué? Porque no se basa en un razonamiento lógico.

LA MENTE LÓGICA PASADA POR ALTO

Cuando estas memorias de traumas suceden, el cerebro racional es pasado por alto y se ocupa de las cosas el cerebro emocional, reactivo, el cerebro de respuesta al dolor, el cerebro de la respuesta al estrés. Cuando estas memorias (recuerdos) se reactivan, nuestro pensamiento consciente, racional o se desconecta o disminuye enormemente. Entonces si tenemos veinte, cuarenta o sesenta años de edad, cuando ese "recuerdo de la paleta" que sucedió cuando teníamos cinco años, se reactiva por algo que pasa hoy, y no seremos capaces de tratar la situación de manera racional. Esto le sucede a muchas personas todos los días, durante todo el día. Nuestra capacidad para pensar lógicamente sobre algo y para razonarlo y posteriormente hacer lo que se requiera hacer es desconectada o se deteriora mucho. Muchas personas que no viven la vida que ellos quisieran se encuentran en un constante estado de confusión que proviene del hecho de que su mente lógica y racional está siendo desconectada o disminuida porque estas viejas memorias de traumas se están reactivando constantemente por las circunstancias actuales. Estas memorias y esta memoria del sistema de creencias se convierten en la programación del disco duro de nuestra computadora humana. Las memorias dolorosas tienen la prioridad sobre cualquier otro tipo de memoria, para así permitirnos sobrevivir y crecer.

Entre mayor el dolor en el evento doloroso original, mayor es la cantidad de adrenalina que se libera, y más amplios serán los términos respecto a lo que será identificado como una situación similar en lo posterior. En otras palabras, entre más grande sea el trauma cuando este sucede, más probable será que se reactive posteriormente por un mayor número de asociaciones.

Por ejemplo, a un cliente se le seguía reactivando una vieja memoria de trauma, y uno de los enlaces interesantes que encontramos respecto a porqué se reactivaba fue que cuando el trauma original ocurrió, había otra persona en el sitio la cual llevaba una corbata amarilla. No tuvo nada que ver con el trauma. Simplemente llevaba puesta una corbata amarilla. Posteriormente en su vida, como ese trauma seguía afectando a mi cliente, cada vez que él veía el color amarillo, tenía esta sensación de pánico, ansiedad, depresión, confusión, de querer ocultarse, o de ir a golpear a alguien. Imagínate cuántas veces al día veía el color amarillo. Seguramente, cuando iba a su clóset por las mañanas. En las señales de tráfico, o las luces de los semáforos, en el periódico, en carpetas de color amarillo ... lo veía en todas partes. Difícilmente puedes pasar una hora del día sin ver un color como ese. Ese trauma era tan fuerte que la mente de esta persona había decidido que cualquier cosa semejante al evento doloroso, incluso remotamente, debiera reactivarlo para que así pudiera estar en alerta ya que si ese evento volviera a suceder, pudiera ser que no fuera capaz de volver a sobrevivirlo.

Esta es una reacción exagerada de la mente. Es un caso en donde el programa de antivirus está enfermando a la persona. Pero esa situación con la corbata amarilla no es para nada rara. Me encuentro convencido de que sucede todo el tiempo, con muchos de nosotros, y que ni siquiera sabemos que está sucediendo, y no sabemos el porqué estamos sintiendo lo que estamos sintiendo o porqué hacemos lo que estamos haciendo.

LLEGANDO A LAS MEMORIAS OCULTAS ---SIN DOLOR

Cuando se trata de curar estas memorias, ¿cómo le haces? La manera tradicional es hablar acerca de ello. Pero yo no creo que eso funcione, y muchas de las últimas investigaciones en la ciencia y la psicología indican que el hablar de estas memorias muy raramente las cura, pero que frecuentemente las empeora. Además de que muchas memorias son inconscientes.

Lo que la mayoría de las personas aprenden a hacer, ya sea que se trate de una memoria de la cual sean conscientes o no, es el afrontarla. Tuve una cliente que me llamó y me dijo, "Toda mi vida se derrumba. Te estoy llamando como último recurso. Tengo una amiga que se curó de algunos problemas físicos trabajando contigo". Dijo directamente, "No pienso que esto vaya a funcionar. Fui violada hace tres años, y desde entonces he estado yendo a terapia y a consejería. Cuando sucedió yo era feliz y me encontraba saludable. Hoy tomo todo tipo de medicamentos, me enfermo todo el tiempo, estoy a punto de perder a mi esposo y a mis hijos puesto que me voy a divorciar y la mayor parte del tiempo no soporto estar cerca de nadie. Ya no puedo dar ni recibir amor, de la manera en que lo necesito, incluso ni con mis hijos". Esta persona había estado hablando de esta memoria (recuerdo) durante tres años, con personas que habían sido bastante entrenadas, y no quiero decir para nada que estaban haciendo algo malo. Lo que estoy diciendo es que la mayoría de los abordajes para tratar con el trauma simple y sencillamente no funcionan. No tienen el poder para curar algo así.

¿Porqué? debido a que nuestras memorias de traumas se encuentran protegidas por nuestra mente contra el que sean curadas. Permíteme decirlo nuevamente: Nuestras memorias de traumas --muchas de estas memorias de trauma heredadas, y previas al lenguaje--- se encuentran literalmente protegidas por nuestra mente inconsciente para evitar que sean curadas. Ahora, ¿porqué razón iba a hacer eso? Es muy simple. La mente inconsciente se resiste demasiado a permitir que esos tipos de memorias se curen, debido a que la mente inconsciente hace una interpretación de que no es seguro el curar esa memoria, ya que el propósito de la memoria es el proteger de daños a la persona.

En el caso de la mujer que vino a verme con el recuerdo (memoria) de la violación, personas maravillosas habían intentado de todo, y ella no se había puesto mejor. Más bien, se encontraba a punto de perder todo lo que era importante para ella, incluyendo su salud y su familia. Ella se puso a hacer Los Códigos Curativos para esa memoria, y en poco más de una semana, la memoria (recuerdo) estaba completamente curada. Al principio, cuando le di un Código Curativo no quiso hacerlo, ya que no funcionaría, era tonto, era demasiado simple, etc. Lo hizo; me llamó a los tres días; no hubo cambio.

Le di el siguiente Código Curativo para el problema, y me volvió a llamar en tres días más. Sin cambio, todo era lo mismo. Le dije, "No quiero que pienses en esta memoria mientras estás haciendo tu Código Curativo, pero si cambia, y tú sabrás si es que lo hace, solo déjame saberlo. Esto no es ni terapia ni consejería, y no queremos siquiera que pienses en esas cosas. Los Códigos Curativos lo van a curar de manera automática". Me llamó más tarde ese día, y solo lloraba, un tipo de llanto en el que tratas de tomar aire por estar sollozando tan fuerte. Cuando finalmente pudo hablar un poquito todo lo que pudo decir fue, "Cambió, cambió, cambió".

Cuando se calmó le dije, "Me parece que estás tratando de decirme que la memoria cambió", y ella dijo, "Sí, lo hizo". Le pregunté cómo es que había cambiado y dijo, "Estaba haciendo El Código Curativo esta mañana y de pronto, recordé la memoria de la violación. Por primera vez, vi al hombre que me violó y sentí perdón, y toda la ira y la rabia, la amargura y el resentimiento se habían ido". Habían sido reemplazadas con compasión y perdón. La memoria fue completamente curada. Se reconcilió con su esposo, sus problemas de salud se fueron, dejó de tomar todos esos medicamentos, y hasta donde sé, le está yendo muy bien y es feliz hasta hoy.

Su mente inconsciente se resistió demasiado a curar esta memoria ya que había sido tan doloroso para ella que si hubiera sucedido otra vez, no lo sobreviviría. Podría haber cometido literalmente suicidio o hubiera desarrollado una terrible enfermedad.

LOS FURTIVOS ENGAÑOS Y RESISTENCIAS DEL PASADO

Si la mente se resiste a curar este tipo de memorias, ¿cómo vas a curarlos? La historia de la paleta a los cinco años de edad era casi tan severa para esa niñita como la violación lo fue para esta adulta. Ahora, has de estar diciendo, "¡Loyd, tú estás loco! ¿Cómo va a ser posible que puedas comparar esa historia de la paleta con una violación"? Ya que se había guardado como fue vista a través de la mente y el razonamiento de una niña de cinco años, y las creencias que se volvieron parte de esa memoria --"No soy diga de ser amada, hay algo malo conmigo, y en el futuro cuando esté cerca de otras personas ellas tampoco me van a amar, y siempre voy a fallar ya que hay algo malo conmigo" ---esas cosas se volvieron casi tan devastadoras para esa mujer que ya había crecido como la memoria de la violación lo era para la mujer adulta.

Eventos muy diferentes, uno lo consideraríamos que sí sería un trauma, el otro diríamos que no. Pero los dos fueron codificados como traumas y la mente se resistía a curar a los dos ya que esas memorias (recuerdos) estaban ahí para proteger a la mujer de que no sucedieran esas cosas otra vez.

Una última cosa importante que voy a decir acerca de este Secreto es que cuando estas memorias se reactivan --estas memorias de estímulo/respuesta de programación para la protección-- tendemos a asignarles la reacción emocional que tuvimos a circunstancias actuales. Permíteme darte un ejemplo. Aunque la mujer con el recuerdo de la paleta me dijo cuando llamó, "Siempre encuentro una manera de sabotearme a mí misma", ella tenía una lista detallada de cómo era que todas las personas en su vida la habían fastidiado, y ella creía que esa era la razón por la cual no había tenido más éxito. Muy en lo profundo ella más o menos sabía que no era así, pero en ese tiempo siempre tenía una buena razón: "No me tratan lo suficientemente bien ... quieren que trabaje demasiadas horas... esa persona me tiene mala idea desde el primer día", aunque ella no tenía ninguna evidencia de estas cosas.

La mujer que fue violada hacía lo mismo: "Ya no puedo tener intimidad con mi esposo porque él no va a ser honesto conmigo en cuanto a cómo es que me ve ahora". Yo hablé con el esposo, y él la veía sencillamente bien. La veía como su esposa, a la cual le había sucedido algo terrible, pero que quería superarlo y seguir teniendo intimidad con ella. Sin embargo ella estaba completamente convencida de que él no la veía de la misma manera. Ella creía que la veía como sucia y con defectos y que realmente él no quería tener nada que ver con ella. Nada de eso provenía realmente de la situación. Venía de su memoria (recuerdo) de la violación, pero ella se lo había asignado a la situación con su esposo. En otras palabras, ambas mujeres encontraban cosas en sus circunstancias actuales a las cuales culpaban de sus reacciones, aunque realmente provenían desde hacía tres años, o inclusive desde hacía veinticinco o treinta años atrás.

Vamos a revisar el Secreto #5:

Las memorias heredadas, las memorias previas al lenguaje, y las previas al pensamiento lógico, y las memorias de traumas se convierten en un sistema de creencias de estímulo/respuesta programado para la protección.

El sistema de estímulo/respuesta se activa cuando situaciones similares a una memoria de trauma suceden en el presente. El cuán amplia es la definición de lo que es similar al trauma depende de qué tan dolorosa fue la memoria (recuerdo) celular original.

Cuando el sistema de estímulo respuesta se activa, la persona vuelve a vivir los aspectos de los eventos originales. Tiene los pensamientos, los sentimientos, y muy posiblemente incluso la misma conducta. Como con la víctima de violación, una persona tendrá los sentimientos originales de rabia, terror, ira y miedo. También tenderá a tener esos patrones de pensamiento, "Esto es horrible, esto es terrible, estoy en peligro..." Tendrá conductas similares: "Quiero salir de aquí ... Voy a luchar para salir de aquí". La persona tenderá a asignar todas estas reacciones a circunstancias actuales aún y cuando no tenga nada de racional. Encontrará una excusa, una manera de deformar algo de lo que esté sucediendo en la actualidad para que así haya algo a lo que culpar por sus reacciones. Incluso si alguien cerca de la persona sabe que su reacción no tiene sentido, e incluso si la misma persona lo sabe, aún así eso es lo que ella va a tener la tendencia a hacer. Ella hará esto debido a que no sabe de dónde es que proviene. No sabe que estos poderosos impulsos y sentimientos provienen de memorias (recuerdos) anteriores, o incluso si lo sabe, no sabe de cuáles. La persona debe tener una razón o se volvería loca, o al menos se sentiría como loca.

En otras palabras, tu programa de antivirus está funcionando de manera efectiva si es que te mantiene alejado de violentas tormentas eléctricas, pero puede necesitar de algo de re-programación si es que te hace correr hacia dentro de tu casa en un día soleado cuando unas cuantas nubes esponjadas flotan por el cielo.

Esta es exactamente la razón del porqué tantas personas se gastan miles de dólares y décadas de sus vidas intentando superar su programación equivocada y así vivir la vida que desean. No obstante, esto casi nunca sucederá utilizando la fuerza de voluntad para cambiar los síntomas. Debes tratar el origen, y solamente hay un origen --los asuntos del corazón.

CAPÍTULO SEIS

El Secreto #6: ¡Creo!

En el último capítulo, hablamos acerca de cómo el sistema de estímulo/respuesta establece un sistema de creencias que se formó tempranamente en la vida. Mientras nuestros cerebros se desarrollan, un segundo sistema de creencias se forma (con las habilidades del lenguaje y del razonamiento) basado en el sistema de creencias de estímulo/respuesta.

Cuando yo tenía casi diez años de edad un día en la escuela tuvimos una reunión especial. Diferente a algunas de las otras reuniones que teníamos, esa fue hipnotizante, una fuente de inspiración y fue fabulosa. Un maestro de karate compartió secretos de la vida mientras hacía todo tipo de hazañas asombrosas como romper tablas, ladrillos, piedras, enormes trozos de hielo, pelear contra varios atacantes al mismo tiempo.

Nos contó una historia verídica que ha permanecido conmigo desde entonces. Era de un niño en China casi de mi edad, el cual estaba en las etapas iniciales de aprender cierta forma de artes marciales. La escuela a la que iba periódicamente tenía un evento para los familiares y amigos de los estudiantes para celebrar su progreso. Varios estudiantes se prepararon con mucha antelación para realizar su demostración especial. El maestro le dijo al niño que en el evento él rompería cierto número de un tipo de ladrillos. Esta tarea era un poquito rara ya que el chico nunca antes lo había hecho, y ¡menos hacerlo en una presentación! Si, él practicaba como todos los demás, pero solamente la práctica de la técnica, no realmente el romperlos. Cuando el niño le expresó a su maestro la preocupación que tenía, el maestro simplemente sonrió y le dijo, "No vas a tener problemas. Sabes todo lo que se requiere para romper los ladrillos".

Llegó el día del evento y todos los estudiantes realizaron sus actos de manera brillante para el deleite y aprecio de la audiencia. Finalmente, para el gran final, el niño salió, se inclinó ante su maestro, y arremetió contra los ladrillos tal como lo había practicado. Para el asombro de todos, los ladrillos se rompieron fácilmente bajo la mano del muchacho. El maestro dio un paso adelante, les indicó guardar a todos silencio, y explicó que lo que el niño acababa de hacer nunca antes en la historia se había realizado. No por él mismo, ni por ninguno de los grandes maestros del mundo. El maestro les compartió que el muchacho, aunque talentoso, había sido capaz de lograr esta hazaña aparentemente imposible no debido al talento, sino simplemente porque él creyó que podía llevar a cabo la hazaña sin ninguna duda en su corazón. La ruptura de los ladrillos era simplemente la manifestación física de las creencias interiores del muchacho.

¿Cuáles son los ladrillos de tu vida? Cualesquiera que sean, es probable que estén ahí debido a un problema de creencias. Lo que te prometeré es que si puedes creer en la verdad, los ladrillos que están bloqueando tu camino se desmoronarán.

Lo que este niño logró hace muchos años en la China es una representación perfecta del poder que se logra al creer, a tal grado que casi nada es imposible.

CREENCIAS --CONSCIENTES Y REALES

La primera cita que tuve con mi esposa, Tracey (ahora se llama Hope), fue en 1985. Llegué por ella, fuimos a un parque de la localidad, tendimos una manta sobre el suelo, y hablamos cuatro horas seguidas. Hablamos acerca de lo que creíamos.

Hablamos acerca de la vida, de los hijos, acerca de la familia, de Dios, de la religión, acerca de todo en lo que podíamos pensar para hablar. Recuerdo haber dicho varias veces esa noche, "Yo pienso" y "Yo creo", y recuerdo que Tracey respondía, "Bueno, Yo creo esto", casi en cualquier asunto del que estuviéramos hablando.

Esta fue una conversación muy típica, durante nuestro periodo de noviazgo y cuando ya estuvimos comprometidos. De hecho, yo tenía la determinación de que mi matrimonio iba a ser muy diferente de tantos matrimonios que conocía que habían terminado en el divorcio, la apatía, o en constantes desacuerdos. Estaba determinado a que cuando Tracey y yo nos casáramos iba a ser porque creíamos en las mismas cosas y queríamos las mismas cosas. Yo quería que conociéramos las potenciales minas explosivas que se avecinaban y que estuviéramos preparados para ellas. En otras palabras, tendríamos un gran matrimonio porque nos amábamos uno al otro, teníamos las principales cosas de nuestras vidas en común, y estábamos tan preparados como podíamos estarlo.

El día en que Tracey y yo nos casamos, puedo decir con honestidad que pensé que estábamos tan preparados como alguien podía estar. No solamente habíamos tenido muchas conversaciones como la de la primera noche, habíamos pasado por la consejería pre-matrimonial, habíamos tomado evaluaciones de la personalidad y las habíamos comparado, habíamos escrito qué era lo que queríamos en la vida y qué era lo que no queríamos, y cómo podríamos manejar ciertas situaciones. ¡Hombre, estábamos listos!

Así que nos casamos, y menos de un año después, ambos queríamos el divorcio. ¿Qué fue lo que sucedió? Ahora sé que cuando Tracey y yo decíamos "Yo creo", estábamos hablando solamente acerca de lo que creíamos a un nivel consciente a lo que, viendo los hechos lógicos, habíamos llegado como conclusión puesto que era lo que tenia más sentido. El problema con esto es que el 90 por ciento de nuestras creencias son inconscientes. Nuestro sistema de creencias consciente, racional está elaborado sobre el Secreto #5 el sistema de creencias de estímulo/respuesta programado para la protección, y ese sistema es predominantemente inconsciente. Aún y cuando esas creencias programadas para protegernos se encuentran encerradas dentro de nuestra mente inconsciente y que se reactivan siempre que ocurren algunas circunstancias similares que pudieran de alguna manera causarnos un daño potencial, no somos conscientes de que esto está sucediendo. Así que cuando decimos, "Yo creo", estamos diciendo, "Yo conscientemente creo".

Después de que nos casamos, sucedieron circunstancias para ambos que reactivaron memorias dolorosas, las cuales se pasaron por alto las creencias conscientes con las que Tracey y yo habíamos estado de acuerdo. En otras palabras, nuestras creencias conscientes se fueron en gran parte por la ventana, y estábamos viviendo en base a nuestras creencias de estímulo/respuesta pero ni siquiera lo sabíamos. Le atribuíamos a nuestras circunstancias actuales nuestros pensamientos, sentimientos y conductas. Yo culpaba a Tracey y ella me culpaba a mí. Nos enojábamos, nos hacíamos malas caras, hacíamos todo tipo de cosas pensando que era la circunstancia que estaba sucediendo en el momento la que era el problema. Pero todo ese tiempo, eran los asuntos de nuestro sistema de creencias de estímulo/respuesta los que estaban causando el problema.

LOS HÁBITOS Y LO QUE REALMENTE CREEMOS

Permíteme darte otro ejemplo más reciente de esto en lo que respecta al área de lo que llamamos los "hábitos".

Durante años, un asunto molesto entre Tracey y yo era el de tender nuestra cama. Por la razón que fuera, esa es una de mis tareas, solamente que (como quizá probablemente ya te habrás imaginado) no me criaron para hacerlo así. Así que durante años en nuestra vida de casados, si yo no tendía la cama, Tracey se molestaba conmigo y se sentía frustrada, lo cual hacía que me sintiera culpable y molesto también. Frecuentemente me encontraba a mí mismo haciendo inconscientemente cosas para manipular a Tracey para que tendiera ella misma la cama, cosas como levantarme un poco más tarde de lo que debería para que así pudiera decir, "Lo siento, voy a llegar tarde al trabajo, no puedo tender la cama". Sabía que Tracey la tendería después de que me fuera. Como puedes haberte dado cuenta, lo que dije que era una "manipulación" en realidad era una mentira. La mayoría de las personas miente con regularidad, pero nunca lo admitirían y en ocasiones ni siquiera se dan cuenta ya que están tan acostumbrados a hacerlo. En nuestro caso, este asunto de tender la cama había sido una fuente de dolor para los dos durante mucho tiempo. Después del descubrimiento de Los Códigos Curativos y de la limpieza de muchas de nuestras memorias destructivas, sucedió algo interesante: No me importaba el tender la cama. Pero ¿adivina qué? ¡Ahora a Tracey tampoco le importaba tenderla! Sin culpas, sin enojos, sin frustración. Sin llevar las cuentas.

¿Y porqué esta historia? El origen de nuestros hábitos destructivos son las memorias del corazón. Para curarlas de manera exitosa, sin crear más estrés al afrontarlas durante años, tienes que curar las memorias destructivas que son la fuente del hábito. Cuando haces eso, el problema se cura de manera automática, y en la mayoría de los casos, sin esfuerzo.

Una nota interesante aquí es que los expertos en el campo de romper hábitos se enfocan casi exclusivamente en el pensamiento y en la conducta conscientes. Es como ir empujando una roca cuesta arriba para terminar en un ciclo vicioso --un ciclo que puede terminar por consumir décadas de nuestras vidas, y todo este trabajo solamente brindándonos resultados temporales. En el caso de los alcohólicos, casi todas las personas son conscientes del ciclo de dejar el alcohol por un tiempo y luego romper la abstinencia. Esto es verdad respecto a todos los hábitos, pero algunos con el involucramiento de sustancias químicas presentan otra barrera que debe ser superada.

LAS ADICCIONES Y SU ORIGEN

De alguna manera u otra, he trabajado con varios luchadores profesionales. Uno obtuvo buenos resultados y se corrió la voz. Recuerdo una situación en la cual un luchador voló a Nashville, para verme y compartir su dilema conmigo. Dijo que Vince McMahon, el director de la WWF, lo había llamado a su oficina hacía poco tiempo. Vince le dijo que ya llevaba dos strikes en contra por abuso de sustancias. Que si llegaba a un tercero estaba fuera. Este hombre gigante --quien, a propósito, era uno de los hombres más agradables que he conocido-- me dijo que su elección actual era o bien ser un luchador profesional logrando una cantidad de seis o siete cifras al año, y que tuviera sus figuras de acción en Walmart --- o trabajar en Walmart. Lo había intentado hospitalizado, no hospitalizado, con todos los libros populares, con programas, pastillas, terapias, de todo. Estaba desesperadamente luchando por su vida y por su familia. Durante los siguientes dos días, realizó Códigos Curativos intensivos. No trabajó en su adicción, sino más bien en sus memorias celulares destructivas las cuales estaban bloqueando que se curara la adicción. Voló a casa libre de la adicción. Lo vi en Orlando, Florida, cuatro años después, está trabajando, está sano, feliz y sigue libre de la adicción.

Ha sido del conocimiento común durante años en el campo de la salud mental, el que las mujeres con trastornos de la alimentación creen algo acerca de ellas mismas, lo cual no es la verdad. De hecho, todos saben que no es la verdad. Lo asombroso es que estas hermosas y preciosas mujeres pueden verse en un espejo y su creencia equivocada es tan fuerte que literalmente verán un cuerpo diferente al que se encuentra ahí. Otras personas pudieran estar paradas junto a ellas frente al espejo y pudieran estar señalando al mismo tiempo a cierta parte del cuerpo, pero la persona anoréxica verá una versión distorsionada de lo que hay en el espejo. Este es uno de los ejemplos más claros de cómo las imágenes destructivas del corazón en general, y las creencias de respuesta al estrés en particular, pueden hacernos ver el mundo de una manera que no es la verdad. Sin embargo, pudiéramos estar 100 por ciento convencidos de que nuestra creencia es correcta.

Lo que la mayoría de las personas no entiende es que este fenómeno sucede en una línea continua que va desde el estar totalmente engañado, como la anorexia, hasta ver la verdad al 100 por ciento. En otras palabras, la mayoría de nosotros vemos a diario nuestro mundo de manera no exacta hasta cierto punto. He oído a una pariente mía, la cual siempre ha estado luchando con problemas de peso, el decir varias veces cuando pasa por un espejo, "Algo debe estar mal con ese espejo. Sé que no estoy tan pasada de peso". En otras situaciones, he escuchado a la misma persona hacer el comentario de, "Este conjunto no me queda bien. Me hace ver pasada de peso". Ahora, para todos los demás en la familia, la verdad ha sido obvia durante décadas. No hay nada de malo con el espejo. El conjunto está a la medida. ¡Ella está pasada de peso! Este es el mismo principio que vimos con la anorexia, solo que a un grado menos destructivo.

LAS CREENCIAS Y EL DESEMPEÑO

Otra manera totalmente diferente de ver estos problemas de creencias es en el área de los deportes y del alto rendimiento. La otra noche me encontraba viendo las finales del baloncesto de la NBA. Los comentaristas estaban hablando acerca de los jugadores que quieren el balón cuando el juego pende de un hilo, y de los jugadores que no lo quieren. Describían que la diferencia era que los jugadores que quieren el balón creen que van a anotar, mientras que los jugadores que no lo quieren creen que van a fallar el tiro.

Los comentaristas tienen toda la razón. Recuerdo una historia que me contaron de Michael Jordan. Frecuentemente, antes de los juegos, pasaba algún tiempo visualizando lo que podría suceder durante el curso del juego, incluyendo el hacer el lanzamiento de último minuto que determinaba quien ganaba y quien perdía. Cuando llegaba al final del partido, cuando el resultado dependía de los últimos segundos, Michael quería el balón. He visto varias entrevistas en las que compartía que en esa situación, él creía que iba a hacer la canasta del gane.

Yo fui a la universidad con una beca deportiva en tenis. Ya en ese tiempo, este mismo mecanismo era del conocimiento común entre los jugadores de tenis. Lo llamábamos "codo de hierro", ese momento crítico en la partida cuando un movimiento podría significar la diferencia entre la victoria y la derrota. Algunos jugadores jugaban a lo máximo en estos momentos y casi siempre ganaban. Otros jugadores tenían tal miedo que casi literalmente no podían mover sus raquetas. Era como si sus codos se hubieran vuelto de hierro. Si observas virtualmente casi cualquier evento deportivo mayor durante un buen tiempo, cuando se llega al "tiempo de oro", escucharás a los comentaristas y jugadores por igual decir cosas como: "Cuando se llega a ese punto del juego, todo es mental"; "Todo se trata del corazón"; "El que gana o pierde al final del juego ya no se trata de lo físico, sino de lo mental"; "Todo es acerca del corazón cuando el juego pende de un hilo".

TUS CREENCIAS PUEDEN CURARTE O MATARTE

Nuestras creencias no solamente son relevantes para los juegos de pelota, para los recitales, para la obra o para la anorexia, son relevantes para cada área de nuestras vidas. El que nuestras relaciones sean íntimas, apasionadas, y satisfactorias es determinado, tal como con Tracey y conmigo, por nuestras creencias. Si ganas seis cifras en tu carrera o te encuentras en un constante estado de llevarla a duras penas por la frustración, está determinado no tanto por tus habilidades sino por tus creencias. Por favor date cuenta de que si tus creencias son de amor y verdad desarrollarás habilidades excepcionales en cualquier área. Más acerca de eso en el Secreto #7.

Vamos a volver a la historia de la paleta por un momento. Esa mujer tenía toda la habilidad del mundo: un IQ de 180, entrenamiento en la liga Ivy, y una mente orientada hacia los asuntos financieros. Todos a su alrededor decían que ella tenía las herramientas necesarias no solamente para tener éxito, sino para lograr la excelencia. A pesar de esto, ella se había convertido en una persona por debajo de su capacidad y estaba encontrando literalmente cada semana, nuevas maneras de sabotear su carrera. Cada vez, ella llegaba a una razón lógica para esos fracasos: "Me resfrié", "Uno de mis asistentes no terminó lo que era necesario", "Una amiga mía ha estado pasando por algunas cosas que me han estado distrayendo", "Mi gato ha estado enfermo", "Tal y tal me tienen mala idea", y un largo etcétera. ¿Todas esas cosas que decía son mentira? ¡No! Esas cosas le molestaban. Molestarían a cualquiera. Lo que estaba arruinando su vida no tenía nada que ver con ninguna de esas excusas. Era la creencia equivocada que tenía del evento de la paleta cuando tenía cinco años de edad, de cuando su madre no la amaba tanto como debiera hacerlo y por ello debería haber algo malo con ella.

A final de cuentas, debido a que estas cosas seguían sucediendo una y otra vez, año tras año, ella llegó a la conclusión de que algo más debería estar pasando. Ahí fue cuando me llamó. Todo el tiempo había sido un problema de creencias. Cuando solucionamos la creencia de estímulo/respuesta que estaba causando el problema, su creencia consciente racional cambió de manera automática. ¿Todavía seguía teniendo a diario cosas que no iban como ella quería? Por supuesto. Todos las tenemos. Pero ahora pasaba por ellas como una cuchillo caliente lo hace por la mantequilla, y todas esas habilidades comenzaron a florecer en lo que todos habían predicho que sería de ella --en grandeza.

¿Quieres escuchar algo hermoso? Eso es lo que está previsto y predicho para ti también. Grandeza. Cuando alinees tus creencias con la verdad, eso es justo lo que sucederá en tu vida también.

No es una coincidencia que las investigaciones en la Escuela de Medicina de la Universidad de Stanford encontraran que el disparador de la enfermedad y del padecer en el organismo sea siempre una creencia equivocada y, a la inversa, que una vez que creemos la verdad y seguimos creyendo la verdad, nuestras células llegan a hacerse impermeables al padecimiento y a la enfermedad. Lo que crees te matará o te curará.

ENCONTRANDO LAS CREENCIAS OCULTAS

¿Cómo sabes si estás teniendo alguna creencia de estímulo/respuesta que esté siendo reactivada y que tu problema no son tus circunstancias actuales? Hay algunas maneras sencillas de saberlo:

1. Tus sentimientos, si tus sentimientos no encajan con tus circunstancias actuales, entonces casi se te puede garantizar que tienes una vieja memoria dolorosa de estímulo/respuesta que se está reactivando. Sin embargo, la mayoría de las veces no vas a ser consciente de que suceda esta reactivación. Los sentimientos serán tan reales que pensarás que se trata de tus circunstancias, incluso si todos los demás ven claramente que ello no tiene sentido. Así que pregúntale a un amigo. Dile, "Esta es la situación, y esto es lo que siento al respecto. ¿Es lógico para la situación, o es un poquito exagerado? Y por favor sé honesto conmigo. Por favor no me digas lo que creas que quiero oír; dime lo que piensas honestamente".

2. Tus pensamientos. Si los pensamientos que tienes acerca de tus circunstancias actuales son totalmente lógicos, y otras personas también los consideran así, entonces probablemente no tengas una memoria de estímulo/respuesta que esté siendo reactivada. Si, por otra parte, tus pensamientos no se encuentran en armonía con tu situación actual, entonces se te está reactivando una memoria (recuerdo)

dolorosa. Queremos vivir en el presente, no en el pasado ni en el futuro. Sorpresivamente, muy pocas personas pueden hacer esto. La razón es que las memorias celulares dolorosas se están reactivando y provocan pensamientos y sentimientos del pasado.

3. Tus conductas. Si haces cosas repetitivamente las cuales realmente no deseas hacer y que van en contra de tus propósitos de vida, estás actuando en base a una memoria de estímulo/respuesta. Un ejemplo muy obvio son los problemas de peso. Tenemos a tantas personas que llegan a Los Códigos Curativos y que quieren perder peso, y generalmente lo logran. Pero cuando ves a personas que quieren perder peso y que siguen comiendo de más, puedes garantizar que están teniendo memorias celulares reactivadas. Se lo atribuyen a circunstancias actuales ("Estoy bajo mucho estrés, Empezaré mañana"). Ya habrás escuchado esto, si es que no en ti mismo. La realidad es que casi cualquier adicción o hábito destructivo queda encerrado en memorias celulares dolorosas. Las creencias que están en esas memorias celulares son reactivadas y causan dolor. La adicción se utiliza para aminorar el dolor o para tratar de sentirse bien durante unas cuantas horas.

4. La pérdida del control consciente. La manera más popular de tratar con todos estos problemas es lo que llamamos el "afrontar". Si tienes un problema de salud eso es tratar el síntoma, en lugar de dirigirte hacia la raíz. En ocasiones puedes empujar esa roca cuesta arriba por un tiempo ... puedes manejarlo ... puedes hacerle frente ... puedes hacerlo mejor ... pero siempre es una lucha forzada. Frecuentemente sientes tensión mientras de que tratas de mantenerte en el buen camino. Esa tensión es estrés, y esa tensión puede terminar haciéndote daño. Esa no es la manera de hacer lo que deseas, de sentir lo que quieres, ni de pensar lo que quieres. La única manera de lograr esto es curando las memorias celulares.

Entonces si tu sistema lógico de creencias no te está llevando a donde quieres ... si te estás auto-saboteando ...

si simplemente parece que nunca tienes suerte ... si sigues teniendo problemas de salud persistentes o severos ... si tus relaciones no son las relaciones amorosas, de intimidad, de gozo, tranquilas que todos nosotros deseamos ... si no eres capaz de vivir lo que tú crees de manera lógica, racional a partir de observar los hechos ... es porque tu creencia de estímulo/respuesta se está reactivando, haciéndote reaccionar a un antiguo dolor de la misma manera en que lo hiciste cuando originalmente sucedió ese recuerdo (memoria). En pocas palabras, terminas viviendo una vida que no es la vida que tú quieres vivir.

LO QUE HACES ES LO QUE CREES

Siempre hacemos lo que creemos. Si estás haciendo algo equivocado, es porque crees algo equivocado. Cien por ciento de lo que hacemos, lo hacemos debido a lo que creemos. ¿Estás a punto de pegarme en la nariz, cierto? Dices, "He hecho miles de cosas en mi vida las cuales no debiera haberlas hecho, sabía en ese momento que no debería hacerlas, después me sentí mal, y terminaron mal". Y piensas, "¡Fue en contra de mis creencias hacer eso"!

Con todo respeto, estás equivocado. De hecho, es imposible para ti, hacer algo en lo cual no creas. El problema son las creencias inconscientes de las cuales ni siquiera somos conscientes. Estamos hablando acerca de una creencia consciente en contra de una creencia inconsciente. Ya que discutiremos esto con mayor detalle en el Secreto #7, permíteme concluir ahora mismo con este pensamiento, diciendo que podemos creer cien cosas diferentes a distintos niveles acerca de un mismo asunto. ¿Suena como si todos fuésemos esquizofrénicos, no es así?

Afortunadamente, la mayoría de nosotros no llega a ese extremo. Baste con decir que el vivir la verdad en el amor y vivirla consciente e inconscientemente con armonía, es absolutamente una transformación de oruga en mariposa. Esta transformación se encuentra disponible para ti ahora mismo por medio de los secretos en este libro. Las noticias increíbles de lo que te estamos ofreciendo es que se trata de una manera de alzarse al vuelo, la cual no se basa en tu esfuerzo ni en tener "la razón". Existe un sistema en tu organismo el cual puede lograr la mayor parte de esto de manera automática.

La única manera que conozco de curar este problema, por completo, de manera permanente y total, es el curar esas memorias (recuerdos) celulares que están provocando los problemas los cuales están protegidos por la mente inconsciente.

Vamos a volver a preguntar ¿Cómo es posible que puedas encontrar esas memorias, y si es que las encuentras, cómo puedes curarlas? Si la terapia hablada no funciona ... si las modificaciones conductuales solo son para permitirte hacerles frente y en realidad pueden causar más estrés, lo que se necesita es eliminar el estrés para así poderse curar. Hemos de llegar a un sitio en el cual podamos vivir lo que creemos que es la verdad, de manera lógica y racional. Dios nos dio la habilidad de poder razonar lógica y racionalmente para que así podamos usarla. Para utilizarla, tenemos que ser capaces de curar a la mente inconsciente, a lo que yo llamo el "corazón", y entonces vivir desde ese corazón sanado.

Entonces, vayamos al Secreto #7, más acerca del corazón.

CAPÍTULO SIETE

El Secreto #7:
Cuando el Corazón y la Cabeza entran en Conflicto, el Ganador es ...

Durante años, al viajar ofreciendo conferencias sobre psicología, espiritualidad, y curación natural, he hecho un pequeño experimento. Otras personas conocen esta prueba: de hecho, mi buen amigo Larry Napier me contó acerca de ella, y él la realizó por todo el país mientras daba conferencias y obtuvo resultados similares.

Es muy simple, puedes ver en una ilustración más abajo. Dibujo un círculo en una pieza de papel y divido el círculo en cuatro partes iguales. Enumero cada una de las partes con "1", "2", "3", y "4". También utilizo una llave normal de auto o de casa atada a un cordón. Pido a un voluntario y le digo que sostenga el cordón entre sus dedos índice y medio para que así la llave cuelgue sobre el centro de la figura, justo en el centro del 1, 2, 3 y 4, a una distancia de 2.5 a 5 cm por encima del papel.

La primera instrucción que le doy a la persona es que mantenga la llave completamente quieta en el centro del dibujo entre el 1, 2, 3, y 4. Si estás leyendo esto, anda y vé si tú puedes hacerlo. La mayoría de las personas lo hacen muy bien. Algunas personas pudieran estar nerviosas, y así sus manos pudieran agitarse un poquito u otras personas pudieran tener algún problema de salud que hace que la llave se mueva un poco, pero la mayoría de las personas pueden mantener la llave justo en medio o muy cerca de la mitad.

En las demostraciones felicitamos a la persona, y después les damos una segunda instrucción. Pero antes de la segunda instrucción, les recuerdo que la instrucción número uno sigue estando vigente. Además de la instrucción número dos, les digo que mantengan la llave justo en medio del pastel.

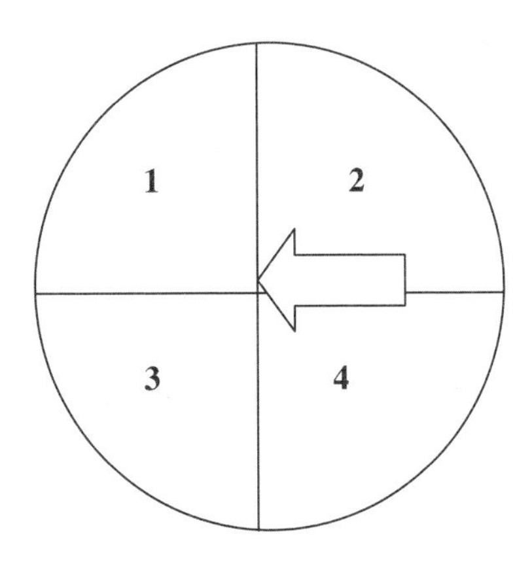

Ahora, la instrucción número dos. Mientras mantienen la llave quieta sobre el centro, les digo que se imaginen a la llave moviéndose desde la parte número uno del pastel hacia la parte número dos: "Adelante y atrás entre el número uno y el número dos. Simplemente imagínala moviéndose entre la parte número uno del pastel y la número dos. ¡Pero recuerda la orden número uno! ¡No la muevas! ¡Solo imagínate que se está moviendo!"

¿Qué crees que sucede? Los resultados son realmente asombrosos. Cerca del 75 al 80 por ciento de las veces, la llave comenzará a moverse entre la pieza del pastel número uno y la pieza número dos, generalmente de forma tan dramática que nadie en el salón tendría alguna duda respecto a lo que está sucediendo. No es simplemente que se mueva un poco y "quizás que haya sido entre el uno y el dos". Es obvio.

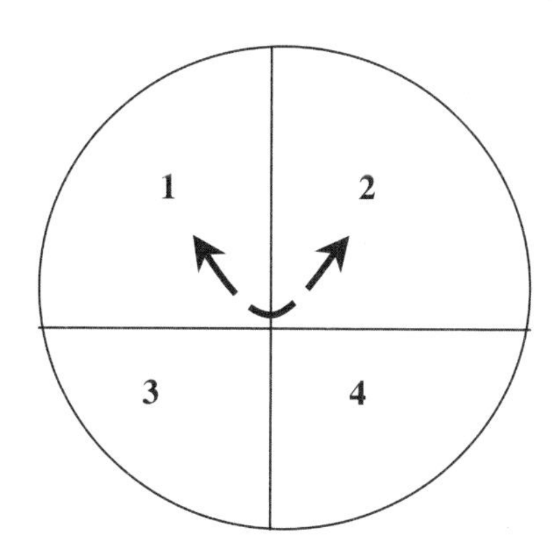

Después, le doy a la persona una tercera orden. La número uno todavía vigente: No muevas la llave. La número dos todavía vigente. Ahora les digo que se imaginen a la llave moviéndose desde el dos al cuatro, del dos al cuatro, del dos al cuatro. Pero la orden número uno todavía siendo válida --que no muevan la llave. De nuevo, del 75 al 80 por ciento de las veces lo que sucederá es que la llave se ajustará a las instrucciones. En ocasiones lo hará solamente yendo en círculo un solo segundo, y luego se acomoda y empieza a ir entre el dos y el cuatro, el dos y el cuatro, el dos y el cuatro. Todo el salón se asombra y aplaude.

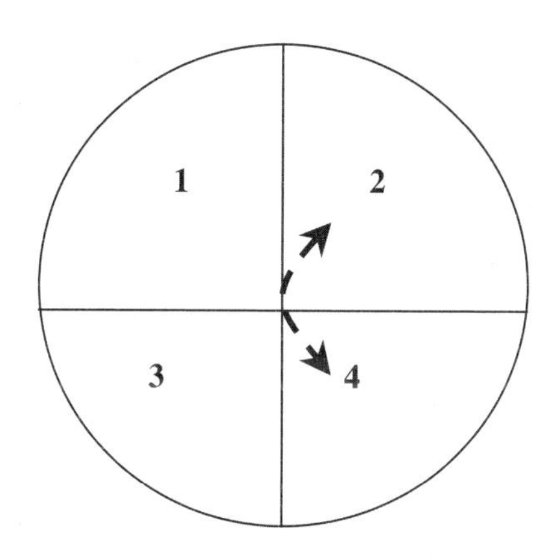

Cuando le pregunto a la persona: "¿Trataste de hacerlo así?" Su respuesta es siempre "¡No!" Y generalmente se ríen y dicen, "¡Intentaba no hacerlo, No entiendo!"

Esto es lo que sucede. Le doy a la persona dos órdenes: Les doy una orden de la cabeza y una orden del corazón. Defino a la cabeza como la mente consciente y al corazón como la mente inconsciente, entre otras cosas. Así que la primer orden que le doy a la persona es una orden de la cabeza: "No muevas la llave. Enfócate conscientemente en no mover la llave". La segunda es una orden del corazón: "Imagínala moviéndose". La imaginación es una función de las mentes inconsciente y subconsciente, aunque podemos manipularla conscientemente. Entonces les doy una orden de la cabeza y una orden del corazón. La orden del corazón anula a la orden de la cabeza.

EL CORAZÓN SIEMPRE GANA

Esta no es una situación de trauma como los ejemplos de los que hemos hablado hasta este momento. Esta es una situación sin peligro, inocente, casi como de una fiesta. Aún así, la orden del corazón anula a la de la cabeza, y la llave se mueve en las direcciones en las que el inconsciente le manda que lo haga. Imágenes, no palabras, son el lenguaje del corazón, y la imaginación es la fabricante de las imágenes. La imagen de la llave moviéndose es la orden del corazón, la cual anula a la de la cabeza y hace que la llave se mueva.

¿Cómo es que sucede? Cuando la persona se imagina a la llave moviéndose, las neuronas comienzan a activarse en el cerebro. El cerebro envía impulsos y frecuencias de energía hacia el cuello, luego al hombro, al brazo, la mano, y finalmente a los dedos. Esto hace que las partes de los dedos alrededor del cordón se muevan, frecuentemente de manera casi imperceptible, nadie podría decir que se esté moviendo algo, pero es exactamente el movimiento que se requiere para mover el cordón y la llave según la orden. En ocasiones nos ponemos creativos y decimos, "Quiero que te imagines moviendo la llave en un círculo", y así sucede. Entonces cuando el corazón y la cabeza entran en conflicto, siempre gana el corazón.

Este es un punto crítico. Hemos hablado acerca de como Tracey y yo de manera consciente nos encontrábamos en la misma sintonía, creíamos en las mismas cosas y estábamos tan preparados para el matrimonio. La mujer que fue violada creía conscientemente las cosas correctas; ella era una Cristiana y creía que debería de perdonar al tipo, y lo intentó muchas, muchas veces. Ella creía que estaba limpia ante Dios y que no era culpable, ni sucia, ni que valiera menos. El problema era, que nunca sintió eso. Nunca vivió eso. Lo que vivía era lo opuesto. La mujer con la historia de la paleta sabía conscientemente, "Tengo un IQ de 180, puedo hacer esto mejor que todas estas personas que se encuentran delante mío, esto es lo que yo quiero de mi vida, y no puedo pensar en ninguna razón de porqué mamá y yo debiéramos tener toda esta tensión entre nosotros todo el tiempo".

Pero cuando la cabeza y el corazón entran en conflicto, el corazón gana. Con Tracey y conmigo, las memorias dolorosas inconscientes comenzaron a manifestarse en nuestro matrimonio, y entonces culpamos a nuestras circunstancias actuales, pero eso no era lo que estaba sucediendo. Mi cliente que fue violada tenía memorias subconscientes e inconscientes que siempre estuvieron ahí. No podía deshacerse de ellas. La inseguridad, el sentirse despreciable, y la ira anulaban a su mente consciente y evitaban que viviera la vida que deseaba vivir. Esa es la manera en la que siempre funciona cuando tenemos una creencia inconsciente o subconsciente muy fuerte, y que se basa en una memoria (recuerdo) doloroso de estímulo/respuesta. Cuando esto sucede, la memoria dolorosa inconsciente ganará.

¿Entonces qué significa "ganar"? Quiere decir que pensamos, sentimos y hacemos cosas que de manera consciente no queremos hacer. También significa que la respuesta de estrés en el organismo se ha iniciado cuando no debería haberlo hecho. Esa es la razón de porqué es tan importante el curar las memorias que son la causa de este proceso.

EL ORIGEN DE TODOS LOS ASUNTOS

Ahora, ¿qué pasó con el 20-25 por ciento de las personas en las que la llave y el cordón no se movieron? Parece que el corazón no anuló a la cabeza. Siempre que eso pasaba, yo le preguntaba a la persona, "¿Cuando te dije que te imaginaras a la llave y el cordón moviéndose, eras capaz de hacerlo? ¿Eras capaz de verlos moviéndose en tu mente"? Nunca he tenido una ocasión en la que la persona dijera que si pudieron hacerlo. Ni una.

¿Qué significa eso? Significa, primero que todo, que ellos no fueron capaces de activar los mecanismos en el corazón que hacen que el corazón invalide a la cabeza. Segundo, y esta es una preocupación mayor, las personas que no pueden imaginar, que han perdido esa habilidad, generalmente tienen más memorias dolorosas inconscientes y subconscientes que cualquier otro grupo de personas. Como protección, sus mentes han cancelado su habilidad para imaginar, ya que todo lo que ven activa imágenes que les hieren (recuerda que esas memorias se encuentran codificadas y se recuerdan en la forma de imágenes). Sus mentes inconscientes han cancelado esa capacidad para que así puedan tratar de vivir una vida normal a medias. Sin embargo, esa capacidad sigue funcionando todo el tiempo. Aunque en sus circunstancias actuales no puedan ver sus recuerdos (memorias) ni utilizar su imaginación de esa manera, todavía sienten el dolor y tienen los pensamientos dolorosos, destructivos acerca de si mismos, de otros, y de las circunstancias, y todavía hacen cosas que no son las que quisieran hacer.

Hay un versículo en la Biblia: "Guarda tu corazón por encima de todo lo demás, ya que desde este emanan los asuntos de la vida" (Proverbios 4:23). Un erudito me dijo que si te vas al texto original de ese pasaje, y te haces la pregunta de, "¿Qué porcentaje de los asuntos de la vida?" La respuesta sería, el 100 por ciento. Así, de acuerdo a la Biblia, y que yo creo que es una verdad no negociable (tú eres libre de tener tu propia opinión), si tienes un asunto en tu vida, el origen de este es un asunto del corazón. Si no curas el asunto del corazón, puede que calmes un poco los síntomas, pero no podrás tener una curación completa, permanente del problema, ya que no has curado el origen.[14]

Y así, este es el Secreto #7: Cuando el corazón y la cabeza entran en conflicto, el corazón es el que gana. Sabemos que estas señales enviadas desde el corazón --desde las memorias celulares del corazón-- activan la respuesta de estrés en el organismo, lo cual conduce a todos nuestros problemas.

LA INTENCIÓN CONSCIENTE Y LA INCONSCIENTE

Tuve el placer de pasar todo un día con el Profesor William Tiller de Stanford. El Dr. Tiller ha publicado varios libros, fue una de las estrellas de la película, ¿Y tú que sabes? y es considerado por muchos como el físico cuántico más prominente de nuestros tiempos. Varias pepitas de oro brotaron de mis conversaciones con el profesor Tiller en ese día. Aquí están dos de ellas:

1. Existe una intención inconsciente para la mayoría de los asuntos en la vida. Todos hablan de la intención consciente ---la cual es importante y real, pero esa no lo determina todo.

---

14 Como una nota al margen, nosotros mismos estamos comprometidos en seguir a Jesús. Por lo tanto, creemos que la curación más profunda viene a través de Jesucristo. Esa es la fe en la que creemos y eso es lo que vivimos. De hecho, creo que mi fe fue un elemento vital en mi descubrimiento de Los Códigos Curativos, tal como lo describí en el Prefacio de este libro. (Para mayores especificaciones acerca de nuestras creencias y nuestra filosofía, diríjase a "Algunas Palabras acerca de Nosotros y de Nuestra Filosofía" al final del libro.) Pero no tratamos de forzar esto sobre nadie que esté leyendo esto. En base a nuestra experiencia, El Código Curativo funciona, sin importar qué sea en lo que crees, no importa la edad que tengas, no importa del sexo que seas, no importa tu nacionalidad ni etnia. Las pilas doble A funcionan en cualquier aparato que esté diseñado para trabajar con esa fuente de poder. El Código Curativo funciona porque opera de acuerdo con las estrictas normas de la naturaleza denominadas como física cuántica. Y que se basan en la manera en la que el universo fue creado.

2. Cuando la intención consciente y la intención inconsciente entran en conflicto, la inconsciente es la que gana.

El Dr. Bruce Lipton dice exactamente lo mismo. En un programa que Ben y Yo hicimos junto con él, el Dr. Lipton hizo la declaración de que es casi imposible el que cambiemos nuestros asuntos usando la fuerza de voluntad debido a que la mente subconsciente es más de un millón de veces más poderosa que nuestra fuerza de voluntad. También dijo que casi tenías que tener algo como Los Códigos Curativos para cambiar tales asuntos.

LOS ASUNTOS DEL CORAZÓN SON ASUNTOS ESPIRITUALES

Aquí voy a hacer algunas declaraciones audaces.

En el Secreto #1 dijimos que cada vez que tuviéramos algún problema de salud o de relaciones nos deberíamos estar preguntando, "¿Qué estrés está provocando esto?" Yo creo que debiéramos ir más allá y, siempre que tengamos un problema de salud, un problema de las relaciones, un problema con nuestra carrera, debiéramos de preguntarnos, "¿Cuál es el problema del corazón que tengo como el origen de esto, y cómo lo curo?" Pudieras estar pensando, Bien, ahora estamos entrando al campo de la espiritualidad, y mi respuesta sería, "Tienes toda la razón".

Aunque El Código Curativo es un mecanismo físico del organismo el cual lo activas y enciendes de manera física, también es un ejercicio espiritual en el sentido de que cura los asuntos del corazón. ¿Perdona a la gente en lugar de que tú lo hagas? ¿Te limpia de los pecados de tu vida? por supuesto que no. Eso solamente lo pueden hacer tú y Dios respectivamente.

Lo que hace El Código Curativo es el curar el patrón de energía destructivo de la memoria (recuerdo) que contiene a la creencia equivocada que está haciendo que tengas miedo cuando no debieras de tenerlo, y que está activando al sistema de respuesta al estrés en tu organismo cuando no debiera de ser activado, conduciendo a problemas de salud y a casi cualquier otro problema que conocemos. Yo creo que lo que vemos aquí es a la Biblia y a la ciencia fundiéndose en perfecta unidad, pero la Biblia lo había dicho mucho, mucho antes. "Desde el corazón emanan todos los asuntos de la vida".

Ahora algunas declaraciones audaces sobre la base de lo que hemos estado hablando. Mi mentor espiritual, Larry Napier, me enseñó casi todas estas verdades que cambian la vida hace veinte años, antes de que fueran verificadas por la ciencia. Entre más aprendo y más vivo, más me doy cuenta de que son verdad. Estas cambiaron mi vida en ese entonces, ahora y por siempre. Le agradezco a Larry por amarme, y ahora las comparto con amor contigo. Espero que tengan un impacto similar en tu vida. Y estas son:

Tú eres quien eres dentro de tu corazón. Pudieras decirle a la gente, "Yo soy tal y tal, esto es en lo que creo, esto es lo que he hecho, esto es lo que voy a hacer", pero quien tú realmente eres es quien eres en tu corazón, ya que cuando la cabeza y el corazón entran en conflicto, el corazón es el que gana.

Lo que tú realmente crees es lo que crees desde tu corazón. La historia de como Tracey y yo estábamos de acuerdo en todas nuestras creencias conscientes pero que en menos de un año después ambos queríamos el divorcio muestra como nuestras creencias inconscientes son lo que la mayor parte del tiempo terminamos viviendo. Lo que realmente crees es lo que crees desde tu corazón.

Estás en donde estás en base a lo que existe en tu corazón. Cuando se activa el sistema de creencias de estímulo/respuesta, te hará regresar a la edad que tenías cuando se creó esa memoria dolorosa. La mujer de Wall Street, cuando tenía treinta y tantos años de edad y se encontraba en su elevada oficina en Manhattan, tenía cinco años de edad muchas, muchas veces al día, siempre que el recuerdo de la paleta se reactivaba. Y ella se sentía como una niña de cinco años de edad. Se sentía indefensa, enojada, sentía que no valía nada, sentía como diciendo "No puedo hacer este trabajo", a pesar de que ella estaba más que calificada para ello, y tanto ella como todos los demás sabían eso de manera consciente. Pero esa no era la realidad que ella estaba viviendo. Te encuentras ahora en donde quiera que estuviste cada vez que alguna de esas memorias dolorosas se reactivan. Regresarás a donde estuviste cuando sucedió ese evento doloroso, y a la edad en la que sucedió, con la habilidad de razonamiento, los sentimientos y emociones de esa edad.

Haces lo que haces sobre la base de lo que existe en tu corazón. De manera consciente, todos podemos hacer unos planes maravillosos. Incluso puede que tengamos la capacidad de llevarlos a cabo. Pero si tenemos memorias dolorosas acerca de esas mismas acciones y esos mismos asuntos, terminaremos respondiendo a esas memorias dolorosas ya sea que lo queramos o no, y terminaremos actuando en base a las creencias de esas memorias dolorosas hasta que podamos curarlas. Cuando no estamos haciendo lo que queremos hacer o al menos no lo estamos haciendo de manera tan consistente como lo necesitamos, para lograr lo que queremos en nuestras vidas, esa es la evidencia de que se están reactivando estas memorias dolorosas del corazón, y que no están llevando a hacer algo que no queremos. Esto incluye también a los pensamientos y sentimientos no deseados.

El corazón está programado para proteger. La tarea número uno del corazón es el protegerte contra cosas dolorosas y posiblemente fatales que pudieran suceder, y especialmente el evitar que vuelvan a ocurrir. Esa es la razón por la cual cuando el corazón y la cabeza entran en conflicto el corazón es el que gana, ya que el corazón está programado para proteger. Esto lo hace por medio de estimular la respuesta al estrés en el organismo. Si la respuesta al estrés entra en acción cuando no debiera hacerlo, hace que nos asustemos cuando no debiéramos estar asustados. Si el corazón y la cabeza entran en conflicto y el corazón gana con alguna manera destructiva que afecte nuestra salud, nuestra carrera o nuestras relaciones, o que evite que tengamos paz, es debido al miedo que hay en nuestros corazones. Puede que no sintamos de manera consciente el miedo, pero eso es lo que está resonando en nuestras células.

Tus prioridades vienen determinadas por lo que existe en tu corazón. Si le preguntas a cien personas cómo le hacen para darle prioridad a las cosas en sus vidas, es muy probable que las cien te respondan que ellos deciden qué es lo qué es lo que es importante y también qué hacer en base a un estudio lógico, racional de los hechos y sus circunstancias. Sin embargo, el cómo realmente das prioridad a las cosas está determinado por lo que valoras, y lo que valoras se basa en lo que hay en tu corazón. ¿Eso quiere decir que somos simples robots y que una evaluación lógica y racional de la vida no tiene sentido? ¡Por supuesto que no! Eso es un factor en el proceso, y mientras de que el corazón esté de acuerdo con nuestro pensamiento racional, no hay problema. No obstante, cuando nuestra memoria celular dictamina una creencia que se basa en el miedo, literalmente nos hará que examinemos el mismo hecho racional pero llegaremos a una conclusión no necesariamente lógica ni congruente.

EL CORAZÓN MANDA

Cuando mi hijo, Harry, tenía doce años, vio la película original Tiburón. (Mi esposa y yo aún seguimos hablando respecto si esa fue una buena idea.) A Harry siempre le ha encantado el agua desde que era pequeño. En una ocasión, cuando Harry tenía como dos años de edad, estábamos hablando en la planta baja de un hotel, a mitad del invierno. Para nuestro asombro, Harry se metió a la piscina. Esto sucedió más de una vez en diferentes ocasiones y en diferentes lugares. Harry nada como un pez ---no importa si es una piscina, un lago, o el océano. Le encanta. Después de ver Tiburón, le pregunté a Harry si quería ir al lago. Podías ver una profunda consideración en sus ojos y en su rostro, como si estuviera examinando las posibilidades como alguien de treinta años examinaría sus impuestos. Luego de un minuto, Harry se negó y dijo que prefería quedarse en casa y jugar con sus monitos (Legos).

Cuando le pregunté si su decisión tenía algo que ver con la película de Tiburón, Harry respondió, "Por supuesto que no". Estaba realmente emocionado en diseñar algunas construcciones para sus monitos. Y fue bastante convincente en su argumento. Le pregunte si no había problema en que le realizara una prueba y ver si tenía alguna memoria celular de miedo respecto a la película. De seguro, tenía una memoria celular destructiva. Harry hizo un Código Curativo, el cual tomó casi 4 minutos, y ¿adivina qué? ¡Al pasar esos 4 minutos, las prioridades de Harry habían cambiado por completo! Su pensamiento lógico y racional cambiaron por completo. Ahora, Harry decidió que podía jugar con sus monitos en cualquier momento, y que por supuesto le encantaría ir al lago ----"¿A qué hora nos vamos a ir?"

Esto no le sucede solamente a los niños de doce años. Nos sucede a todos constantemente. Lo que pensamos que son decisiones lógicas, y racionales, basadas en la verdad, se tratan frecuentemente de una racionalización inconsciente de los valores y las prioridades en base a las memorias destructivas del corazón.

Este proceso casi siempre es inconsciente, al menos hasta que empiezas a buscar y encuentras algunas de estas memorias o empiezas a curar algunas de estas memorias. En ocasiones llegan a hacerse conscientes una vez que se han curado ya que el corazón ya no siente que tenga que protegerlas, pero generalmente estas cosas son inconscientes. Y así, le grito a mi esposa y luego pienso, "¿Porqué lo hice"?, como cuando no quiero hacerlo. No quiero hacer las llamadas que debo hacer para tener éxito en mi trabajo. Sigo poniendo excusas y diciéndome a mí mismo día con día que voy a hacerlo. Inclusive puedo empezar a mentirle a mi esposa o a mi patrón y todo lo que se es que parece que no lo consigo. Eso es debido a que tengo memorias dolorosas en mi corazón las cuales se están reactivando y que necesitan ser curadas.

Así la única manera de vivir y amar desde el corazón en la manera en la que lo deseamos es al curar las memorias destructivas que existen en el corazón.

LA CONEXIÓN CUERPO-CORAZÓN

Permíteme hacer una declaración más. Hemos estado hablando en estos últimos cuatro Secretos acerca de cosas que llamaríamos no-físicas: recuerdos (memorias), creencias, acciones, pensamientos. Sin embargo, por favor no olvides el primer Secreto, que trata de que estas memorias (recuerdos), estas creencias, estos asuntos del corazón son las que controlan la fisiología de nuestro organismo. Estas creencias equivocadas ponen en acción la respuesta al estrés del organismo cuando no debiera de entrar en acción. Cuando eso sucede, provoca, con el tiempo, casi todas las enfermedades y padecimientos que conocemos. Cierra nuestras células, desconecta nuestro sistema inmune, y terminamos con cualquier tipo de problema de salud que podamos imaginar. Tanto los problemas físicos y los no físicos se originan todos a partir de estos asuntos del corazón, a partir de estas memorias celulares que producen frecuencias de energía destructivas las cuales ponen a nuestro cuerpo en una respuesta al estrés cuando no se debiera hacerlo.

Y así, aquí los tenemos: Los Secretos del #1 al #7. Creemos que este material nunca antes ha sido ordenado de esta manera. Algo de ello son conceptos nuevos e investigaciones nuevas respecto a cómo es que funcionan la mente, el cuerpo y el corazón. Creemos que por primera vez puedes tomar toda esta información y toda esta verdad y curar tus asuntos del corazón, curar tus memorias celulares, y eliminar el estrés de tu vida para que así puedas hacer las cosas que has soñado en tu vida respecto a los logros, las relaciones, tu carrera, tu alto rendimiento, de prevención a la salud, de curar un problema de salud, y acerca de tus relaciones con los miembros de tu familia. Creemos que todo en tu vida puede mejorar enormemente al entender cómo es que funciona todo esto y al utilizar El Código Curativo para curar el origen de todos tus problemas --tus asuntos del corazón, y las memorias celulares dolorosas de tu corazón que contienen a las creencias equivocadas.

Bienvenido a una nueva vida.

La conclusión del asunto, sobre la base de los siete Secretos, son dos verdades:

1. Para curar tus problemas tienes que curar el estrés. No existe otra manera. Es lo único en lo cual todos están de acuerdo, incluyendo el gobierno federal, la medicina tradicional, la medicina alternativa, las investigaciones de veinte años a la fecha, y veinte millones de sitios web. No hay manera de evitarlo; tienes que curar el estrés si es que quieres una curación de tus problemas completa, a largo plazo y permanente.

2. Para curar el estrés tienes que curar tus memorias (recuerdos). Según las investigaciones de la Escuela de Medicina de la Universidad Southwestern y de la Escuela de Medicina de la Universidad Stanford, lo que causa la respuesta de estrés en el organismo no son solo nuestras circunstancias actuales. Son nuestras creencias equivocadas, nuestras memorias celulares destructivas que se encuentran codificadas y almacenadas en nuestros corazones, en nuestras mentes, lo que la Biblia llama el corazón.

¿LO QUE HACES ACTUALMENTE REALMENTE FUNCIONA?

Después de esas dos conclusiones, aquí está la pregunta: ¿Te dejas guiar por estas conclusiones? Lo que sea que estés haciendo ahora mismo para tratar de tener éxito o lo que quieras curar o resolver o hacerle frente ---la palabra que quieras utilizar--- ¿logras estas dos cosas? ¿Estás curando el estrés? ¿Estás curando las memorias celulares que están causando el estrés? Si no lo estás haciendo, la probabilidad de que tu problema se cure totalmente, por completo y de manera permanente es muy, muy escasa.

¿Porqué esto? Si no haces estas dos cosas, entonces estás tratando de solucionar tus problemas por medio de trabajar en los síntomas, no en el problema. En otras palabras, estás tratando de hacer que el dolor se aleje, pero no estás tratando con el origen del dolor.

Supón que tienes un dolor en tu abdomen que se sigue presentando una y otra, y otra vez, y que constantemente tienes que estar tomando Advil, o Tylenol para aminorar ese dolor. Tienes esta corazonada de que "Sabes, esto no debería estar sucediendo", y un miedo "Me pregunto si esto es cáncer o un problema de la vesícula biliar, o un problema intestinal, o una úlcera o algo así". Pero en lugar de tratar con eso y encontrar cuál es el problema y curarlo, solo sigues tomando Tylenol y Advil para aminorar el dolor.

Todos reconocemos que no vas a curar el problema con solo aminorar el dolor, ni tampoco vas a curar los problemas de tu vida con solo tratar de hacerles frente o con manejarlos o con pensar en ellos de manera diferente, con una actitud más positiva. Tienes que curar el origen. Eso es de lo que realmente se trata El Código Curativo.

EFECTOS DE AMPLIO-ESPECTRO

Creemos que Los Códigos Curativos® son lo que se había predicho por las mentes más grandes de nuestro tiempo, que sería la medicina del futuro. Solo que, su alcance abarca más que solo la medicina. Curan problemas de las relaciones, problemas de salud mental, problemas profesionales, asuntos de alto rendimiento --de todo-- ya que todo ello tiene el mismo origen, que es el estrés causado por las memorias celulares dolorosas, destructivas, que se encuentran en nuestras mentes inconscientes.

Recientemente, dimos un seminario en una de las principales ciudades del medio Oeste. La primera persona que acudió a verme esa noche fue un caballero que había comenzado a hacer Los Códigos Curativos siete meses atrás. Su problema no eran sentimientos, creencias ni pensamientos negativos, al menos no de manera consciente. Su problema era insuficiencia cardíaca congestiva, presión arterial elevada, el que su músculo cardíaco solamente estaba trabajando a un 20 por ciento de su contracción, edema, y otros problemas físicos relacionados. Hizo Los Códigos Curativos durante siete meses, y básicamente no pensaba que ello le hubiera hecho ningún bien en absoluto. El día antes de nuestro seminario había acudido a su chequeo anual con su cardiólogo. Tras haber realizado pruebas exhaustivas, el doctor entró en la habitación rascándose la cabeza y le dijo a este hombre, "Lo que sea que estés haciendo, no lo dejes de hacer". Su presión sanguínea era completamente normal, el edema había desaparecido, y la contracción de su músculo cardíaco se había incrementado hasta el 50 por ciento. Le retiraron medicamentos y le dijeron que esos resultados eran básicamente imposibles.

Tenemos cientos de páginas con este tipo de historias. Algunas se mencionan en este libro, pero siéntete con la libertad de checar algunas de ellas en nuestra página de Internet (www.thehealingcodebook.com). Muchos de los estudios que se llevaron a cabo en mi amigo del que comentamos arriba exploran las frecuencias de energía, como habíamos hablado al respecto con anterioridad. Cuando esas frecuencias cambian, los resultados de los estudios cambian. Cuando los resultados de los estudios cambian, los médicos terminan rascándose la cabeza y diciendo, "Esto es imposible", y, "Lo que sea que estés haciendo, no lo dejes de hacer". Toda esta curación en el organismo es el resultado de la curación de un problema de energía. Cuando la confusión, las emociones negativas, y los patrones de pensamiento destructivos que están relacionados con un asunto en particular, se curan, entonces la persona es capaz de ver la verdad, y la frecuencia de sus células regresa a un estado de equilibrio y a la salud.

Ahora conoces todos los siete Secretos. Espero que ahora entiendas el porqué tienes los problemas que tienes y que entiendas también que tienes una esperanza de que te puedes curar como nunca antes. Pero no le vamos a dejar nada a la suerte. Vamos ahora a poner en orden a todos los secretos, en la forma de cinco pasos para obtener los resultados que quieres en tu vida.

CAPÍTULO OCHO

Es Todo Acerca de los Resultados

En la película *Jerry McGuire*, Tom Cruise interpretó a un agente deportivo quien entra en una crisis profesional de la mitad de la vida. La linea de cultura pop en esa película viene de una escena memorable con su co-estelar, Cuba Gooding, Jr. Gooding caracterizaba a un gran receptor de un equipo deportivo profesional. Él intenta obtener un contrato que siente que merece pero nunca estuvo a la altura de ello. En un momento verdaderamente intenso para Cruise, Gooding le comparte su mantra como atleta profesional, el cual era, "¡Muéstrame el dinero"!. En otras palabras, hablar es fácil; ¡Yo quiero resultados! Esto es precisamente en donde esté libro comenzó. Te hice una promesa de que te "mostraría el dinero" en lo que respecta a tu salud, tu vida, y tu prosperidad. En otras palabras, "¿Cómo puedes obtener los resultados que quieres en tu vida?"

Antes de que juntemos todos nuestros cabos sueltos, una nota al margen interesante es que el personaje de Cruise en esa película le termina diciendo a su cliente atleta profesional que le mostraría el dinero cuando él comenzara a jugar con el corazón en lugar de con la cabeza. En las películas, los cuentos de hadas se vuelven realidad todo el tiempo, y ésta no fue la excepción. Gooding aprendió a jugar con el corazón, y Cruise pudo así "mostrarle el dinero" debido a eso.

Esta es una muy buena encapsulación de todo este libro. Si aprendes a vivir desde tu corazón, obtendrás los resultados que buscas en tu vida.

Esperamos que ya para ahora veas que tus problemas provienen desde el corazón, así como también las soluciones. ¿Cómo pones todo esto junto de una manera práctica para que no sea simplemente una teoría que suena bien y que tiene sentido pero que no crea ningún cambio duradero en tu vida? Prueba este pequeño ejercicio de Walt Disney.

Walt Disney era un genio en el libro de cualquiera. Era un genio en muchas áreas: animación, dibujo, los negocios, y más. Pero quizá el área más grande de su grandeza era la imaginación. Disney desarrolló un proceso en su compañía, denominado "storyboarding" (realizar un guión gráfico) que ahora es usado por todo el mundo en los corporativos de Estados Unidos, iglesias, pequeños negocios, películas, en las artes, en todo. El storyboarding es un proceso que organiza la imaginación y de esta manera la hace prácticamente utilizable.

La manera en que a mí se me enseñó el storyboarding comenzaba con hacer volar tu imaginación y escribir todo y cualquier cosa que se te venga a la mente para el tópico sobre el cual estés realizando la lluvia de ideas. Ahí es donde quiero que comiences. Vamos a liberar a tu mente. Permite que tu espíritu se eleve acerca de lo que puede ser tu vida de ahora en adelante.

Ahora, escribe aquí mismo lo que deseas, lo que necesitas, lo que buscas, lo que quieres, lo que requieres, etc. Sé tan específico como sea posible, sin ninguna limitante. Velo, siéntelo, pruébalo, tócalo, huélelo, vívelo. Una lluvia de ideas.

____

____

____

____

____

____

____

____

____

____

____

____

____

____

____

RESULTADOS

Permíteme hacerlo más difícil e imponer dos limitantes. Estas son la verdad y el amor. Ahora mira a todo lo que te vino a la mente y ve si ello encaja en el contenedor de la verdad y del amor. Si no es así, señálalo.

Esto puede variar de persona a persona. Por ejemplo, Bill Gates, antes de que llegara a ser el Bill Gates que todos conocemos, comenzó como una persona normal, no un billonario. No he tenido el placer de hacerle esta pregunta, pero quizá cuando él realizaba la lluvia de ideas, se veía siendo un billonario, así que para él, ese sueño de su imaginación estaría en el contexto de la verdad y del amor. Sin embargo, tengo la impresión de que si regresáramos en el tiempo y le preguntáramos a la Madre Teresa cuando era una joven monja si uno de los resultados que quería era el ser personalmente billonaria, habría dicho, "De ninguna manera. Esa no es mi misión. No estoy llamada a eso". Para ella, el ser billonaria no habría estado en el contexto de la verdad y del amor.

Se que puedes estarte preguntando, "¿Cómo sé cuáles son los resultados de verdad y de amor para mí?" No te va a agradar mi respuesta, pero es la única que te puedo dar y al mismo tiempo decirte la verdad. Tú lo vas a saber. Puede que no lo sepas en un día, o en una semana, ni en seis meses. Pero si sigues buscando la verdad con amor, encontrarás la respuesta a esas preguntas. Mientras limpias las memorias destructivas de tu corazón, esa visión llegará a hacerse más clara para ti. Recuerda que son nuestras memorias celulares destructivas las que hacen que creamos algo que no es verdad, las que hacen que tengamos miedo cuando no deberíamos tenerlo, y las que activan la respuestas al estrés del organismo. Así que mientras curas esas memorias celulares, encontrarás una claridad de propósito que nunca antes habías experimentado.

Este es un viaje de toda la vida, pero muchas de estas cosas ya las conoces. Por ejemplo, los resultados que quiero en mi propia vida son: Quiero ser el mejor esposo que pueda ser; Deseo ser el padre más amoroso que sea capaz de ser, para Harry y George; Quiero que todos y cada uno de los clientes con los que trabaje parta no solamente con salud, sino también sintiéndose verdaderamente atendido. Estos son los resultados más importantes en mi vida y son simples. Escuché decir en un seminario una ocasión que no importa lo que la gente diga que quiere en la vida, cuando se siguen haciendo preguntas de sondeo, lo que todos quieren es lo mismo: amor, gozo, y paz. Yo lo comprobé por medio de sondeos con mis propios clientes, preguntándoles qué era lo que querían y luego sondeando más y más a fondo hasta que llegábamos al centro de lo que realmente querían. Y todo se reduce a esas tres cosas. Por supuesto, muchas personas nunca se dan cuenta de que eso es lo que realmente quieren, lo cual es algo completamente diferente y que es un asunto del corazón en si mismo.

EL PODER DE LAS CREENCIAS

Para obtener resultados, necesitas tener poder. Tal como una aspiradora no sirve a menos de que la conectes, o un automóvil sin gasolina que no correrá, o una persona sin comida que no puede funcionar adecuadamente, tiene que haber poder antes de que cualesquier resultados puedan lograrse. Entre más grande el poder, más grandes los resultados.

Muchos años atrás, los Estados Unidos finalizaron una gran guerra al soltar dos bombas atómicas sobre Japón. Terminaron la guerra porque no había ninguna otra arma en el mundo que pudiera liberar el poder de una bomba atómica. Era un descubrimiento cuántico en las armas, y nadie que no la tuviera podía competir. Los Japoneses sabían esto, y en lugar de sufrir la aniquilación, se rindieron. Hasta ese momento, había otros países tratando de desarrollar y/o robar el secreto del poder atómico, pero los Estados Unidos lo lograron primero.

Una de las cosas fascinantes acerca del descubrimiento de la tecnología atómica es que en esencia, el poder no es producido, sino liberado. En otras palabras, el poder que arrasó con dos ciudades en 1945 estuvo justo ahí, todo el tiempo, disponible en las partículas llamadas átomos. El secreto era encontrar una manera para separar los átomos y así liberar el poder que había dentro. Por supuesto, tal liberación de poder fue tremendamente destructiva. Las plantas nucleares utilizan el mismo poder para propósitos más constructivos. El poder está disponible para cualquier propósito; el punto es que está disponible para ser aprovechado. Desde el uso destructivo del poder atómico, hemos descubierto cómo utilizarlo para buenos propósitos --para llevar energía a los hogares e incluso a algunos vehículos.

Un tremendo poder se encuentra dentro de ti el día de hoy en los "asuntos del corazón" y este puede ser constructivo o destructivo. Puede bloquear tus objetivos, tus relaciones y crear enfermedad y padecer. O puede facultarte para tener logros fantásticos, maravillosas relaciones, y una salud formidable. Tienes todas las herramientas y los recursos que necesitas para lograr los resultados que escribiste anteriormente. Solo necesitas liberar ese poder.

¿Cómo lo haces? El poder se libera por medio de la creencia.

Podemos ver este poder de la creencia en lo que se conoce en medicina como el efecto placebo, en donde a alguien se le da una pastilla de azúcar pero se le dice que es un nuevo medicamento milagroso para resolver cualesquiera que sea el problema. Lo asombroso es que muchas personas realmente tendrán el resultado deseado sin tomar nada que aparentemente pudiera lograr ese resultado. En otras palabras, ¡el problema desaparece con la pastilla de azúcar! De hecho, en una encuesta a nivel nacional de doctores de los Estados Unidos que se reportó en el 2008, la mitad de los doctores admitieron que ellos prescribían placebos. Encuestas en Dinamarca, Israel, Inglaterra,[15] Suecia y Nueva Zelanda encontraron resultados similares.

Sin hablar de ética, ¿porqué los doctores prescriben pastillas de azúcar? ¡Porque los placebos funcionan!

Hay más pruebas acerca del poder de la creencia: la otra cara de la moneda del efecto placebo, el llamado "efecto nocebo". Los doctores saben acerca de esto también: lo que sucede cuando a las personas se les da un placebo y se les alerta de los efectos negativos que podría tener. ¡Sienten esos efectos negativos! "En estudios clínicos de doble ciego de los antidepresivos, aún esos participantes que recibieron pastillas de azúcar reportaron efectos secundarios tales como malestar gastrointestinal si es que los investigadores les alertaron desde el principio acerca de que esos efectos podrían ocurrir", informa la revista Time acerca de un famoso estudio acerca del Dolor, conducido por la neurocientífica Martina Amanzio.[16]

Además, los pacientes que recibían placebos desarrollaron síntomas similares a los efectos secundarios de los medicamentos que pensaban que estaban tomando.

"Los pacientes que tomaron las pastillas de azúcar tendían a informar de problemas nocebo consistentes con el medicamento que pensaban que podrían haber ingerido. Nadie

15 "Half of Doctors Routinely Prescribe Placebos", (La Mitad de los Doctores Prescriben Placebos) The New York Times, Octubre 23, 2008 (http://www.nytimes.com/2008/10/24/health/24placebo.html?ref=health).

16 "The Flip Side of Placebos: The Nocebo Effect", (El Otro Lado de la Moneda de los Placebos: El Efecto Nocebo)John Cloud, Time, Octubre 13, 2009 (http://www.time.com/time/health/article/0,8599,1929869,00.html?iid=sphere-).

que pensara que pudo haber tomado un AINE o un triptano reportó problemas de la memoria u hormigueo, pero algunos que pensaban que podrían haber tomado anticonvulsivos si los reportaron. De igual manera, solo el grupo placebo en los estudios de AINES reporto efectos secundarios como molestias estomacales y boca seca".

Se me comentó recientemente de un estudio en el cual le habían dado a los sujetos con dolor crónico un placebo y les dijeron que era una nueva forma de morfina espectacular que podía aliviar el dolor como si fuera un milagro. De seguro, muchos de los dolores de los sujetos se esfumaron. Esto ha sucedido miles de veces antes en investigaciones de todo el mundo. Lo que nunca había escuchado es lo siguiente que hicieron en este estudio en particular. Ingresaron al interior del cuerpo para ver qué era lo que había sucedido realmente en las personas que habían tomado el placebo, y que había provocado el que su dolor desapareciera. Lo que descubrieron fue simplemente asombroso. El cuerpo había literalmente producido un equivalente natural de la morfina de alto grado, y esa era la razón por la cual el dolor había desaparecido. ¿Cómo sucedió esto? Nadie lo sabe. Lo que sabemos es que los estudios de placebos se remontan a hace más de cincuenta años y que comprueban más allá de toda sombra de duda que el cuerpo y la mente son capaces de hacer cosas que creeríamos que serian imposibles. ¿Qué es lo que produce estos notables resultados? El que la persona lo crea. No pienso que pudiera dar con mejores ejemplos acerca de cómo el creer libera el poder para nuestros resultados que esos del "efecto nocebo".

Permíteme dirigirme a otro lugar con esto. Los resultados no suceden solamente con las pastillas de azúcar y con la química del organismo. Los resultados también suceden con nuestro pensamiento, nuestros sentimientos y nuestras acciones. ¿Recuerdas la historia del pequeño estudiante Chino de karate del Secreto "¡Creo!"? El joven estudiante que rompió esos ladrillos que ningún maestro en la historia había hecho antes, estaba experimentando lo opuesto al efecto placebo. El placebo es solo un poco de poder liberado ya que crees, pero crees una mentira, y los resultados no son sostenidos. El joven estudiante de karate creyó toda la verdad --el 100 por ciento de la verdad sin un 1 por ciento de duda, miedo ni confusión. Debido a esa creencia, resultados milagrosos y algunos dirían que imposibles, ocurrieron. Esa es la diferencia entre vivir tu vida en base a memorias celulares destructivas las cuales contienen mentiras, contra el vivir tu vida creyendo la verdad.

LA SORPRENDENTE VERDAD ACERCA DE LAS "AFIRMACIONES"

Tengo que detenerme aquí un momento para tratar el tema de las afirmaciones. Desde hace varias décadas, y en mayor medida durante los últimos veinte años, el mundo de la autoayuda ha estado en auge con las afirmaciones. Muchos "gurús" se han vuelto ricos al enseñarle a las personas que todo lo que tienen que hacer para obtener todo lo que quieran es creer, y que la afirmación correcta creará la creencia y "mágicamente" les traerá el auto nuevo, los millones de dólares, el amor de sus vidas, o incluso la curación física.

El problema es que casi nunca funciona. Buenas personas gastan miles de dólares y décadas de sus vidas en esta práctica basada en el "placebo" y terminan en un círculo vicioso que los deja desilusionados, más pobres y frecuentemente quedándose sin tiempo.

Durante casi dos años realicé pruebas con estos tipos de afirmaciones de "nómbralo y afírmalo". Conecté a las personas a una HRV (la prueba médica para el estrés) y los puse a decir afirmaciones tales como, "Mi nuevo auto está en camino hacia mí", o, "Mi cáncer se está curando ahora mismo".

¿Adivina qué? Casi todas las veces, su HRV se iba a pique --lo que significaba un nuevo estrés masivo al decir esa afirmación. Y recuerda, el estrés es la causa de casi cualquier cosa mala que conocemos. Yo estaba muy emocionado cuando un nuevo estudio de la Universidad de Waterloo en Canadá en el año 2009 realizó pruebas con las afirmaciones. Este fue el encabezado de las noticias por todo el mundo. Los resultados fueron que para la gran mayoría de personas, este tipo de afirmaciones no solo no funcionan, sino que empeoran las cosas.

Esa es la razón por la que durante tantos años, he defendido lo que llamo los "enunciados de enfoque en la verdad". Si, son positivos, pero son cosas que realmente las crees. Así, en lugar de "mi cáncer se está curando", cuando realmente no lo crees, el enunciado de enfoque en la verdad podría ser, "Quiero que mi cáncer se cure, creo que puede hacerlo, y le pido a Dios que me ayude con esto". Cuando las personas dicen un enunciado de enfoque en la verdad mientras están conectados a una HRV, su estrés tiende a disminuir. ¿Cuál es la diferencia? La misma diferencia que entre un placebo y algo real. Un enunciado que lo crees, y es positivo. El otro enunciado no lo crees --así que para tu corazón estás diciendo una mentira.

LA CREENCIA Y LA CONDUCTA

Siempre hacemos lo que creemos, y todo lo que hacemos, lo hacemos por algo que creemos. Si tú haces algo que no quieres hacer, es porque tienes una creencia equivocada. Para cambiar la conducta no deseada, tienes que cambiar la creencia. El efecto placebo parece ilustrar bien esto mismo, pero lamento decir que hay un problema. Otra verdad universal acerca del efecto placebo es que el resultado deseado casi nunca es sostenido. Lo que significa eso es que tendrás una "llamarada de petate" del resultado que quieres en tu vida o en tu salud, pero que no durará. Por eso, el efecto placebo puede en realidad ser muy peligroso. Cientos de millones de dólares se gastan cada año por el hecho de que algo suene bien. Cuando las personas lo prueban piensan que tienen algún beneficio, pero no sucede un cambio permanente. No obstante, ya que sintieron algún beneficio de la pastilla, o del programa que haya sido, pueden seguirlo intentando mes tras mes, año tras año para hacer que algo suceda en sus vidas sin que tenga el poder para realmente hacer que eso suceda.

¿Porqué los resultados placebo no son sostenidos? Es simple, si piensas en ello: debido a que las personas no creen la verdad. Están creyendo que una pastilla de azúcar es un medicamento milagroso. Sin embargo, aunque lo crean así, sigue sin ser verdad. A fin de que los resultados sean sostenidos, tiene que haber un poder sostenido.

No puedes simplemente conectar la aspiradora a la toma de corriente durante treinta segundos y tener limpia tu alfombra. Tienes que mantenerla conectada. El poder sostenido solamente ocurre por medio de creer toda la verdad. Es un punto sorprendente el hecho de que literalmente creer cualquier cosa liberará algo de poder. Tan loco como parece, inclusive una mentira liberará algo de poder. Eso es lo que hace a este fenómeno extremadamente peligroso. Es sencillo el ser seducido por un poco de poder o por la probadita de un resultado que tanto anhelamos, especialmente cuando estamos enfermos o que de alguna manera tenemos una necesidad. Nos aferramos a eso y somos arrojados a un pozo oscuro. Ahora la mentira nos tiene. ¿Cómo sales del pozo? Al rechazar la mentira y abrazar la verdad, toda la verdad, y nada más que la verdad. Eso no es tan fácil como suena, debido a que cuando estás abrazando la mentira, tenderás a estar confundido. Más sobre la confusión enseguida.

CREE LA VERDAD Y CAMBIA LA REALIDAD

Algo interesante de la física cuántica (el poder atómico se encuentra entrelazado con la física cuántica) es que en la física cuántica, la realidad cambia por la manera en la cual la mires. En otras palabras, tú puedes literalmente cambiar el acomodo físico de las partículas y la realidad física dependiendo del ángulo desde el cual mires u observes unas pequeñas partículas. El ángulo desde el cual mires a algo viene determinado por lo que crees. Como hemos estado diciendo a lo largo de todo el libro, si puedes llegar a un sitio en el cual estés viendo a tu propia vida en la verdad y en el amor, ello cambiará absolutamente tu realidad y tus resultados.

Y así, el creer la verdad en el amor acerca de tu vida liberará el poder que producirá los resultados ... los mejores resultados ... los más que mejores resultados. Estamos hablando de la salud, la prosperidad, las relaciones íntimas, la satisfacción, y por supuesto, del amor, el gozo, y de la paz. Ahora, ¿qué resultados tendrás? Solamente tú y Dios pueden responder a esa pregunta. Verás, yo no sé si tú eres Bill Gates o la Madre Teresa. Quizá tú no lo sabes. Pero si limpias la basura que haya en tu corazón, sabrás cuál es tu misión, tu destino.

Entonces, ¿Cómo creer la verdad en el amor? Todo comienza con la auténtica ...VERDAD. Pero en ocasiones tienes que cruzar por el bosque de mentiras para llegar a ella.

CÓMO ES QUE LA CONFUSIÓN BLOQUEA A LA VERDAD

El paso número uno debería ser el curar tus memorias destructivas del corazón. ¿Por qué? Debido a que esas hacen que creas en algo que no es verdad. ¿Cómo se le llama a eso? Confusión. ¿Cuál es el resultado de la confusión? Tomar el camino equivocado. Creer en la verdad nos da la sensación de "¡Sé que esto es lo correcto!" pero cuando creemos en algo que no es la verdad, nos confundimos y no sabemos cuál dirección tomar.

La confusión es provocada por tres cosas. La número uno son las memorias celulares que están en conflicto unas con otras. En otras palabras, tienes voces del pasado que te dicen que hacer, pero las voces te dicen cosas diferentes al mismo tiempo. La número dos es el conflicto entre la mente consciente y la inconsciente (lo que llamamos la cabeza y el corazón --ver el Secreto #7, Cuando la Cabeza y el Corazón Entran en Conflicto). La causa número tres de confusión es el hecho de que estás "aturdido" por el estrés (ver el Secreto #1). El estrés disminuye o apaga nuestro razonamiento racional. Ya que el 90 por ciento de nosotros andamos caminando con algún grado de estrés fisiológico, nuestra habilidad para pensar de manera clara y correcta disminuye al grado en el cual estemos en estrés.

¿Ahora mismo te encuentras confundido? Si es así, ¿cuáles de las tres causas tienes? Muchas personas tienen a las tres operando al mismo tiempo.

En nuestro hogar, tenemos un enorme librero cerrado que mis padres habían enviado desde Hong Kong, pieza por pieza. Ocupa toda una pared en nuestra sala. Las personas que acuden a visitarnos frecuentemente saben de mis antecedentes en la psicología, así que miran en los libros de mis estantes y dicen, "¡Wow, has leído miles de libros!" Tengo que ser honesto y decirles que probablemente no he leído ni tres libros de ese librero. Tracey leyó todos esos libros y muchos más durante los doce años en los que desesperada buscaba el alivio de la depresión. No sé cuántas veces en esos años vi a Tracey leyendo un libro o escuchando un libro en la grabadora, o acudiendo a una conferencia, y yo me emocionaba pensando que quizás eso sería lo que llevaría la verdad al corazón de Tracey y lo que rompería las ataduras de su depresión.

Lo que sucedía, y que debe haber sucedido unas quinientas veces durante esos años, es que cuando yo le preguntaba a Tracey qué tal estaba su libro, o si estaba aprendiendo algo, su respuesta era idéntica todas y cada una de las veces. Tres palabras: "No lo entiendo".

Muchas veces le pedía que fuera más clara. ¿Quieres decir que no le entiendes? Tracey me contestaba: "Por supuesto que le entiendo. He leído el mismo párrafo cuatro veces --puedo decirlo de memoria. Simplemente que no lo entiendo. No hace ninguna diferencia en mi vida". ¡Esto viniendo de una mujer con un IQ de 129! Este fue para mí, uno de los grandes misterios de los primeros doce años de nuestro matrimonio, ya que muchas de esas cosas a las cuales Tracey estaba exponiendo a su mente eran maravillosas y fabulosas verdades. Estaba leyendo ella las palabras de sabiduría de muchas de las más grandes mentes de nuestro tiempo, así como también la sabiduría de la Biblia, de la Madre Teresa, y más. ¿Cómo que no podía entender esto? ¿Cómo es que esto no hacía ninguna diferencia? ¿Cómo era que esto no se aplicaba a su vida? ¡Todo aplicaba a su vida! ¿Porqué ella no podía ver esto?

Una vez que aprendí las verdades que se encuentran en este libro que ahora tienes entre tus manos, pude entender. La respuesta era que ella no podía ver la verdad. Se encontraba en un estado tal de confusión debido a todas las falsedades y mentiras que había en su corazón (y recuerda que cuando el corazón y la cabeza entran en conflicto, el corazón es el que gana) que no podía entender la verdad. Ahora, ¿ella también tenía creencias verdaderas en su corazón? ¡Por supuesto! Montones de ellas. Pero eso es exactamente lo que sucede cuando tienes verdades y mentiras (en las cuales crees en alguna medida) que están en conflicto en tu corazón. Ambas parecen ser ciertas a un cierto nivel. Ello provoca confusión. Podemos sentirnos mejor acerca de una alternativa que con otra, pero aún estamos confundidos y no muy seguros.

LA PRUEBA DE LA PAZ

¿Cuál es la prueba de fuego para esta confusión? Es la paz, o la ausencia de la paz. Si tengo paz acerca de una cierta creencia o un cierto curso de acción, ese es el indicador de que estoy creyendo la paz en el amor. Si tengo ansiedad, tristeza, confusión, remordimientos, una molesta sensación en mi pecho, o en la boca del estómago, entonces tengo algo en mi corazón lo cual estoy creyendo y que está interfiriendo con mi capacidad para creer la real y completa verdad. En otras palabras, no estoy creyendo la verdad en el amor y no tendré los resultados que deseo.

Tengo que decir una cosa más acerca de la paz de la cual hemos estado hablando. Muchas personas confunden a la paz con dos cosas diferentes. Una es un sentido de felicidad y contento porque "las cosas van como quiero". Esto no es paz. Son circunstancias afortunadas. ¿Cómo sabes con cuál estás tratando? ¿Tienes esa paz aún si las circunstancias se vuelven en tu contra, o te desplomas hacia la confusión, la depresión y la ansiedad? La verdadera paz no depende de las circunstancias.

La segunda cosa con la cual las personas confunden a la paz, es con el sentirse aturdidos. "No siento confusión, no siento ansiedad, no siento miedo, no siento dolor ... ¡No siento nada!" Esto tampoco es tener paz. Generalmente es la evidencia de memorias celulares destructivas en cantidades masivas, tan masivas que tu corazón ha desconectado tu "antena" para que puedas sobrevivir ya que todo lo que estabas sintiendo te estaba causando mucho dolor.

EL PODER DE LA VERDAD COMPLETA

Para obtener los resultados que prometí al inicio del libro, tienes que creer en la verdad.

Cuando era niño, fui a ver una película que definitivamente me encantó. Era una de las mejores películas que había visto hasta ese momento de mi vida. Inmediatamente llegué a casa y salté del techo con una sombrilla. No, no quería suicidarme; simplemente que acababa de ver Mary Poppins. Obviamente, después de ver a Julie Andrews volar por el aire con su sombrilla, yo creí que también podría hacerlo. ¿Quieres alguna evidencia de que sí me lo creía? ¡Brinqué del techo! Todo lo que hacemos es debido a algo en lo cual creemos. Me hubiera sido imposible el brincar del techo si no hubiera creído que no me iba a pasar nada. Yo honesta y verdaderamente creía que podía volar con esa sombrilla, pero eso no me dio el resultado que quería de volar por los aires. La única manera de obtener los resultados es al creer lo que es verdad.

Dirás, "Espera un minuto, pensé que el poder se liberaba cuando creías en algo, inclusive si no fuera cierto. Entonces ¿dónde está el poder en la historia de cuando brincaste del techo?" Número uno, en mi corazón. En el momento en que salté del techo, me sentí como Superman --y no había tomado ninguna pastilla. Era fuerte, era libre, estaba lleno de emoción ... ¡eso es poder! Número dos, brinqué. Si hicieras una fila de cien niños de mi edad y los pusieras en el techo, y que después les pidieras que brincaran, ¿cuántos crees que realmente brincarían? ¡Probablemente ninguno! Incluso si sacaras tu billetera o unos dulces o videos y trataras de sobornarlos, aún así probablemente no brincarían. Mi punto es que se requiere una cantidad enorme de poder para que un niño pequeño haga algo en contra de cada onza de instinto de supervivencia a fin de hacer algo que en su corazón lo tiene por hacer. Eso es poder, y esos son resultados. El problema es, que yo no obtuve los resultados que quería, y que por supuesto, los resultados no fueron sostenidos.

Así que yo tenía un trozo de verdad, la cual fue que acudí a ver esta película y vi a alguien más volando con sombrillas, pero omití la parte de que el volar desde los techos desafía la estricta regla de la naturaleza llamada gravedad. Si en lugar de llegar a casa del cine e inmediatamente brincar, hubiera obtenido más información y hubiera sabido la verdad, estoy seguro de que no habría brincado. ¿Cómo hubiera sido? Habría buscado lo que era la luz, la gravedad y el caer en nuestra enciclopedia. Ciertamente les hubiera pedido su opinión a mis padres, y si hubiera estado muy desesperado, hasta a mi hermano mayor. Pude haber ido al jardín de niños al día siguiente y le hubiera preguntado a la maestra si ella ya había visto la película y lo que pensaba acerca de brincar del techo. Captas la idea. Hubiese tenido en mi corazón suficiente información nueva que era verdad para así no tener la otra mentira en mi corazón ni el potencial para dañarme a mí mismo de mala manera.

EL INGREDIENTE QUE FALTABA

Puede que ya para ahora te hayas imaginado que hay algo que falta. Así que vamos a hacer una pequeña revisión. El número uno es que necesitamos conocer los resultados que deseamos. El número dos, es que se requiere poder para lograr esos resultados. El número tres es que el creer libera poder. Y el número cuatro es que debemos creer la verdad para así obtener los resultados sostenidos que queremos. ¿Entonces qué es eso que falta? Es como con las tres palabras de Tracey. ¿Las recuerdas?: "No lo entiendo". En otras palabras, podemos tener toda la verdad que necesitamos para lograr nuestros resultados sostenidos, pero aún así no liberar ningún poder. Esto es lo que estaba sucediendo con Tracey hasta la primavera del 2001. Este es el mayor problema de todo el libro. La mayoría de las personas tienen acceso a más verdad que nunca antes, especialmente en esta era del Internet. Eso debiera significar resultados más sostenidos que nunca antes, pero eso no es lo que está sucediendo. Si, vivimos tanto como la gente siempre ha vivido, y en muchos casos mucho más. Sin embargo, nos estamos volviendo más y más enfermizos.

La otra noche tuve una llamada de un hombre, el cual tenía un hijo pequeño que había estado luchando contra el asma durante años. Me estaba contando cómo era que en las clases de su hijo había muchos otros niños que también batallaban contra el asma, y no solamente en su salón, sino en todos los salones de la escuela. Puede que no lo sepas, pero hace algunos años, el asma era muy rara. Ahora es algo común. Hace algunos años, el TDA (Trastorno por Déficit de Atención) y el TDAH (Trastorno por Déficit de Atención e Hiperactividad) no eran términos que siquiera escucháramos. Hoy son un problema mayor en cada escuela del mundo. En 1971 el presidente Richard Nixon le declaró la guerra al cáncer. En ese tiempo, el cáncer era la 8a ó 9a causa de muerte en los Estados Unidos. A partir del 2009, el cáncer es la segunda causa de muerte en los Estados Unidos (le sigue a las enfermedades cardíacas). Estamos perdiendo la guerra, y no solo ante los padecimientos físicos. Los padecimientos mentales han ido al alza durante años. Escuché recientemente de boca de una mujer, que casi todas las mujeres de su clase de Biblia para mujeres se encuentran tomando medicamentos antidepresivos o ansiolíticos. Hasta hace poco, el Valium era el medicamento recetado número uno de todos los tiempos. Las relaciones parecen desechables de una manera en la que hubieran sido un estigma para la comunidad años atrás.

¿Cómo puede ser que esté sucediendo esto cuando estamos logrando tantos avances médicos? Para ahora ya lo debieras saber ---porque a que esos avances no tienen nada que ver con el origen del problema. El origen son las memorias celulares destructivas. La sociedad nos inunda a diario con imágenes negativas en la televisión, en las películas, las revistas, y los periódicos, pero la mayor parte del tiempo ni nos damos cuenta de ello.

Vi el anuncio para una película hace poco y las viñetas que se suponen son para hacer que quieras ir a ver la película, decían: "Sexo, Asesinato, Traición, Engaño". ¿Adivina qué? Esas son las cosas que generan memorias celulares que bloquean tus resultados y que te enferman. Ver una buena película puede infundir en nosotros memorias saludables, de curación, de verdad, y de igual forma una mala película puede dañarnos.

Pero volviendo a lo que hacía falta. La clave para creer la verdad es el ENTENDIMIENTO.

EL ENTENDIMIENTO Y LA VERDAD COMPLETA

Recuerdas la investigación del Dr. Bruce Lipton de la Escuela de Medicina de la Universidad de Stanford de que el 100 por ciento de las veces la causa del estrés que nos enferma es una creencia equivocada. ¿Qué es una creencia equivocada? Es el creer algo que no es verdad. Es más exacto llamarle un "malentendido de la verdad". En casi todas las memorias destructivas, hay algo de verdad. Mi cliente del Secreto #5 que fue violada tenía muchas cosas que eran verdad en su recuerdo (memoria) de la violación. De hecho, la mayoría de lo que recordaba era verdad. Lo principal que no era verdad era su interpretación de lo que significó la violación, en este caso, "No valgo nada; Nunca estoy a salvo; nadie me volverá a ver de la misma manera". De alguna forma ella miraba el hecho y la verdad de lo que le sucedió pero llegaba a una conclusión equivocada. Ella malinterpretaba la verdad. En la historia de la paleta, la gran mayoría de lo que creía la dulce mujer también era cierto. Su mamá le dijo que ella no podía tener una paleta, el que su mamá le dio paleta a su hermana. Que su mamá le dijo que si comía bien entonces ella podría tener una paleta también, pero a pesar de eso, ella lo malentendió, lo malinterpretó y llegó a una conclusión equivocada. Sus conclusiones fueron muy similares a las de la mujer que fue violada: "No soy digna de amar; No valgo nada; hay algo malo en mí". La falta de poder y de los resultados en las vidas de las dos mujeres también eran similares. Eran mucho más intensificados en la mujer que fue violada, sí, pero las creencias subyacentes eran muy similares.

En los tres casos, el de Tracey con su depresión, el de la mujer que fue violada, y el de la mujer con la historia de la paleta, una vez que curaron las mentiras de sus corazones, fueron capaces de entender la verdad. Creyeron, y el poder se liberó, y todas ellas han tenido resultados sostenidos desde entonces.

A primera vista, puede parecer como una tarea descomunal el tener que encontrar toda la verdad acerca de cualquier asunto antes de que puedas tener resultados sostenidos en eso. No te desesperes; no es tan difícil. Si tenemos un corazón relativamente limpio, frecuentemente sabremos la verdad en nuestros corazones en cuanto la veamos o la escuchemos. Ella resonará y la sentiremos en lo más profundo de quienes realmente somos. Eso es así porque tenemos un mecanismo en nuestro interior, llamado la "conciencia". Su único propósito es el ayudarnos a encontrar estas verdades. Sin embargo, cuando hay demasiadas mentiras en el corazón, en relación con algún tema dado, la voz de la conciencia se ahoga o cuando menos se confunde con las voces que compiten con ella y que no están de acuerdo. La clave es limpiar los malentendidos del corazón que se encuentran en nuestras memorias celulares.

Hasta hace poco, esto era una simple perspectiva. La gente duraba años en terapia o en consejería, y como Tracey, compraban toda una librería de libros de auto-ayuda, generalmente con poco éxito. Esto es así debido a que hemos estado tratando de curar estas memorias celulares con herramientas que no son capaces de curarlas. Desde el 2001, con el descubrimiento de Los Códigos Curativos, ahora tenemos una herramienta sencilla que curará de manera predecible y consistente la raíz, en lugar de solo tratar los síntomas. Más acerca de Los Códigos Curativos en el siguiente capítulo.

EL LUGAR DE LA ORACIÓN

No quiero dejar la impresión de que antes de que se descubrieran a Los Códigos Curativos, los asuntos del corazón no podían curarse.

Lo que cura los asuntos del corazón es el reemplazar esas mentiras con la verdad, y esto es ciertamente lo que se encuentra en el corazón de la oración y de lo que enseña la Biblia. El problema es que, incluso pocos Cristianos siguen realmente este proceso de permitirle a Dios que cure la basura del corazón reemplazando las mentiras con la verdad. El Código Curativo no funciona al nivel de la oración, ni es un reemplazo para esta. Está más en el nivel y el reemplazo de las estrategias para afrontar cosas, que se mencionaron anteriormente. El Código Curativo, como hemos demostrado, funciona mucho mejor ya que cura el origen, en lugar de hacerle frente o aliviar a los síntomas. El Código Curativo trabaja con la oración, como lo verás en el capítulo siguiente. Yo siempre rezo antes de hacer cualquier cosa, le pido a Dios que trabaje por los medios que Él elija --incluyendo Los Códigos Curativos.

Ahora, vamos a darles un vistazo a todos los cinco pasos para obtener los resultados que quieres, y que te prometí en el primer capítulo del libro: Resultados, Poder, Creencia, Entendimiento, Verdad. Si tienes el valor para aplicar estos pasos a eso que deseas cambiar en tu vida, lograrás los resultados que buscas.

¿Eso significa que cualquier resultado que sea el que decidas que quieres antes de comenzar el proceso será el resultado exacto con el que terminarás? No, no es así. Significa que obtendrás el mejor resultado, quizá uno que ni siquiera seas capaz de imaginar ahora.

SEA USTED EL JUEZ

Bien. Es tiempo de que tú juzgues. Te hicimos una promesa al comienzo del libro, y creemos que la hemos cumplido. Esperamos que puedas ver que sería muy difícil para ti el tener algún problema el cual este modelo de curación no pudiera tratar. Si tienes problemas de las relaciones, es porque alguien no está entendiendo la verdad acerca de la relación, acerca de la vida, de las circunstancias o acerca de ellos mismos. Pero los asuntos que causan estos problemas pueden ser aclarados por el entendimiento de la verdad.

Si tienes algún problema financiero, profesional o de algún logro en tu vida, te podemos garantizar que lo que ha estado bloqueando tu éxito es un mal entendimiento de la verdad. Ello nos hace que no hagamos las cosas que resultarán en logros y éxito, y que hagamos las cosas que tenderán a sabotear nuestros resultados. En otras palabras, que estamos creyendo una mentira que nos roba el poder que necesitamos para tener éxito.

Y, por supuesto, si tienes un problema de salud, según las últimas y más grandes investigaciones de nuestras más grandes mentes y escuelas de medicina, creer algo que no es verdad siempre está en la raíz de los problemas de salud. Ello dispara la respuesta al estrés en el organismo, cierra nuestras células, y terminamos enfermándonos.

Entonces, si hemos hecho valer nuestra promesa y ves esperanza para tu situación, tu problema, o para alcanzar tu sueño, entonces te desafiamos a que tomes el paso final y pases una página más para aprender acerca del mecanismo que puede crear una nueva base para tu vida, tu salud y tu prosperidad. En la Parte Dos, vamos a poner todo junto para mostrarte exactamente cómo curar el estrés que está causando tus problemas --tanto el estrés inconsciente de las memorias celulares dañinas, como el estrés consciente proveniente de las circunstancias. Puedes comenzar a cambiar tu vida antes de que termine el día.

PARTE DOS

Las Soluciones:
Cómo Curar Virtualmente Cualquier Asunto de Salud, de las Relaciones o del Éxito

CAPÍTULO NUEVE

¿Qué Es un Código Curativo?

Una de las áreas más populares y con mayor publicación de la autoayuda durante los últimos cuarenta años, es el área del pensamiento positivo, la intención, el afrontar, etc. Mientras de que existe un elemento de verdad en casi todos estos abordajes de los problemas, también hay un elemento crítico que les falta. Ya he hablado acerca de la biblioteca de libros de psicología y de autoayuda de nuestra sala; casi cualquier autor de autoayuda popular que puedas nombrar ha estado en la biblioteca de Tracey. Más que eso, Tracey, siendo lo perfeccionista que es, probó cada programa, técnica, o aparato de curación al pie de la letra. Siempre seguía estando deprimida.

Puede que estés tentado a pensar que esta es una situación aislada. Sin embargo, durante mis años de práctica privada en la terapia y consejería, realicé una encuesta no oficial con mis clientes para llegar al meollo del asunto. Estos eran clientes con problemas que iban desde enfermedades y padecimientos mayores, a padecimientos mentales graves, a peleas en las relaciones hasta todo tipo de adicciones. Le hacía a mis clientes dos preguntas.

La primera pregunta era: "¿Qué debieras estar haciendo de diferente en relación a tu problema?" De los varios cientos de personas a las que les pregunté, solamente dos no sabían la respuesta correcta. Una era esquizofrénica y la otra era un adolescente rebelde de quien estoy seguro que sabía la respuesta correcta pero que no me la iba a decir.

La segunda pregunta era: "¿Porqué no lo estás haciendo?" La respuesta de todos caía en una de dos categorías: "No sé como" o "No puedo". Todas estas personas ---repito, todas estas personas--- estaban intentando tan fuerte como ellas podían para superar su problema, o lo habían intentado en algún momento en el pasado, pero finalmente habían llegado a la desesperación. Este hallazgo no es aislado. Cualquier consejero o terapeuta que se precie de serlo te dirá acerca de este fenómeno.

Entonces, ¿cuál es la razón de que estos libros, técnicas y programas de ventas multimillonarias, no parecen funcionar para las personas que tan desesperadamente necesitan de ellas? Como con la mayoría de las verdades, la respuesta aquí es muy simple. Ninguna de esas cosas tiene la capacidad para curar el origen del problema. ¿Cuáles son mis pruebas? Si lo hicieran, los problemas serían solucionados --no en solo unos cuantos casos, sino de manera predecible y consistente, tanto los asuntos físicos como los no físicos.

¿Cómo se qué eso siquiera existe en el campo de la posibilidad? Primero que todo, porque según la teoría y las investigaciones, la curación completa es lo que debiera suceder (recuerda los Secretos 1, 2, y 3), aunque en la historia, nunca hemos contado con el mecanismo para hacer que eso suceda. Lo que es más importante, eso es lo que ha sido nuestra experiencia con Los Códigos Curativos desde su descubrimiento en la primavera del 2001.

En el Capítulo Dos, leíste varios testimonios de personas que han sido curadas. Aquí incluimos más para mostrarte lo que es posible. Estas historias no fueron solicitadas; llegaron provenientes desde las vidas que han sido cambiadas durante los últimos ocho años o más de los 50 estados y de 90 países. En cualquier momento en que estés listo para llegar a la parte del "qué" y del "cómo" de este capítulo, simplemente dirígete a la página 202 y comienza.

Sin embargo, antes de que lo hagas, te recomendaríamos mucho que al menos eches un vistazo por las páginas siguientes. ¿Porqué? Estas son personas reales, como tú. Hombres, mujeres, ancianos, jóvenes, enfermos, sanos, con esperanza, sin esperanza ---todas ellas personas que estaban buscando al igual que tú lo estás (o si no, no estuvieras leyendo esto). Incluso tenemos testimonios acerca de mascotas y animales que han tenido curaciones milagrosas. Tenemos la esperanza de que te encuentres a ti mismo en las pocas páginas siguientes, y que eso te de la esperanza para tomar acciones antes de que otro día irreparable se vaya.

A propósito, verás en este libro referencias a "Los Códigos Curativos" o "El Código Curativo" (singular o plural). "Los Códigos Curativos" son un sistema que utiliza Códigos específicos para asuntos específicos, cubriendo cualquier asunto que puedas tener alguna vez en tu vida. El Código Curativo es el "Código Curativo Universal" que hemos descubierto a lo largo de años de pruebas, que funciona para casi todos y para casi cualquier asunto. Ambas cosas se basan en el mismo procedimiento y ambas tratan los asuntos subyacentes del corazón. Los testimonios son de personas que han utilizado ya sea el sistema o El Código Curativo que se encuentra en este libro.

LOS CÓDIGOS CURATIVOS EN ACCIÓN: TESTIMONIOS DE LOS USUARIOS [17]

La Falta de Perdón

Estaba de vacaciones en la Costa Este, lejos de mi esposo. Empezar Los Códigos Curativos realmente me había hecho mucho bien. Me sentía en general, diferente, incluso eufórica la mayoría del tiempo.

17 Para los testimonios en video, visita nuestro sitio web en www.thehealingcodebook.com

Sentía tanto amor por todos. Sentía diferente a cada una de las personas a las que visitaba. Las veía en una nueva luz. Por mucho tiempo había tenido asuntos de falta de perdón con mi esposo. Era una calificación de "10" la de mis emociones negativas hacia él. Mientras el regreso a casa, con él, se acercaba, este asunto se cernía sobre mí. Decidí volverme a enfocar en la falta de perdón con este asunto en mente. Cuando llegué a casa, mi esposo y yo nos sentamos a platicar ¡Y mis emociones negativas se habían ido! Estaba asombrada ya que tenía años pensando que eso no podía cambiar. ¡Este asunto ahora es un 0! —Tena

Miedo Infantil acerca de la Muerte de los Padres

Mi hija Kelsey tiene diez años de edad. Desde que puedo acordarme, siempre ha sido insegura. Siempre necesitando mucha atención y, básicamente, muy apegada. Se había vuelto insoportable durante los últimos cinco o seis meses. A mi esposo y a mí se nos habían agotado las ideas y no sabíamos qué hacer. Kelsey había estado obsesionada con la muerte durante mucho tiempo. Tenía pesadillas, había noches que no dormía, se pasaba los días llorando, incapaz de ir a la escuela y pasándola terriblemente mal debido a que pensaba que mi esposo o yo nos íbamos a morir.

Mi cuñada nos animó a probar Los Códigos Curativos en ella. Yo no estaba segura como abordarlo con mi hija, y traté de mantenerlo muy simple. Ella parecía muy abierta, así que le pedí que dibujara una de las imágenes que le había estado perturbando. Lo hizo, comenzó a llorar y la calificó con un 10. Eligió sus enunciados de la verdad y yo empecé a hacer Los Códigos para la paz en ella. Comenzó a respirar profundamente, y a relajarse de inmediato. No pensé que se sentara quieta ya que generalmente es muy nerviosa. Simplemente se sentó ahí, relajada. Cuando terminamos realmente estaba muy cambiada. Yo estaba tan emocionada. Dijo que su imagen (memoria o recuerdo) era casi un 0 y ella se veía tan feliz. Me pidió que lo siguiera haciendo. La siguiente vez eligió una imagen diferente y también la calificó como un 10. De nuevo, otra vez dijo que la imagen ya no le molestaba. Ya no tiene más imágenes así, y se siente genial. Es una pequeña niña muy diferente. Alabado sea Dios por Los Códigos Curativos. He sido testigo de un milagro en mi hija. — Sue

Escoliosis y Dolor Crónico

He tenido escoliosis desde que tenía siete años, y usé un corset durante casi cinco años. Para cuando alcancé mis veintes, ya tenía dolor crónico. A lo largo de los años, he hecho trabajo quiropráctico, yoga, trabajo corporal, tomado suplementos alimenticios, y la lista continúa. Siempre el alivio era muy momentáneo. Creo que nunca manejé ni procesé muy bien el estrés, así que todo en mi mundo exterior era un disparador y me hacía sentir agobiada. Desde la primera vez que hice un Código, sentí resultados dramáticos. Primero sentí esta profunda relajación y un sentimiento de paz. Todo el dolor de mi cuerpo se había ido, y me sentía mucho más ligera y más en calma, más enfocada y con fluidez en mis movimientos corporales. Han sido treinta años los que he tenido este dolor en el cuerpo, y ahora estoy libre de eso.

He estado haciendo Los Códigos Curativos por casi ya dos meses y medio. Mis pulmones se están aclarando, hay mucha desintoxicación, y mi espina dorsal se está enderezando. Algunos de los huesos que se habían fusionado por el estrés de la escoliosis están ahora comenzando a abrirse. ¡Cambios enormes! Había estado trabajando tres días a la semana debido a que no podía soportarlo más, y me tomaba casi tres días para recuperarme. Ahora llego a casa después de tres días de trabajo y me siento genial. Estoy lista para disfrutar la vida, y parece que manejo el estrés de manera muy diferente. Dr. Loyd, gracias por la maravillosa técnica de auto-curación, y gracias por compartirla con todos. — Katherine

Recuperación de la funcionalidad después de años de cirugía

Mi esposo y yo hemos estado haciendo juntos Los Códigos Curativos por casi ya tres meses. Encontramos que no solamente nos sentimos mucho mejor en general, también estamos más felices, más abiertos, y más confiados de lo que éramos antes. Incluso después de quince años de matrimonio todavía hay mucho que tenemos que aprender y hacer juntos. Mi esposo tuvo una batalla contra el cáncer hace casi tres años y medio a cuatro. Fue sometido a una cirugía mayor en el lado izquierdo de su rostro y también sufrió con la radiación. Perdió sensibilidad y la capacidad de producir saliva, y perdió mucho del sentido del gusto. Esas cosas ahora están volviendo. Tiene sensaciones en el lado izquierdo de su cabeza, y es capaz de saborear cosas que antes no fue capaz de hacer durante años. La resequedad de la boca se le está retirando. ¡Juro que le está creciendo pelo en la parte superior de su cabeza calva! Los doctores habían dicho que había mejorado mucho. Pero con Los Códigos, ha mejorado aún más, y realmente estamos emocionados con ello. Nos sentimos muy bendecidos. — Marilyn

Curación emocional y conductual (Adicción)

Yo sabía que Los Códigos Curativos se usaban al principio para asuntos emocionales, y que posteriormente descubrías que también funcionaban con asuntos físicos. Compré los Códigos para utilizarlos para un problema físico. La ironía ha sido el ver que entre más diligentemente hago los Códigos para mi problema físico, más curación emocional tengo. He sido parte y también he recibido excelente consejo de parte de un grupo de 12 pasos (semejante a alcohólicos anónimos). Aunque sé que he tenido mucha curación de estas modalidades, Los Códigos Curativos han hecho para mí que la conducta saludable pase de un proceso de pensamiento consciente, a un comportamiento automático. Es todo un nuevo nivel de libertad por el cual estoy muy agradecido. — Jamie

Insomnio

Permítanme decir lo feliz que estoy con los Códigos. Casi de forma instantánea cambié mi patrón de sueño. Había tenido problemas con el insomnio intermitentemente toda mi vida, y ahora duermo mejor y más profundo que nunca antes. Sigo haciendo los Códigos y confío en que esto también curará otros problemas que tengo. — Helle

Dolor Extremo (Neuralgia del Trigémino)

Por casi ocho años he tenido dolor provocado por una afección llamada neuralgia trigeminal. Este es un dolor facial extremo que aparece al comer, hablar, cepillarse los dientes, tocarse ... o simplemente por una ligera brisa sobre la mejilla. En ocasiones estaba sencillamente recostado en perfecta calma y tenía un dolor facial agudo y lancinante repetitivo. Incluso cuando no tenía el dolor, vivía constantemente en un miedo/expectación por cuando las siguientes series de dolores aparecerían.

Después de solo dos semanas de usar los Códigos Curativos, sentí que había una disminución del dolor, tanto en intensidad como en frecuencia. En una semana más, estuve un día y medio sin dolor ... y después experimenté una continua reducción gradual en la intensidad y frecuencia del dolor. Ya son dos meses desde que comencé, y estoy emocionado al decirle al mundo que durante toda la semana pasada estuve libre del dolor. ¡Esto es tan maravilloso! ¡seguiré haciendo los Códigos diariamente por el resto de mi vida!! ¡Gracias a todos! — Sarah

Lesión de Espalda y Migrañas

Me lastimé la espalda muy gravemente al levantar una caja de herramientas que ya sabía que estaba demasiado pesada. Después de un par de días, el dolor en mi espalda se había vuelto verdaderamente insoportable, y me corría hacia la pierna. Acudí con dos quiroprácticos diferentes, pero en esta ocasión ellos no pudieron ayudarme en absoluto. Posteriormente llamé a mi doctora, y ella me prescribió algo para el dolor además de un relajante muscular, y luego me puso a hacer terapia física durante seis semanas. Nada ayudó. Un querido amigo me dijo acerca de Los Códigos Curativos, y los encargué. Estaba preparada para intentar cualquier cosa. En unos cuantos días ya estaba en vías de recuperación, y después de una semana ya no tenía dolor. No podía creerlo. Animé a mi esposo para que los intentara y que viera cómo era que funcionaban para él. Él ha tenido algo de éxito con sus migrañas. Ahora lo está utilizando para la hipoglucemia. — Joyce

Diabetes

Durante los últimos diez años he sido diabético insulino-dependiente, y he tenido que inyectarme insulina cuatro veces al día. Lo que me estaba comenzando a preocupar eran las complicaciones de la diabetes que estaban empezando a aparecer. La primera fueron el tener las manos y los pies muy fríos, la segunda fueron pequeños problemas con los ojos, dolores en las piernas, el levantarme tres o cuatro veces por las noches para ir a orinar, sentirme cansado todo el tiempo, estresarme y enojarme muy fácilmente.

Y bien, te estarás diciendo, ¿qué es lo que ha mejorado? Bueno he estado haciendo este programa en casa durante ya tres semanas. Hasta este momento el dolor de piernas se ha ido, y a mis piernas las siento mucho más ligeras cuando camino cuesta arriba. Noto un mundo de diferencia, ya no me levanto en medio de la noche, ya no me siento cansado. Estoy empezando a sentir más en mis pies, y ya no están fríos. Lo que todos en mi familia notaron muy rápidamente fue que ya no me enojaba, y que he estado muy calmado, sin estresarme por la cosa más pequeña. ¿Me he curado a mí mismo de la diabetes? En este momento yo diría que no, todavía no. Pero lo que voy a decir es que he tenido que reducir la cantidad de insulina que me inyecto, porque mis niveles de azúcar están disminuyendo. Solamente he estado haciendo los Códigos por cuatro semanas hasta ahora, y me siento mejor de lo que me había sentido en diez o quince años. — Steve

Una Mascota Curada

Yo había estado haciendo Los Códigos Curativos desde hace varios meses con buenos resultados, pero nada como lo que viví la otra noche. Tengo muchos animales exóticos en casa, y la otra noche llegué a casa muy tarde del trabajo, y me tuve que encargar de estos muchachos mucho más rápido de lo usual. Una de mis pequeñas lagartijas andaba fuera de casa y no la noté hasta que accidentalmente le pisé la cabeza.

Estaba sangrando de la boca y de su ojo, y sentía como si su cráneo estuviera aplastado. Yo me sentía muy mal. Ella cojeaba y con sangre saliendo de su boca. Pensé que en ese momento ya estaba muerta. La recosté sobre unas toallas de papel y pensé en los Códigos, e hice uno para ella durante 45 minutos. Seguí checándola. Su respiración era muy superficial y no estaba consciente. En dos horas estaba de regreso a su estado normal pero siguió con su ojo cerrado. Para el día siguiente tenía los dos ojos abiertos y estaba actuando como si nada. Muchas gracias a todos por este increíble método. —Bill

Cáncer

Cuando mi novia y mejor amiga se enteró de que tenía un melanoma metastásico le ayudé a empezar a usar Los Códigos Curativos, junto con su muy estricta dieta para volver a equilibrar su sistema inmune. Sus recientes escaneos por tomografía la han mostrado completamente libre del cáncer. Estamos esperando ansiosamente el siguiente análisis de sangre que mostrará su sistema inmune en equilibrio.— William

Curación para Miembros de la Familia (Hemorroides)

A lo largo de los años, he tratado con asuntos de curaciones de varias maneras, con un éxito limitado ---EFT, método Sedona, Holosynch, Curación Theta, Chi Kung, suplementos nutricionales-- inclusive he probado con la hipnosis.

Así que, como puedes ver, siempre he creído y buscado una forma de encontrar paz interior, y de curarme a mí misma. Sabía que algún día encontraría LA CLAVE para curarme a mí misma y a mis seres queridos. Bien, encontré mi CLAVE. Es esta: ¡Los Códigos Curativos!

He dejado creencias erróneas de toda una vida que no me servían, algunas de las cuales me habían causado algún impacto en áreas como mi carrera, mi salud y en mi estabilidad emocional --- ¡y ha sido *fácil! He perdido peso sin tratar de hacerlo. ¡He incluso podido ayudar a los que amo a liberarlos de sus problemas de salud!*

Uno de esos problemas han sido las hemorroides de mi esposo. Él ha vivido con ellas durante más de veinte años. Finalmente lo convencí de ir a ver a un doctor para esto, pero lo más pronto que el especialista lo podía ver era en tres meses. Así que, ¡empecé a hacer los Códigos para él!

El día de su cita, me dijo que pensaba que ya no tenía que ir, que creía que sus hemorroides se habían limpiado. Creí que solo estaba tratando de zafarse de ir con el doctor, así que insistí en que conservara la cita --de hecho, ¡yo fui con él! y ¡toma esto! ¡El especialista en hemorroides no pudo encontrar ninguna evidencia de hemorroides! Ni siquiera sabía porqué mi esposo estaba ahí. También le pidió a la enfermera que revisara. Nada. Mi esposo estaba conmocionado y le preguntó, "¿Está usted seguro"? ¡Ningún tratamiento fue necesario, y se le dio un certificado de buena salud!

Ahora mi esposo me pide cada día que haga Códigos para esto o para lo otro --- y ¡siempre los hago!

Así que puedo decir que mi búsqueda ha terminado, he encontrado la Clave para la curación a todos los niveles, cuerpo, mente y espíritu. Si alguien lo duda, le digo que simplemente lo intente con un corazón abierto, y ¡usted también será un creyente! — Laurie

¿MILAGROS O SOLO UN PARADIGMA NUEVO?

¿Todas estas curaciones suenan como si fueran milagros? Si es así, entonces considera esta cita de San Agustín: "Los milagros ocurren, no en oposición a la Naturaleza, sino en oposición a lo que sabemos de la Naturaleza". Dios instauró en nosotros la posibilidad de la curación "milagrosa" desde la creación, como parte de su intención original para el mundo, y aún sigue estando disponible para nosotros el día de hoy. Los Códigos Curativos apenas se han descubierto recientemente, por la gracia de Dios, pero el mecanismo para la curación siempre ha estado en nosotros. Quizás la razón por la cual apenas se han descubierto recientemente es que, hasta en los últimos años, no habíamos tenido ni la ciencia ni las metáforas para entender cómo es que funcionan. Lo que antes estaba oculto, porque simplemente no teníamos la capacidad para entender, ha sido ahora traído a la luz a causa de otros avances recientes.

Entonces ahora, pasemos a ello: ¿Cómo y porqué funciona un Código Curativo?

EL MECANISMO FÍSICO QUE DESACTIVA AL ESTRÉS

Como lo hemos descrito a lo largo de este libro, el estrés es el origen de todos nuestros males. Un Código Curativo funciona al deshacerse del estrés de raíz. Las investigaciones del Instituto de las Matemáticas del Corazón en California, indican que si el estrés puede ser eliminado, incluso los genes frecuentemente se curarían. Ellos identificaron un recurso de curación interno tan poderoso que literalmente tiene un efecto curativo en el ADN dañado.

El descubrimiento de Los Códigos Curativos reveló la función física que activa de manera automática a ese recurso de curación identificado por el Instituto de las Matemáticas del Corazón. Al utilizar este recurso de curación, un Código Curativo cura por medio de cambiar el patrón o frecuencia de energía destructivo que existe en una imagen destructiva hacia uno saludable.

La energía curativa, dirigida hacia diferentes combinaciones de los cuatro centros curativos en el organismo se utiliza para curar diferentes creencias e imágenes no saludables. Estas combinaciones curativas pudieran compararse con los cuatro aminoácidos que constituyen nuestro ADN. Cada diferencia en las personas del mundo viene determinada por una combinación única de solamente cuatro aminoácidos.

Esto encaja hermosamente con los recientes hallazgos de investigaciones de que nuestras memorias (recuerdos) e imágenes pueden literalmente almacenarse en el campo de información de energía de todas las células del organismo, de manera similar al ADN. (Esto también explicaría el porqué los pacientes con transplante de órganos pueden tener memorias o recuerdos del donador). Cuando haces un Código Curativo con la combinación adecuada de los cuatro centros curativos, nosotros creemos que estás literalmente bañando cada célula en el organismo con energía curativa saludable.

Entonces ¿Qué es exactamente un Código Curativo, y cómo puede este activar tan profundo proceso?

LOS CUATRO CENTROS CURATIVOS

El descubrimiento de Los Códigos Curativos es realmente el descubrimiento de cuatro centros curativos del organismo. Los cuatro centros curativos del organismo corresponden a centros maestros de control para todas las células del cuerpo. Estos centros curativos parecen funcionar de forma semejante a una caja de fusibles oculta, la cual, cuando los interruptores correctos son accionados, permitirán la curación de casi cualquier cosa. Hacen esto al eliminar el estrés del organismo que había apagado los interruptores, permitiendo así que el sistema neuro-inmune vuelva a asumir su labor de curar cualquier cosa que esté mal en el organismo.

Si sigues el camino de la energía curativa mientras que viaja por los cuatro centros curativos en el cuerpo, los sistemas físicos que descubrirías incluirían a:

El Puente: La glándula pituitaria (frecuentemente se le refiere como la glándula maestra porque controla los principales procesos endocrinos del organismo) y la glándula pineal.

Las Sienes: El cerebro derecho e izquierdo de las funciones superiores, y el hipotálamo.

La Mandíbula: El cerebro emocional reactivo, incluyendo la amígdala y el hipocampo, además de la médula espinal y el sistema nervioso central.

La Manzana de Adán: La médula espinal y el sistema nervioso central, además de la tiroides.

En otras palabras, descubrirías los centros de control para cada sistema, cada órgano, y cada célula del organismo. La energía curativa de estos centros fluye hacia todos ellos.

CÓMO UN CÓDIGO CURATIVO ACTIVA LOS CENTROS CURATIVOS

Activas los centros curativos con tus dedos. Un Código Curativo es un conjunto de fáciles posiciones de las manos. Es muy simple. Podemos enseñarle como hacerlo a un niño de seis o siete años. Realizas un Código Curativo al dirigir todos los cinco dedos de ambas manos hacia uno o más de los centros curativos a una distancia de dos a tres pulgadas (cinco a ocho cm) del cuerpo. Las manos y los dedos dirigen los flujos de energía hacia los centros curativos.

Los centros curativos activan un sistema de curación energética que funciona de una manera similar al sistema inmune. Pero en lugar de matar virus y bacterias, tiene como blanco las memorias (o recuerdos) relacionadas con el asunto en el que está pensando una persona. Usando frecuencias de energía curativa, positiva, este cancela y reemplaza a las frecuencias destructivas, negativas.

Cuando las células son bañadas con la energía curativa al hacer un Código Curativo, la energía no saludable literalmente es cancelada por la energía positiva, de manera similar a como los audífonos de cancelación de ruido cancelan las frecuencias de sonido dañinas. Después de que se cancelan las frecuencias destructivas, la imagen resonará con energía saludable que contribuirá a la buena salud de las células, los órganos y el sistema del organismo en el cual residen. La energía curativa ha transformado la energía destructiva que se encontraba almacenada en las memorias celulares del cuerpo/mente, afectando en última instancia la fisiología de las células en el organismo.

¿PORQUÉ ES UN "CÓDIGO"?

La razón por la cual les llamamos "Los Códigos Curativos" es porque cada procedimiento involucra una secuencia codificada. Cuando nosotros dos dimos una conferencia en Maui, tuvimos la fortuna quedarnos en una casa cuya llave era en la forma de un código. La puerta de enfrente tenía un teclado con un código de cuatro dígitos, así, cuando llegábamos a la puerta apretábamos los botones para anotar el código ("bip bip bip bip") y oíamos un click mientras la puerta se abría. Quizá tú tengas un sistema para abrir la puerta de la cochera que funcione de manera similar.

Así es como Los Códigos Curativos funcionan. El ejercicio pone alguna combinación de esos cuatro centros curativos en un orden y secuencia. El orden y la secuencia son críticos para eliminar el estrés del organismo relacionado con un problema en particular, y para curar las memorias celulares relacionadas con ese problema. El Código Curativo promedio toma cerca de 6 minutos en hacerse, activando esos centros con tus dedos. Lo puedes hacer cómodamente mientras estás recostado en un sillón reclinable. Hemos tenido informes de personas que los hacen mientras están hablando por teléfono, viendo T.V., leyendo un libro, y algunas otras actividades.

El Código Curativo que te daremos en el siguiente capítulo activa todos los cuatro centros curativos en la secuencia óptima, y creemos que esa es la razón por la cual parece que funciona con casi cualquier asunto y para casi todas las personas.

¿HAY ALGUNA EVIDENCIA DE QUE EL CÓDIGO CURATIVO REALMENTE FUNCIONE?

Como se comentó anteriormente, la validez de Los Códigos Curativos viene establecida por:

1. Los informes de miles de clientes de auto-curaciones de todo tipo de problemas, incluyendo muchos considerados como incurables.

2. Las pruebas diagnósticas de la corriente médica principal (La Variabilidad de la Frecuencia Cardíaca) las cuales muestran que el estrés es eliminado de manera consistente del organismo siguiente al uso de un Código Curativo.

Este es un método relativamente nuevo, y la validación de nuestros resultados es todavía un trabajo en progreso, al igual como nuestro entendimiento de cómo es que funciona un Código Curativo.

Esto no es raro para nada, incluso para cosas que se han utilizado durante décadas por millones de personas. Por ejemplo, puede que no tengamos ni idea de cómo ciertos medicamentos funcionan, pero creemos que lo hacen, así que los tomamos. Puede que te sorprenda el saber que los investigadores no están seguros acerca de la manera en la cual muchos medicamentos comunes funcionan, a pesar de años --e incluso décadas o más-- de su uso. Los siguientes son solo unos cuantos ejemplos tomados del Diccionario de Especialidades Farmacéuticas (PLM), una referencia primaria utilizada por los médicos para guiarles al prescribir medicamentos farmacéuticos:

Accutane: "El mecanismo exacto del Accutane es desconocido".

Zoloft: "El mecanismo de la sertralina [Zoloft] *se supone* que está enlazado a su inhibición de la recaptura de serotonina en el SNC". [El énfasis es nuestro.]

Xanax: "El mecanismo de acción exacto es desconocido".

Risperdal: "El mecanismo del Risperdal, al igual que todos los otros anti-psicóticos, es desconocido".

Depakote: "El mecanismo por el cual el valproato [Depakote] ejerce sus efectos terapéuticos no se ha establecido".

Lo anterior es una muestra representativa de varias categorías principales de medicamentos. El PLM está lleno de muchos otros medicamentos cuyo método de acción también es desconocido o incierto.

LO QUE PARECE UN MILAGRO ES SENCILLAMENTE UN DESCUBRIMIENTO NUEVO

Permítenos repetir las palabras de San Agustín: "Los milagros ocurren, no en oposición a la Naturaleza, sino en oposición a lo que sabemos de la Naturaleza".

Aunque durante mucho tiempo hemos sabido que los patrones de energía destructiva provocan estrés y problemas de salud, poco se ha hecho por la medicina moderna para resolver esos patrones. La razón por la cual no has oído más acerca de estas verdades es que nadie ha encontrado una manera confiable, consistente, predecible, y validada de cambiar los patrones de energía destructiva hacia unos saludables en el organismo. Además, incluso el intentar hacer eso no encaja en el paradigma de la medicina moderna tradicional, la cual está enfocada en el tratamiento bioquímico, no en la prevención ni en la curación utilizando la bio-energía.

Según la física, una frecuencia igual pero opuesta es lo que se requiere para cancelar a otra frecuencia. Para que un Código Curativo funcione, algo ha de encontrar las memorias inconscientes que están relacionadas con ello, y algo ha de determinar sus frecuencias, y algo ha de crear la misma frecuencia pero opuesta. ¡Y algo lo hace!

No solamente funciona, parece que funciona casi el 100 por ciento de las veces. En una conferencia en México, 142 personas de un total de 142 que hicieron un Código Curativo sobre una memoria relacionada con el problema más grande de sus vidas se logró que el poder negativo de esa memoria se curara hasta un cero o un 1 en una escala de 10 puntos. Con resultados así, tenemos que estar haciendo uso de un sistema que está diseñado para curar. Si algo sucediera más del 99 por ciento de las veces en la naturaleza, ni siquiera necesitaríamos hacer un estudio. Sabemos que un objeto caerá cada vez que lo dejemos caer, y creíamos esto mucho antes de que entendiéramos la fuerza invisible de la gravedad.

No solamente funciona, sino que los efectos perduran. Como se mencionó, los estudios de la Variabilidad de la Frecuencia Cardíaca mostraron que las personas seguían estando en equilibro mucho tiempo después de que habían hecho el Código Curativo. Cuando se volvían a hacer pruebas en sistemas que usan el sistema de energía de los chakras/ meridianos (puntos de acupuntura), las pruebas de la HRV mostraban que las personas que utilizaban ambos métodos lograban poner a su sistema nervioso autónomo en balance de manera inmediata (74 por ciento con los meridianos, 86 por ciento con los Códigos Curativos). Sin embargo, veinticuatro horas después, solamente el 20 por ciento de las personas en el protocolo de los meridianos seguían en equilibrio, mientras que el 77 por ciento de los que utilizaron Los Códigos Curativos seguían estando en equilibrio. Se nos dijo que estos resultados nunca se habían visto antes.

En base a nuestra experiencia e investigaciones, creemos que el curar estos patrones de energía destructiva es precisamente lo que un Código Curativo hace. ¡Y las buenas noticias son aún mejores que eso! Un Código Curativo funciona sin que tengamos que ser conscientes de las imágenes, creencias, pensamientos o sentimientos destructivos que estén siendo curados.

Un Código Curativo --que trabaja exclusivamente sobre las imágenes de recuerdos o memorias destructivas que yacen en el corazón-- es capaz de curar el estrés y las creencias equivocadas que se encuentran detrás de los problemas físicos y no físicos de nuestras vidas.

Puede que no seamos capaces de explicarlo por completo todavía, pero creemos que conocemos la naturaleza de la energía curativa aparentemente milagrosa a la cual se tiene acceso por medio de un Código Curativo.

¿QUÉ ES ESTA ASOMBROSA ENERGÍA CURATIVA?

Al igual que todos los colores de la luz están contenidos en la luz blanca pura, de manera similar nosotros creemos que todas las virtudes están contenidas en el amor puro (valor, verdad, lealtad, gozo, paz, paciencia, etc.).

De hecho, creemos que la frecuencia de energía del amor puro curaría cualquier cosa y que esta puede ser el único poder que lo haría. La frecuencia vibracional del amor es el recurso de curación definitivo.

¿CUÁLES SON NUESTRAS BASES CIENTÍFICAS PARA ESTA TEORÍA?

En los últimos años, varios individuos han sido capaces de aislar y de cuantificar las frecuencias del amor y de otras virtudes. La frecuencia del amor reside dentro de nosotros en cada memoria amorosa de nuestro corazón. Permíteme demostrártelo.

Piensa en el recuerdo más amoroso, más gozoso de tu vida. Tómate un momento para revivir completamente este recuerdo con tus ojos cerrados, trayéndolo nuevamente a la vida. ¿Qué es lo que sientes? ¿No te sientes bien? ¿No vuelves a vivir, al menos hasta cierto punto, el evento amoroso ---aún y cuando sucediera décadas atrás? ¿Porqué sucede eso?

En el instante en que accedes y activas un recuerdo (o memoria) amoroso, la frecuencia del amor es transmitida a través de tu cuerpo, y esta tiene un efecto fisiológico correspondiente. Como se mencionó anteriormente, el Instituto de las Matemáticas del Corazón ha publicado estudios indicando que el activar estos tipos de memorias (recuerdos) positivos puede tener realmente un efecto curativo sobre el ADN dañado. [18]

De la misma manera que nuestras memorias (recuerdos) amorosos transmiten frecuencias de energía curativa por todo nuestro cuerpo, las memorias dolorosas, destructivas y distorsionadas transmiten frecuencias que provocan

---

18 Vea www.heartmath.com.

padecimiento y enfermedad. Según las investigaciones del Dr. Lipton, estas memorias destructivas emiten una señal en el organismo que hace que interpretemos las circunstancias actuales como amenazantes aún y cuando no lo sean. Esto es lo que mantiene a tu organismo bajo estrés. Te animo a que hagas un experimento también con esto. Acuérdate de alguna memoria (recuerdo) que aún es dolorosa para ti, y nota cómo es que te sientes. Si piensas en este recuerdo el tiempo suficiente, no solamente te sentirás mal, sino que literalmente desplazarás a tus células a la "modalidad de auto-protección" y a tu sistema nervioso a la de "ataque o huida".

Desafortunadamente, tu mente inconsciente puede estar enfocada en estas imágenes destructivas sin que siquiera lo sepas. Cuando esto sucede, tiene el mismo efecto dañino para la fisiología de tu organismo que las imágenes y pensamientos negativos conscientes. Muchas personas andan a diario con este "proceso de crear padecimiento y enfermedad" en funcionamiento, y nunca lo saben hasta que se ponen muy enfermos. Este es el porqué el origen de nuestros problemas es inconsciente al menos el 90 por ciento de las veces, haciendo imposible el tratar de manera consciente la causa de nuestros problemas físicos, emocionales y espirituales.

Las buenas noticias son que la clave para curar los asuntos de su raíz se encuentra dentro del corazón humano, no en algo fuera de nosotros. Todo lo que se necesita es una manera de tomar el poder de los recursos del amor que tiene el corazón y utilizarlos para curar las imágenes destructivas que conducen al padecimiento.

¿PORQUÉ NO PUEDES CURARTE POR TU PROPIA CUENTA?

Si los recursos del amor ya se encuentran dentro de nosotros emitiendo sus señales curativas, ¿porqué estas imágenes no se curan por su propia cuenta?

Esto nos lleva de regreso al Secreto #5. El problema es que existen ciertas imágenes o memorias que parecen estar protegidas contra recibir la curación cuando las frecuencias curativas son transmitidas por todo el organismo. Esto pudiera ser una memoria oculta o reprimida, como se describen en la psicología, pero puede que también seamos completamente conscientes de la memoria (o recuerdo). Es como si la mente hubiera literalmente construido una fortaleza o un fuerte alrededor de ciertas memorias. Lo hizo para protegernos del dolor de que algo similar nos volviera a suceder. El organismo cree que si no estamos en guardia o vigilantes, podríamos ser heridos de nuevo. El evitar el dolor está bien, pero al proteger a las imágenes destructivas de esta manera, la mente también evita que los recursos del organismo no puedan encontrar ni curar esas imágenes destructivas. Lo que se requiere es una manera de infundir las frecuencias curativas en las imágenes que están causando el problema, pero que no reciben la energía curativa.

Esto es precisamente lo que un Código Curativo hace. Por medio de acceder al amor y los recursos saludables de todo el organismo, el Código Curativo luego transmite esas frecuencias a través de los dedos hacia los cuatro centros curativos para cambiar los patrones de energía de las imágenes destructivas en patrones saludables, incluso los que están protegidos.

La gente nos dice una y otra vez que mientras hacen El Código Curativo, las memorias hirientes parecen simplemente esfumarse y, mientras lo hacen, los síntomas físicos también desaparecen. Yo creo que esto es exactamente lo que esos físicos estaban prediciendo cuando hicieron comentarios como el del Dr. William Tiller, quien dijo, "La medicina del futuro se basará en controlar las frecuencias de energía en el organismo".

Con eso, te damos la bienvenida para que intentes El Código Curativo. ¡Que pueda cambiar tu vida así como ha cambiado la nuestra y las de tantos otros!

CLÁUSULA DE EXENCIÓN DE RESPONSABILIDAD Y CONSENTIMIENTO INFORMADO

El Código Curativo y el Impacto Instantáneo son únicamente para propósitos educacionales. No están destinados para diagnosticar, prescribir, tratar, ni curar ninguna enfermedad o estado mental. La FDA no ha evaluado esta información y no hacemos ninguna pretensión curativa.

Los testimonios representan un corte transversal del rango de resultados que parecen ser los típicos con estos productos. Los resultados pueden variar dependiendo del uso y del compromiso. Los individuos que han brindado su testimonio no son compensados de ninguna manera.

Todas las técnicas de Los Códigos Curativos --incluyendo El Código Curativo Universal y el ejercicio del Impacto Instantáneo incluidos en este libro-- son técnicas de auto-ayuda utilizadas para la relajación, la reducción del estrés, y el equilibrio de los sistemas bio-energéticos, y no están destinados como un substituto para la atención médica. Ninguna acción o inacción debieran tomarse solamente en base a los contenidos aquí presentados; más bien, los lectores o espectadores debieran consultar a los profesionales de la salud adecuados en cualquier materia concerniente a su salud. El Código Curativo trata lo que Salomón llamaba los "asuntos del corazón" hace más de 3000 años. No hay un Código para ninguna enfermedad o padecimiento mental ni físico; todo Código Curativo se enfoca únicamente en los asuntos espirituales del corazón. Cuando estos asuntos espirituales se curan, el estrés fisiológico se reduce, y el funcionamiento del sistema inmune se incrementa. El sistema inmune es capaz de curar casi cualquier cosa si es que no es suprimido por el estrés. Nuestro enfoque con El Código Curativo está el 100 por ciento de las veces únicamente en los asuntos del corazón.

El Código Curativo TAMPOCO es terapia ni consejería de ningún tipo. Es la aplicación de una herramienta de curación descubierta en el 2001, y que se ofreció al público por primera vez en el 2004. Cualquier Código Curativo tiene como objetivo únicamente las imágenes destructivas del corazón (memorias) y está destinado para ser utilizado solamente como se indica. El uso esporádico o no comprometido de este Código puede retrasar el proceso de la curación de las imágenes. A nadie se le recomienda el descontinuar o el evitar las consultas médicas o psicológicas.

La teoría y la práctica de El Código Curativo se basan en la experiencia. Después del descubrimiento del sistema de Los Códigos Curativos® en el 2001, estuvimos realizando pruebas acerca de ellos durante un año y medio, y posteriormente pasamos otro año y medio poniéndolos en paquetes para que así todos pudieran hacerlo fácilmente por si mismos en sus hogares. Es el primero y único de su clase. Nunca hemos tenido a una sola persona que nos informara que hubieran visto esto antes.

Según el Dr. Paul Harris, "este es el único campo de la salud en el que nunca en la historia ha habido un caso validado de daño". Aunque esta literatura y nuestros resultados reflejan nuestras experiencias, tus resultados no pueden ser garantizados. Lo que puedes esperar de manera razonable al hacer El Código Curativo es que los asuntos de tu corazón se curarán o mejorarán, y al hacer el Impacto Instantáneo, que tus sentimientos de estrés disminuirán.

Por lo tanto, este libro y los métodos que describe no debieran ser sustitutos del asesoramiento y tratamiento por parte de un médico o de algún otro profesional autorizado de la atención a la salud. Esta información y las opiniones aquí estipuladas se cree que son exactas y acertadas, en base al mejor conocimiento, experiencia e investigaciones de los autores. Los lectores que no consulten con las autoridades de la salud adecuadas asumen el riesgo de cualesquier daño o daños.

Usar las técnicas aquí presentadas es reconocer que has leído, entendido, y que estás de acuerdo con esta cláusula de exención de responsabilidad y, por lo tanto, que el consentimiento informado ha sido establecido.

CAPÍTULO DIEZ

Tu "Código Curativo Universal" de 6 Minutos

A lo largo de este libro, nos hemos estado refiriendo a Los Códigos Curativos® porque eso es lo que descubrí en el 2001, y eso es en lo que se basan nuestros datos.

Al trabajar con miles de clientes, al hacer presentaciones en vivo, y pruebas, hemos llegado a la conclusión de que ciertamente existe un Código Curativo que parece funcionar casi para todos, en casi cualquier asunto. Probablemente porque activa todos los cuatro centros curativos, este Código Curativo actúa como una especie de "Código maestro" para desbloquear la curación del estrés de cualquier tipo.

Solamente te tomará unos cuantos minutos el aprender este Código Curativo, ¡pero los resultados te durarán toda una vida!

Recuerda que también puedes hacer esto para otras personas o incluso para mascotas. ¡Solo sigue las instrucciones!

UNAS PALABRAS ACERCA DE LA ORACIÓN

El Código Curativo incluye a la oración. La oración es una de las prácticas más estudiadas en la medicina. Una y otra vez ha sido comprobado que el orar ayuda a las personas a que curen --incluso si no oran por si mismos, sino que la oración sea realizada por otras personas. La oración es siempre mi primer curso de acción, incluso antes de hacer cualquier Código Curativo. El Código Curativo es simplemente una herramienta, ¡un nuevo y maravilloso "desarmador" que hace cosas que ningún otro desarmador nunca ha hecho antes. Aún así, es solo un desarmador. Lo que importa más es tu relación con Dios, como quiera que entiendas esta. Así que te instamos a que hagas de la oración tu foco primario, usando El Código Curativo como parte del proceso. (Un cliente dice que El Código Curativo "le inyecta esteroides a la oración").

COMO HACER EL CÓDIGO CURATIVO UNIVERSAL

Utiliza las cuatro posiciones del ejercicio mostrado en la parte de abajo en el orden en que están anotadas, y "dirige" tus dedos relajados hacia los centros curativos (como si las puntas de tus dedos fueran unas pequeñas linternitas que se encuentran agrupadas) de dos a tres pulgadas (cinco a ocho centímetros) de distancia del cuerpo. No importa si tus dedos están derechos o curvados (lo que sea más cómodo para ti), lo que importa es que las puntas de los dedos estén dirigidas hacia el área que rodea al centro curativo.

El tener las puntas de tus dedos de dos a tres pulgadas (cinco a ocho centímetros) de distancia del cuerpo es muchas veces más efectivo que el tocar los centros curativos con los dedos. Ello crea un campo de energía sobre la entrada del centro curativo, lo que le permite al organismo el producir de manera automática el patrón de energía positiva/negativa preciso que es necesario para la curación. La razón para esta mayor efectividad se cristalizó para mí mientras estábamos haciendo un seminario en la ciudad de Oklahoma. Un hombre nos compartió que el tener los dedos alejados del cuerpo tenía perfecto sentido: funciona de igual manera que una bujía. Yo no soy mecánico, pero dijo que la bujía no toca el metal. Hay un hueco en ese sitio y que la energía hace un arco desde la bujía hasta el metal. Él dijo que de hecho, si no existe un espacio suficiente, no funcionaría adecuadamente. No habría suficiente poder. Lo mismo es verdad para El Código Curativo. El tener los dedos alejados del cuerpo crea la polaridad exacta necesaria en cualquier segundo dado, para dar un mayor poder de manera significativa.

Los Cuatro Centros Curativos

La Manzana de Adán: Directamente sobre la Manzana de Adán

Las Sienes: media pulgada (1.5 cm aprox.) por encima de la sien, y media pulgada hacia la parte posterior de la cabeza, a ambos lados de la cabeza.

El Puente: Entre el puente de la nariz y la mitad de la cejas, si es que las cejas crecieran hasta unirse.

Mandíbula: En la esquina inferior y posterior de la mandíbula, a ambos lados de la cabeza.

Cada uno de los cuatro centros curativos tiene una posición normal de las manos y una posición de descanso, excepto la Manzana de Adán; ya que la posición normal para esa es una posición de descanso. Las posiciones de descanso se brindan para que puedas descansar tus manos sobre tu cuerpo y hacer los procedimientos de manera más cómoda. Como se mencionó, para las posiciones normales, las puntas de tus dedos están de dos a tres pulgadas (cinco a ocho centímetros) retiradas del cuerpo a la altura del centro curativo. Para las posiciones en descanso las puntas de tus dedos se dirigen hacia la superficie del centro curativo desde dos a tres pulgadas (cinco a ocho centímetros) por debajo del centro. Añade unos cuantos minutos al Código cuando estés utilizando las posiciones de descanso. Si tus brazos se te fatigan mucho al realizar un Código por la cantidad de tiempo especificado, trata con las posiciones de descanso, o apoya tus brazos sobre una almohada, o descansa los codos sobre una mesa o escritorio. Si tus manos se desvían del centro, aún así la curación sucederá. Tu intención por curar es mucho más importante que el mantener las posiciones de las manos de manera perfecta.

Es útil el calificar qué tanta incomodidad sientes cuando piensas en tu asunto o problema, en una escala del 0 al 10 (siendo 10 la máxima incomodidad), antes de hacer El Código Curativo. Esta es la mejor manera de medir tu avance, al ver como disminuye el nivel de incomodidad hasta que alcance un 1 o un 0.

Haz el Código en un lugar tranquilo, privado, en el cual te puedas relajar sin distracciones ni interrupciones.

Aquí está la secuencia para ello:

1. Califica el asunto en términos de qué tanto te molesta, del 0 al 10, siendo 10 lo más doloroso.
2. Identifica los sentimientos y/o creencias no saludables que estén relacionadas con tu asunto.
3. Buscador de Memorias (recuerdos): Piensa en retrospectiva si hubo algún otro momento en tu vida cuando te hayas sentido de la misma manera, incluso si las circunstancias hubieran sido muy diferentes. Estamos buscando el mismo tipo de sentimientos o sensaciones. No tienes que excavar demasiado --solo tómate un momento para preguntarte a ti mismo si hubo algún otro momento en tu vida cuando te hayas sentido igual a como te estás sintiendo ahora. Buscamos las similitudes en cuanto a los sentimientos o sensaciones, no de las circunstancias. Si te sientes ansioso acerca de un estudio médico que tendrás, quisieras el preguntarte si alguna vez hubieras sentido ese mismo tipo de ansiedad cuando eras más joven, y no si alguna vez con anterioridad te habían hecho algún otro estudio médico. Dirígete hasta el recuerdo (memoria) más temprano que emerja, y enfócate en curar ese primero.
4. Califica tu recuerdo (memoria) más temprano, del 0 al 10. Pudiera haber otros más. Busca ya sea el más temprano o el más intenso de todos, y trabaja primero sobre ese. Lo que ahora nos molesta tiende a ser problemático precisamente porque está apegado a, o es disparado por, una memoria no curada. Frecuentemente cuando curas la memoria más temprana o más intensa, todas las otras memorias "adjuntas" a esa memoria central se curan al mismo tiempo.
5. Di la oración por la curación, poniendo en ella todos los asuntos que hayas descubierto ("mi recuerdo (memoria) de cuando tenía cuatro años de edad, mi asunto del miedo, mis dolores de cabeza", o lo que sea).

"Yo rezo porque todas las imágenes negativas conocidas y desconocidas, creencias no saludables, memorias celulares destructivas y todos los problemas físicos, relacionados con __________ [tus asuntos o problemas] sean encontrados, abiertos y curados, por medio de llenarme con la luz, la vida, y el amor de Dios. También rezo porque la efectividad de esta curación sea incrementada en 100 veces o más". (Esto le dice al organismo que haga de la curación una prioridad.)

6. Haz El Código Curativo manteniendo cada posición durante 30 segundos aproximadamente, repitiendo un Enunciado de Enfoque en la Verdad [19], el cual contrarresta cualquier creencia no saludable, o alguno que trate de tu asunto. Cuando haces un Código Curativo, no te enfocas en lo negativo, sino en lo positivo. Asegúrate de que rotas a lo largo de todas las cuatro posiciones antes de dejar de hacerlo (generalmente en varias secuencias). Haz la secuencia del Código durante al menos 6 minutos. Asegurándote de que pasas por todas las cuatro posiciones antes de que te detengas. Siempre puedes durar un poco más de tiempo, especialmente si calificaste tu asunto por arriba de un 5 o un 6. Sugerimos los 6 minutos como lo mínimo.

(Primera Posición) El Puente: En medio del puente de la nariz y la mitad de las cejas, en el caso de que las cejas crecieran hasta unirse.

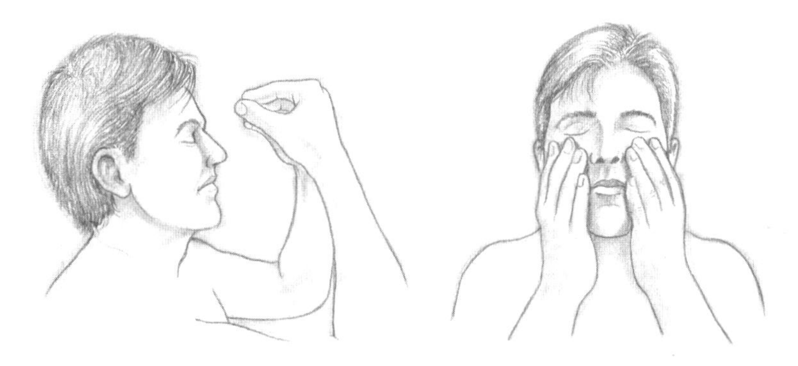

El Puente, Posición Principal   En descanso

19 Uno de tus bonos cuando registras el libro es el accesar a una muestra de los Enunciados de Enfoque en la Verdad. www.thehealingcodebook.com

(Segunda Posición) La Manzana de Adán: Directamente sobre la manzana de Adán.

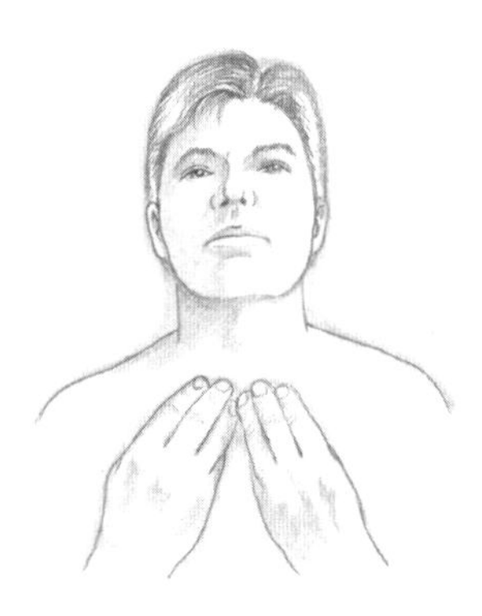

(Tercera Posición) Las Mandíbulas: En la esquina inferior y posterior de la mandíbula, a ambos lados de la cabeza.

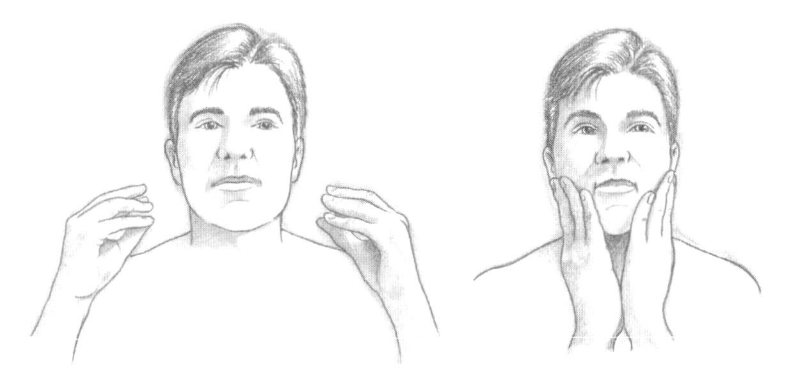

Posición de las Mandíbulas En descanso

(Cuarta Posición) Las Sienes: Media pulgada (1.5 cm aprox.) por encima de la sien, y media pulgada (1.5 cm aprox.) hacia la parte posterior de la cabeza, a ambos lados de la cabeza.

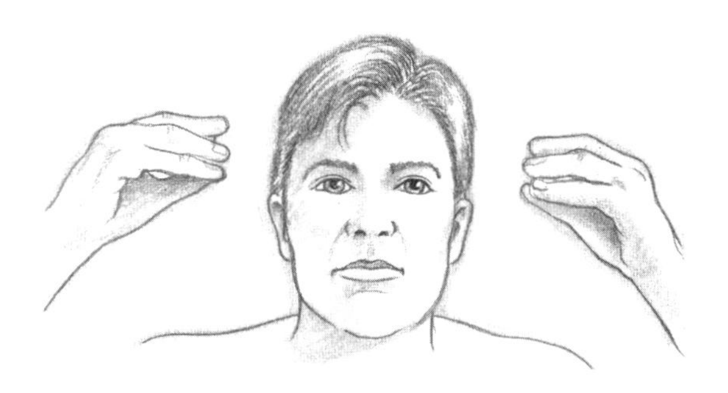

Las Sienes

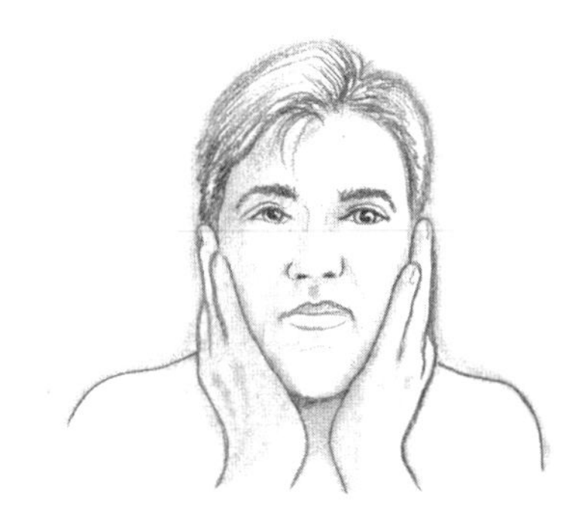

En descanso

7. Luego de hacer el Código, califica nuevamente tu asunto. Cuando ese recuerdo (memoria) más intenso o más temprano llega a 0 o a 1, entonces puedes pasar al siguiente recuerdo (memoria) o asunto que te moleste más.

HACIENDO EL CÓDIGO PARA ALGUIEN MÁS

Puedes hacer El Código Curativo en beneficio de otra persona. Simplemente di la oración, de esta manera:

"Yo rezo porque todas las imágenes negativas conocidas y desconocidas, creencias no saludables, memorias celulares destructivas, y todos los problemas físicos relacionados con __________ [el problema o asunto de tu ser querido] sean encontrados, abiertos y curados por medio de llenar a __________ [el nombre de la persona] con la luz, la vida y el amor de Dios. También rezo porque la efectividad de esta curación sea incrementada en 100 veces o más".

Haz el Código en ti mismo. Cuando hayas terminado, simplemente ora así, "Yo le envío todos los efectos de esta curación a [el nombre de la persona], en el amor".

Te recomendamos que hagas El Código Curativo tres veces al día. Puedes hacerlo más si lo requirieras, para obtener resultados de manera más rápida. Inclusive puedes tener resultados con solo hacerlo una vez al día, y te recomendamos mucho que te asegures de hacerlo al menos una vez al día. También puedes hacerlo por más de los 6 minutos de tiempo. La clave es la consistencia. Hacerlo por 6 minutos, tres veces al día o más, es lo ideal, y te dará los mejores resultados.

PREGUNTAS QUE PUDIERAS TENER ACERCA DE HACER EL CÓDIGO CURATIVO

¿Qué debería esperar que suceda cuando hago mi Código Curativo?

Hay dos áreas en las cuales es más probable de ver un cambio o una variación cuando haces El Código Curativo:

1. La imagen o recuerdo (memoria) en la cual te estás enfocando.
2. El problema físico o no físico resultado de esas memorias (recuerdos).

Cambios en tu imagen de la memoria (recuerdo): Ten en mente que El Código Curativo solamente cura las imágenes que están en el corazón. No remueve las imágenes de la memoria. Esto quiere decir que la intensidad emocional atribuida a la imagen de la memoria (recuerdo) es la que se elimina, no la imagen en si misma. Muchas personas informan que mientras usan el Código, la imagen en la cual se están enfocando comienza a desvanecerse, y frecuentemente se torna difícil el visualizarla y mantenerla en foco. Mientras que la memoria es curada, algunos individuos lo describen como si la energía de poder de la imagen se hubiera drenado, y que ya no los controla. Frecuentemente hay un sentimiento acompañante de paz y de concluir algo. Sabrás que tu imagen ha sido curada cuando tengas algunos o quizás todos los signos aquí mencionados.

Cambios en el asunto que más te molesta: Mientras tu imagen se va curando, generalmente empezarás a ver un cambio en otros asuntos que te molestan. Sin embargo, es importante entender que mientras de que algunos asuntos tienen únicamente una imagen vinculada con ellos, algunos pudieran tener muchas más. Si, luego de completar el Código sobre una imagen en particular, el asunto que te molesta más no ha cambiado, no te desanimes. Si continúas el proceso de trabajar en tus imágenes la curación sucederá, dentro de la capacidad de tu sistema inmune para curar ese problema.

En nuestros seminarios en vivo, cuando hacemos El Código Curativo con las personas, nos informan de manera consistente que sienten ya una diferencia con una sola sesión de 6 minutos. Obviamente, asuntos como el cáncer pueden requerir muchas sesiones de 6 minutos. Por eso, cuando decimos "6 minutos para curar cualquier asunto" lo que queremos decir es lo mismo como si dijeras, "Toma Vitamina C para defenderte de los resfriados y fortalecer tu sistema inmune". Todo mundo sabe que eso no significa "tómate una tableta de Vitamina C una sola ocasión y así nunca pescarás un resfriado". Quiere decir que si tomas la Vitamina C de manera consistente, es probable que pesques los resfriados y otros padecimientos con menos frecuencia. El Código Curativo funciona así, funciona cuando lo haces de manera consistente.

¿Qué tal si siento como que no estoy teniendo mucho avance?
Si sientes que estás trabajando pero que no tienes avance, enfócate en la imagen de cuando el problema se inició y cuando los síntomas físicos y no físicos comenzaron. Por ejemplo, si las migrañas te tienen en lo físico con dolor y emocionalmente con depresión, enfócate en cuando el dolor y la depresión comenzaron.

Si, después de hacer el Código, en cinco ocasiones por separado, todavía no sientes ninguna reducción en la escala de intensidad del 0 al 10, busca otra imagen. Esta pudiera ser una imagen entre tu imagen actual y alguna más temprana, o pudiera ser tu imagen actual. Trabaja en la imagen que tenga la mayor intensidad en lugar de la que tenga más tiempo.

También pudieras intentar el momento de tu vida poco antes de que comenzara tu problema (hasta dos años antes). En ocasiones encontrarás algún trauma, conmoción, o evento emocional intenso en este periodo de tiempo. Enfócate en este evento hasta que sus emociones y creencias sean curadas.

Si aún así no tienes algún cambio en tu afección, puede ser porque otro asunto esté ligado a la raíz de tu problema actual. Sigue trabajando en los asuntos y en la categoría que más te moleste hasta que el problema cambie. (En el siguiente capítulo, te diremos acerca de una herramienta que ponemos a tu disposición y que puede ayudarte a localizar con toda precisión tus asuntos. Esto puede ayudar especialmente si es que sientes que no están teniendo avance. Frecuentemente aquello que pensamos que es el verdadero asunto, no es en realidad el corazón del problema.)

¿Y qué tal si me siento peor después de terminar mi Código?
Las respuestas curativas incómodas ocurren en quizás 1 de cada 10 personas. No se presenta únicamente al usar Los Códigos Curativos. Son un fenómeno muy bien conocido en la

medicina, denominado reacción de Herxheimer. Nosotros le llamamos a esto una respuesta curativa porque es la evidencia de que ciertamente te estás curando. Las toxinas físicas y las emociones negativas están buscando salir de tu sistema. Cuando curas las memorias celulares destructivas y las creencias no saludables que causaron tus problemas, el estrés que resultaba de ellos disminuirá en tu organismo. Cuando esto sucede, en ocasiones te sentirás peor hasta que la desintoxicación esté completa. Si alguna vez has llevado un régimen de desintoxicación, puede que reconozcas los síntomas. El beber mucha agua, acelerará la habilidad de tu organismo para deshacerse él mismo de las toxinas. Es importante recordar que esto no es un problema que estés sintiendo --¡lo que estás sintiendo es a tus problemas curarse! Es una de las cosas más estupendas que te pueden suceder a nivel fisiológico. Sin embargo, puede que también sea incómoda. Las respuestas curativas más comunes de las que nos informan nuestros clientes son dolores de cabeza, fatiga, y un empeoramiento de los sentimientos de los problemas que están tratando de curar. No hay una regla, pero en general, entre más basura tengas en tu organismo o en tu corazón, más basura es la que debe salir. Los asuntos emocionales comúnmente son una parte de las respuestas curativas.

Las respuestas curativas son naturales. Nos inclinamos a pensar en la gripa como fiebre, escalofríos, dolor de garganta, etc. Esto para nada es la gripa; estas son las respuestas curativas del organismo y del sistema inmune en su intento por eliminar el virus que los amenaza. La gripa es el virus en si mismo. Por tanto, no tienes porque alarmarte si tienes alguna respuesta curativa mientras el cuerpo se prepara para la acción de curar las imágenes destructivas y el estrés resultante que hay en tu fisiología. ¡Una respuesta curativa es la evidencia de que estás progresando! La respuesta cesará cuando la limpieza esté completa.

¿Sigo haciendo el Código Curativo si tengo una respuesta curativa? Si. Si tienes una respuesta curativa, sigue haciendo el Código, pero cambia tu enfoque hacia el aliviar la incomodidad de la respuesta curativa.

Por supuesto, si tienes algún síntoma que creas que puede ser un padecimiento o lesión, busca la asistencia médica adecuada.

Según el Dr. Paul Harris, la medicina energética es la única área de la salud en donde nunca ha habido un caso validado de daño. Esto es todavía más evidencia de que las respuestas curativas que algunas personas tienen son parte de un estupendo evento de curación, y no un síntoma de sus problemas.

Mientras de que la curación sucede, tampoco es raro el tener una respuesta de ir hacia adelante y atrás con respecto a tus emociones. Puede haber días en los que te sientas como si dijeras "es un milagro" o "no me había sentido así de bien en años", solamente para seguirse de un día que te haga recordar como te sentías antes de que iniciara la curación. Esto también es normal. Procura no impacientarte con el proceso. Se llevará el tiempo que le requiera. Recuerda, lo más probable es que estés curando décadas de basura.

Ejemplo: Tuvimos dos clientes varones de mediana edad, ambos padecían de dolores de migraña desde hacía casi quince años. Los dolores de cabeza de uno de los hombres se curó en menos de una semana, y nunca volvieron, mientras que al otro hombre le tomó un año para curar. ¿Porqué tan enorme diferencia de tiempo para el mismo problema? ¡Pues porque no tenían el mismo problema! Simplemente tenían los mismos síntomas. El Código Curativo no cura los síntomas físicos, o al padecimiento o la enfermedad, sino que cura el origen espiritual de un problema, que siempre son las memorias/imágenes celulares destructivas y las creencias no saludables. Aunque estos dos hombres tenían los mismos síntomas, tenían imágenes radicalmente diferentes como el origen de sus problemas.

¿Debería de dejar de tomar mis medicamentos? ¿Los medicamentos interferirán con El Código Curativo?

¡Por supuesto que no! Esto no pretende tomar el lugar de lo que estés haciendo ahora. Utilízalo como una adición a otras ayudas para la curación. El Código Curativo se ha comprobado que funciona sin importar qué más estés haciendo por tu problema. Nunca descontinúes tus medicamentos sin consultar a un profesional de la atención a la salud.

¿Debiera abstenerme del tratamiento médico a fin de hacer El Código Curativo?

¡Por supuesto que no! El Código Curativo es complementario, y trabaja bien con la atención médica tradicional. Creemos que deberías hacer el trabajo curativo desde diferentes puntos de vista saludables como sea posible. Nunca te abstengas del tratamiento médico ni lo descontinúes sin consultar a un profesional de la atención a la salud.

¿Cómo sabré que está funcionando?

Puede que notes un nivel más profundo de paz y relajamiento. Puede que notes que las cosas con las que generalmente batallabas ya no son difíciles. O puede que no reconozcas que algo esté cambiando. La mejor manera de observar tus cambios es el mantener un registro de las calificaciones de intensidad en el Buscador de Imágenes de Recuerdos (memorias). Al ir esos números en decremento, sabrás que el Código definitivamente está funcionando. Puedes descargar gratis una Tabla de Avance cuando registres tu libro (www.thehealingcodebook.com).

¿Cuánto tiempo tomará para obtener resultados?

Los tiempos requeridos para la curación varían dramáticamente de persona a persona. Esto es debido a que problemas aparentemente idénticos (miedo, dolores de cabeza, etc.) pueden ser causados por varias imágenes de memorias destructivas en las diferentes personas, como se mencionó en el ejemplo de arriba de los dolores de cabeza.

¿Qué tal si soy interrumpido durante mi sesión?
Si eres interrumpido cuando haces el Código, puedes seguir en donde te quedaste si es que te interrumpieron solo una vez. Si te interrumpen dos veces, comienza otra vez el Código.

¿Qué tanto debo estar atento al reloj mientras hago mi Código?
Trata de hacer cada posición la misma cantidad de tiempo dentro del tiempo asignado para el Código (al menos 6 minutos). Sin embargo, no te distraigas por el reloj. Lo más importante es tu intención por curar y como ella afecta tus imágenes. Si usas los Enunciados de Enfoque en la Verdad[20] como se sugirió, puedes medir el tiempo de cuántas veces lo repites en 30 segundos más o menos, y luego, simplemente usa eso como tu "cronómetro" de 30 segundos.

¿Qué tan distanciadas debería hacer mis sesiones?
Es mejor el espaciar tus sesiones de Código Curativo a lo largo del día. Sin embargo, es mejor hacerlas todas juntas, de manera consecutiva, que el dejar de hacer una.

¿Qué tan importante es el hacer cada posición exactamente como se ilustra o como está descrita?
Trata de hacer cada posición de la manera en la que está descrita e ilustrada. Sin embargo, si te aproximas a eso también funcionará. La intención por curar es un factor importante para tener éxito.

¿El Código funcionará en problemas en los cuales no estoy enfocándome?
Puedes tener beneficios más allá del asunto en el cual estás trabajando en ese momento debido a que problemas diferentes pueden estar afectados por la misma imagen.

---

20 Cuando registras tu libro en www.thehealingcodebook.com, tendrás acceso a ejemplos de Enunciados de Enfoque en la Verdad.

En ocasiones siento como si hubiera una pelea teniendo lugar dentro de mí. ¿Porqué es eso?
Llamamos a esto conflicto consciente. Si algo en tu vida infringe tu propio sistema de creencias, pero es algo que no estás seguro de soltar porque te da placer o porque satisface alguna necesidad en tu vida (por ejemplo, comida, drogas, alcohol), entonces ese debe ser el primer asunto sobre el cual trabajar. Muchas veces, cuando las personas no curan tan rápido como se esperaba, es a causa del conflicto consciente.

Seguir haciendo lo que sabes que está mal, cuando sabes que está mal, cae en la categoría de las "acciones dañinas" en el sistema de Los Códigos Curativos. (Más acerca de eso en el siguiente capítulo). Es una de los inhibidores de la curación, y puede ser una de las áreas más difíciles de curar. No obstante, el cambio ocurrirá mientras que curas los otros asuntos que contribuyen al problema. Para eliminar los bloqueos para la curación originados por las acciones dañinas y por los conflictos conscientes, todo lo que tienes que hacer es el querer cambiar, y después empezar a tomar, incluso los más pequeños pasitos en esa dirección. Mientras sigues curando todas las áreas de tu vida, el elegir solamente las acciones saludables se volverá más y más fácil.

Me doy cuenta de que otras cosas están mejorando incluso antes de que mi problema principal desaparezca. ¿Porqué?
Otras cosas pueden cambiar antes que el problema que más te molesta debido a que esas cosas están relacionadas con tu asunto primario. El organismo le dará prioridad a lo que se necesite curar a fin de curar el origen del problema, y no solo los síntomas. Si no permites que esto suceda entonces el problema frecuentemente regresa. La mayoría de los asuntos en la vida de una persona están conectados, así que tú realmente estás trabajando en varios asuntos a la vez. A fin de curar el asunto problema de raíz, otras cosas puede que también tengan que curarse.

Después de que hago el Código, parece que veo las cosas diferentes, incluso cosas que en las que no estaba trabajando. ¿Porqué?
Tu organismo está localizando y curando de manera automática, las imágenes y creencias que están conectadas con tu problema o asunto. La gente frecuentemente nos dice que no ven las cosas de la manera en que solían hacerlo antes de pasar por el proceso y de hacer El Código Curativo. Como sus imágenes han cambiado, también han cambiado los lentes a través de los cuales ven al mundo.

Ejemplo: ¿Recuerdas la víctima de violación mencionada en el Capítulo Cinco? Cuando se le preguntó lo que sentía acerca del violador antes de hacer los Códigos Curativos, ella contestó, "¡Quisiera tomar una escopeta y volarle la cabeza!" Después de hacer los Códigos Curativos por varios días, algo cambió. Ella dijo que cuando pensaba en su agresor, ella sentía lástima y compasión por el hombre que la violó, y finalmente fue capaz de perdonarlo. Sus imágenes habían cambiado y poco después sus problemas se curaron.

¿Cómo puedo aprovechar las experiencias positivas que he tenido en mi vida?
Trata de enfocarte en "imágenes de amor" mientras haces tu Código. Identifica lo que llamamos un Cuadro de Amor, al pensar en una o más personas que te amen en tu vida. Estas personas pueden ser del pasado o del presente, pueden ser amigos, familiares, inclusive alguna mascota muy querida. Nosotros te animaríamos a que incluyas a Dios o a Jesús en esta lista. Dibújate a ti mismo rodeado y amado por esas personas de tu "lista de amor" --lo que te estás imaginando es la verdad. Imagínatelos uno a la vez, o a todos como un grupo. Relájate y disfruta al sentir que su amor toca tu corazón. Si no eres capaz de encontrar una Cuadro de Amor, imagínate que eres amado como desearías serlo. Precaución: Algunas personas tienen imágenes negativas de las personas que debieran haberlos amado pero que no expresaron de manera

efectiva ese amor. No incluyas a estas personas; ello pudiera interferir con la curación. Incluye solamente a esos cuyo amor alegra a tu corazón.

¿Los Códigos Curativos pueden dañarme de alguna manera?
Volvemos a citar al Dr. Paul Harris, conferencista y experto en salud alternativa conocido internacionalmente: "Esta es la única área de la salud en donde nunca en la historia ha habido un caso validado de daño". De las muchas personas que han trabajado con Los Códigos Curativos, no sabemos de nadie que haya sido dañado.

¿Esto es como ....?
Aunque Los Códigos Curativos puedan parecer similares a cosas que hayas hecho o escuchado con anterioridad, son completamente diferentes. No se basan en la medicina China, ni en los chakras, ni en los sistemas de acupuntura. La teoría y los ejercicios son únicos para el sistema de Los Códigos Curativos, aunque claramente funcionan sobre todo el sistema de energía humano, como todos los demás.

¿Qué tal si no recuerdo ninguna imagen temprana?
Puede que no siempre sepas en cuál imagen estás trabajando, pero tu corazón siempre lo sabrá. Tu corazón se conectará de manera automática con cada imagen que esté relacionada con tu asunto. Tú, generalmente sentirás la curación de estas imágenes aunque puede que no seas conscientes de cuáles sean.

¿Qué tal si no recuerdo nada que tenga que ver con una edad temprana?
En ocasiones las personas tienen bloqueos causados por traumas. Un trauma puede ser cualquier cosa que perturbe el corazón de una persona, a cualquier edad. En ocasiones alguna memoria (recuerdo) llegan después de hacer varias sesiones

del Código. Ya que el Código funciona a un nivel inconsciente, no es necesario que recuerdes la imagen.

Mis padres nunca me trataron mal. ¿Cómo pudiera esto estar relacionado con el problema?

Es genial que hayas tenido una buena relación con tus padres. Sin embargo, en ocasiones, el inconsciente no siempre interpreta los eventos de la misma manera en que lo hace nuestra mente consciente. Así que, para tu yo adulto, una imagen que recuerdes puede no parecer la gran cosa, aunque sí fue la gran cosa a la edad de cinco años. ¡Recuerda la historia de la paleta!

¿Cómo puede ayudar esto con mis dolores de cabeza (u otro problema físico)?

Con los dolores de cabeza como tu asunto, trabajarías en la imagen que haya en tu corazón que esté conectada con los dolores de cabeza. Cuando las imágenes se curen, el estrés será eliminado de tu organismo y tus dolores de cabeza generalmente mejorarán ya que tu cuerpo funcionara como debiera de hacerlo. (Recuerda, Los Códigos Curativos no trabajan con dolores de cabeza ni con ningún otro problema físico --sino solamente con las imágenes destructivas.)

Esto no funciona. Mis dolores de cabeza se han ido, pero áun tengo cáncer.

Recuerda, solamente estamos trabajando con imágenes. Me alegra que tus dolores de cabeza se hayan ido, y espero que tu cáncer cure pronto también. Pero solamente estamos trabajando en las imágenes del corazón. Tenemos la confianza en que puedas estar agradecido de que tus dolores de cabeza se hayan ido, y que continúes eliminando el estrés de tu organismo haciendo el Código. Esto liberará a tu organismo para utilizar su energía sobre el cáncer.

¿Qué tal si solamente hago los Códigos dos veces al día, en lugar de las tres veces que me dicen ustedes que es lo óptimo? ¿Aún así funcionará?
Tu Código Curativo siempre está funcionando. Solamente que funciona más lentamente si pasas menos tiempo con él.

¿Qué tal si se me olvida un día de hacerlo?
Trata de que no se te olvide ningún día, ya que la consistencia es muy importante para el proceso. Si se te olvida un día, simplemente continúa al día siguiente, y trata de enfocarte en hacer los ejercicios a diario. Aún así la curación ocurrirá.

¿Qué tal si El Código Curativo deja de funcionar?
Nuestra experiencia es que el Código siempre funciona. Pudiera haber momentos en los que no sientas que suceden cambios, o que los cambios no estén ocurriendo tan rápidamente como los quisieras. Tus sentimientos no son equivalentes a tu curación. De hecho, hemos tenido muchos testimonios de curaciones semanas o meses después de la última ocasión que hicieron el Código.

¿QUÉ TAL SI NO OCURRE LA CURACIÓN?

Si después de seguir todas las sugerencias anteriores, y de hacer tu Código Curativo con exactitud tres veces al día o más, no tienes ninguna curación de tu asunto importante, puede que te estés preguntando qué es lo que sucede, ¿esto es real?

El primer sitio en el cual buscar una explicación es tu propio corazón. Necesitas ser honesto contigo mismo y determinar si es que tienes algún conflicto consciente, como se describió anteriormente. Esa es la causa principal que se ha encontrado para un retraso en la curación. El conflicto consciente puede involucrar cualquier cosa desde acciones peligrosamente dañinas hasta el comer mal. También pudiera ser algo, que alguien más lo esté haciendo y que tú eliges ser parte de ello, como el aguantar abusos en una relación.

Ello retrasa la curación cuando de manera constante creas más imágenes destructivas y estrés que requieren ser curados.

¿Hay algún elemento en tu vida que esté en conflicto con tus propios valores? Todos nosotros tenemos algún conflicto consciente. Hemos encontrado que si tú tomas incluso los más pequeños pasitos para vivir lo que tú crees que es correcto, ello generalmente elimina el conflicto consciente que de otra manera retrasaría tu curación. Si no estás obteniendo los resultados que te gustarían de El Código Curativo, busca algún conflicto consciente y permite que ese sea el primer asunto en el que trabajes con el Código.

El segundo lugar en donde buscar es en el cómo practicas el Código. ¿Eliges un tiempo y un lugar tranquilos y apacibles? ¿mantienes tu mente enfocada en pensamientos o imágenes positivos y apacibles, tales como un Enunciado de Enfoque en la Verdad positivo o en un Cuadro de Amor? ¿Por lo menos haces todo el tiempo y el número de repeticiones? ¿Haces el Código de manera consistente todos los días?

Sabemos que la mayoría de nuestros testimonios informan de un progreso rápido, de cambios repentinos, y en ocasiones, incluso de resultados milagrosos, tanto en problemas físicos como en problemas emocionales. La mayoría de las personas que se toman el tiempo para escribirnos, lo hacen así porque están emocionados y agradecidos con lo que les ha sucedido de forma tan rápida. El progreso gradual inspira a un número mucho menor de emails, pero por favor date cuenta de que también tenemos esa clase de testimonios.

¿Porqué no todos tienen una curación milagrosa? Realmente tiene más sentido el preguntarse porqué es que alguien tiene esta curación. El Código Curativo no tiene por objetivo los problemas físicos. Ni siquiera tiene como objetivo de manera directa a los problemas emocionales. El Código Curativo tiene por objetivo únicamente la curación de los asuntos del corazón esquematizados en los doce asuntos espirituales que se tratan en el Buscador de Asuntos del Corazón (ve el capítulo siguiente, o dirígete a www.thehealingcodebook.com). Sigue siendo asombroso para nosotros el que mientras estos asuntos espirituales son curados, tantos problemas físicos y emocionales también se resuelven.

El ejemplo de los dos clientes con dolores de cabeza migrañosos es un caso perfecto de las diferencias en la curación. Las migrañas de uno de los hombres se habían ido en una semana; las migrañas del otro hombre se resistieron por todo un año. La diferencia era que el segundo hombre había tenido muchos asuntos inconscientes y creencias equivocadas, todas interrelacionadas y conectadas con las migrañas. El primer hombre solamente tenía unos cuantos asuntos sencillos conectados con las migrañas. Los problemas físicos son un síntoma de asuntos espirituales que se encuentran detrás de ellos. Los síntomas no son los verdaderos problemas.

Si le sigues la pista a cómo se va reduciendo la cantidad de aflicción que sientes debido a una memoria o un asunto, mientras haces el Código, entonces sabes que la curación va ocurriendo. Muchos clientes notan cambios sutiles pero profundos en sus actitudes hacia otras personas y hacia la vida en general. Ellos tienen menos enojo en el tráfico; no se molestan tanto con ciertas personas o situaciones; duermen más profundamente. Estos cambios pueden suceder de forma tan gradual y sentirse tan normales y naturales (como ciertamente lo son) que difícilmente puedes recordar qué tan desgastantes parecían ser las cosas. La ausencia de algo negativo no siempre deja una impresión, a menos de que algo más lo traiga a la mente. El notar estos cambios sutiles es alentador cuando tienes la necesidad de ver avances.

Otra vez, puede que quieras registrar tu libro y descargar el documento de la Tabla de Avance para que así puedas indicar los cambios. Aunque tu asunto principal puede que no esté curando tan rápidamente como te gustaría, el ver algunos de estos cambios más sutiles te reforzará el que tu curación está sucediendo.

Un cliente nos dijo, "He estado usando Los Códigos Curativos por más de dos años a la fecha. Todavía no están curados todos mis asuntos, pero he tenido curación en casi todas las áreas de mi vida: la física, emocional, espiritual, de las relaciones, y en mi carrera. Frecuentemente cuando hago un Código, poco después olvido por completo cuál era el asunto que me estaba molestando, ¡incluso si era un 9 o un 10! La curación en ocasiones es sutil, en ocasiones dramática, pero siempre profunda".

El usar El Código Curativo debería comenzar a curar los asuntos de tu vida, sean estos físicos, de las relaciones, o relacionados con el desempeño o el éxito. Tenemos la confianza de que su simplicidad y su poder te mostrarán que el sistema de curación explicado en este libro ciertamente es una realidad.

En el siguiente capítulo, te adentraremos a una herramienta que te ayudará a señalar con certeza tus asuntos del corazón, mejorando enormemente de esta manera tu experiencia con El Código Curativo.

CAPÍTULO ONCE

Usando el Buscador de los Asuntos del Corazón para Localizar con Toda Precisión Tus Asuntos

Como ya lo sabes ahora, muchos de los asuntos que te están molestando tienen su origen en las memorias celulares y se encuentran por debajo del nivel de la conciencia consciente. El Código Curativo llega hasta esos asuntos, pero funciona más rápido si es que puedes localizar con toda precisión al menos alguna parte de tu asunto actual.

Me tomó dieciséis años y tener un equipo de expertos (la Dra. Lorna Minewiser, y E. Thomas Costello, así como a programadores de computadoras) para desarrollar lo que yo llamo el Buscador de los Asuntos del Corazón. Esta herramienta es la única evaluación de su tipo que llega hasta estos asuntos del corazón, los cuales, ahora sabes que son el origen de todos los problemas que tienes. Mi programa de doctorado tenía un énfasis en la psicometría y en la elaboración de tests. Apoyándonos en estos conocimientos, mi equipo y yo creamos el Buscador de los Asuntos del Corazón para localizar con toda precisión los asuntos inconscientes del corazón de una manera efectiva. Después de que respondas a las preguntas en linea, se te da de manera instantánea un informe personalizado de tus asuntos de 10 a 15 páginas.

Hemos encontrado que cada problema que una persona tiene en su vida cae en una (o más) de doce categorías.

Estas se encuentran delineadas más abajo, y el Buscador de los Asuntos del Corazón te ofrecerá resultados en cada una de estas doce categorías. Después de que expliquemos estas categorías, te mostraremos cómo utilizar el Código Curativo y el Buscador de los Asuntos del Corazón para llevar curación a cualquier área de tu vida, desde este momento en adelante.

He aquí una visión general de las Doce Categorías que son evaluadas por el Buscador de los Asuntos del Corazón.

Categoría #1: Falta de perdón

Categoría #2: Acciones dañinas

Categoría #3: Creencias equivocadas

Categoría #4: Amor vs. Egoísmo

Categoría #5: Gozo vs. Tristeza/Depresión

Categoría #6: Paz vs. Ansiedad/Miedo

Categoría #7: Paciencia vs. Ira/Frustración/ Impaciencia

Categoría #8: Amabilidad vs Rechazo/Severidad

Categoría #9: Bondad vs. No Ser lo Suficientemente Bueno

Categoría #10: Confianza vs. Control

Categoría #11: Humildad vs. Orgullo Insano/ Arrogancia/Control de la Imagen

Categoría #12: Auto-Control vs. Pérdida de Control

Vamos a revisar brevemente las Categorías y el porqué son tan críticas para curar los problemas de raíz.

LAS TRES INHIBIDORAS

Llamamos a las primeras tres categorías del sistema de Los Códigos Curativos las Categorías Inhibidoras. Utilizamos el término "inhibidor" porque estas inhiben la vida, la salud, y la prosperidad. Debido a esto, para que ocurra una curación completa, permanente, estas deben ser eliminadas. Eliminadas es una palabra mayor, y quizá ninguno de nosotros llegue a eso por completo. Está bien. El noventa por ciento más o menos estará bien.

CATEGORÍA #1: LA FALTA DE PERDÓN

Durante años había estado dando conferencias alrededor del mundo en las que explicaba que nunca he visto un problema de salud serio en el cual no hubiera algún asunto de falta de perdón. Años después, conocí al Dr. Ben, quien también había estado realizando conferencias por todo el mundo y diciendo también que ¡él nunca había visto a un paciente de cáncer que no tuviera un asunto de falta de perdón!

La falta de perdón es la primera categoría debido a que esta puede muy bien ser la más crítica. En el Padre Nuestro, es el único asunto al que Jesús se refiere dos veces. En nuestra experiencia, cualquier persona que tenga un asunto en alguna de las otras once categorías, casi siempre tiene relacionado un asunto de falta de perdón. Sin embargo, muchas veces, estas personas dirán que no tienen ningún problema con el perdón, o que ya trabajaron en ello, que ya se ocuparon de ello años atrás con asesoría psicológica, o que ya lo dejaron ir de alguna u otra forma.

La falta de perdón frecuentemente es delatada por alguna forma de ira o irritabilidad, o de no querer estar cerca de cierta persona. No importa como le llames, esto puede matarte.

Muchas personas que son conscientes de su falta de perdón no quieren dejarlo ir debido a que sienten que sería como dejar huir al autor de su crimen. Estas personas malentienden muy gravemente al perdón. El perdón es interés propio bien entendido. Me libera del autor de la falta grave. Mientras me rehuse a perdonarlo, estoy atado a él, y entre más tiempo continúe ese proceso, más me acerco a ser arrastrado junto con él al abismo. A menudo, la persona a la que me rehúso perdonar no sufre para nada mi falta de perdón. Él o ella no tiene ningún remordimiento por el asunto. Así que en este caso es imposible que la falta de perdón esté dañando a alguien más, sino a mí. La cosa más amorosa que puedo hacer por mi familia, mis amigos, o mis vecinos, frecuentemente es el perdonar a alguien más y liberar a esa persona de mi juicio de los agravios percibidos.

Habiendo dicho esto, muchas personas tratan de manera legítima perdonar, por décadas, pero no tienen éxito. Yo te garantizo que mi cliente que fue violada trató absolutamente todo lo que conocía para tratar de perdonar al que la violó. Ella sabia conscientemente que su falta de perdón la estaba matando y arruinando su vida. Ella estaba muriendo, y el hedor de la muerte era absorbido por todos y por todas las cosas a su alrededor. A pesar de sus buenas intenciones, tres años después ella solamente estaba poniéndose peor, y su falta de perdón se había convertido en una montaña de rabia y miedo. En menos de diez días de estar tratando su asunto de falta de perdón con Los Códigos Curativos cortó la cuerda que la ataba con el autor de ese crimen y con la violación.

CATEGORÍA #2: ACCIONES DAÑINAS

Las conductas destructivas puede que sean la categoría más grande con la cual tratan en el mundo de la auto-ayuda, la asesoría psicológica, y la terapia, todos los años. Esto incluye problemas de peso, dieta y ejercicio, y todas las adicciones. Ya que las conductas son el resultado de los asuntos del corazón (recuerda el Secreto #7: "Cuando el Corazón y la Cabeza entran en Conflicto, el Corazón es el que Gana"), son "señales de alerta" muy útiles, para determinar en dónde tenemos asuntos que necesiten ser curados.

Algo interesante acerca de las conductas es que hay muchas que no son ni correctas ni incorrectas. Lo que puede ser dañino no es solamente lo que se hace, sino el porqué se hace. Por ejemplo, mientras escribo esto, es mi cumpleaños, y tengo toda la intención de prepararme un licuado de chocolate con crema batida, un helado de vainilla natural de Breyer, y el mejor chocolate que pueda encontrar. No puedo esperar, y ahora mismo puedo saborearlo de solo estar escribiendo acerca de ello. Así, ¿es una conducta destructiva para mí el tener un licuado en mi cumpleaños? Por supuesto que no. ¡Es tiempo de celebrar y soltarse un poco! De hecho, probablemente sería más estresante para mí el seguir apegado a mi dieta en mi cumpleaños mientras que todas mis memorias celulares me están recordando tantos años de pastel y helado. El otro lado de la moneda es si quiero un licuado de chocolate por alguna razón destructiva. Vamos a decir que, tuve un mal día en el trabajo, y que quisiera ahogar mis penas en las profundidades decadentes de un licuado de chocolate. O que quizás diariamente tomo licuados de chocolate, aunque sé que ello puede ser poco saludable, hasta tal punto de alejarme de mi familia a una edad demasiado temprana. La misma conducta, realizada en una ocasión por las razones correctas, y otras veces por las razones equivocadas. En otras palabras, la misma conducta puede ser destructiva o saludable.

Ahora, por supuesto que existen algunas conductas que siempre son equivocadas, tales como la violación, el abuso infantil, o el robo. Aunque estas conductas nunca son la raíz de los problemas de una persona, siempre son un síntoma de las memorias celulares destructivas. Entonces, ¿porqué tratarlas? ¿porqué no enfocarse simplemente en las memorias subyacentes? Eso es exactamente lo que vamos a ponerte a hacer en esta categoría. El saber que estoy teniendo conductas destructivas puede ser una luz de alarma en mi tablero de control que me indica que existen memorias celulares que necesitan ser tratadas y curadas.

Todas las conductas destructivas caen en una de dos categorías: auto-protección o auto-gratificación. Cuando Tracey estuvo deprimida durante los primeros doce años de nuestro matrimonio, ella tuvo de ambas. De hecho, nos estuvimos riendo de eso el día de hoy en mi comida de cumpleaños. Tracey preparaba un tazón de galletas de chispas de chocolates (lo mejor que hayas tenido en tu vida --¡todos piensan lo mismo!), luego se encerraba en su habitación y se ocultaba debajo de las cobijas para comérselas. Las galletas de chispas de chocolate son un buen ejemplo de una conducta de auto-gratificación, mientras que el encerrarse en su cuarto era una de auto-protección. Estos son ejemplos más bien obvios. Muchos otros no es muy fácil el identificarlos. De hecho, muchos comportamientos que la gente cree que son saludables están realmente siendo motivados por memorias celulares destructivas, inconscientes.

Llamamos auto-gratificación y auto-protección a las dos maneras de reacción de las acciones dañinas. Pero, ¿son reacciones a qué? La mayoría de la gente pensaría que son reacciones a sus circunstancias actuales --batallas financieras, fricción en las relaciones, frustración profesional. Mientras de que estas pueden contribuir con el estrés en nuestras vidas, no son la causa primaria. La reacción destructiva es una respuesta a una memoria celular reactivada, la cual lleva una mentira acerca de tu vida. En el caso de Tracey y su depresión, las mentiras eran de las comunes, como las que muchas personas creen sin darse cuenta: "No soy lo suficientemente buena", "la gente me hará daño", "mi vida no tiene remedio", "todos son mejores que yo", "no puedo confiar en nadie", "mi única esperanza de tener cordura es al controlar perfectamente mis circunstancias". Tracey concluyó que lo mejor que podía hacer era protegerse a si misma ocultándose en su habitación mientras se consolaba con las galletas de chispas de chocolate.

Puede que tú seas una de las personas que cree mentiras similares, si es que tienes algunas conductas destructivas, pero no te desesperes. Creemos que tienes la solución en tus manos.

CATEGORÍA #3: CREENCIAS EQUIVOCADAS

Como ya hemos hablado, las investigaciones del Dr. Bruce Lipton en la Escuela de Medicina de la Universidad de Stanford mostraron que lo que nos enferma el 100 por ciento de las veces es el estrés que es provocado al tener una creencia equivocada acerca de nosotros mismos, de nuestras vidas, o de otras personas. Estas creencias hacen que estemos asustados cuando no debiéramos estarlo, y el estrés y el padecimiento son simplemente el miedo que se ha llegado a presentar de forma física.

Tú puedes curar cualquier problema de tu vida, por el resto de tu vida, de manera muy efectiva, utilizando nada más El Código Curativo y tratando tus creencias equivocadas. Estas creencias equivocadas son los tumores contenidos dentro de nuestras memorias celulares que propagan la enfermedad y los padecimientos en nuestras vidas. Son estaciones de radio que están emitiendo constantemente a nuestros oídos propaganda acerca de nosotros mismos. Después de años de escuchar estas mentiras sin una manera de poder cambiarle de estación, empezamos a creerlas y a actuar en consecuencia.

Siempre hacemos lo que creemos. Y todo lo que hacemos, lo hacemos debido a algo en lo cual creemos. Si tus creencias son correctas, tus sentimientos, pensamientos, y conductas serán saludables. Si estás haciendo, pensando, o sintiendo algo que no quieres, siempre es debido a algo que crees. Si cambias tus creencias, tus pensamientos, tus sentimientos y tus acciones cambiarán automáticamente. Se oye fácil ... ¿dónde está el problema? Como lo vimos en el Secreto #5, las creencias que más necesitan cambiar, se encuentran protegidas por tu mente inconsciente para no ser cambiadas, ya que estas sirven como una alarma de emergencias para ayudarte a evitar que vuelvan a suceder cosas que te hagan daño. Esa es la razón del porqué la gente trata toda una vida de cambiar sus creencias pero muy pocos lo logran de manera exitosa. Este tipo de cambio es la esencia del popular término de los últimos treinta años, "romper el ciclo".

Recuerdo a una cliente que comenzó a hacer Los Códigos Curativos por un problema físico. Me llamó muy emocionada con poco tiempo en el proceso y dijo, "Algo ha sucedido, y tengo que saber si es normal". Cuando le pregunté qué era ese algo, ella dijo, "Mis creencias están cambiando". Le pregunté si eso era algo bueno o malo para ella, y me contestó, "Ni uno ni lo otro ... es maravilloso". Continuó relatándome todas las cosas que había hecho, con resultados limitados, para tratar de romper ese ciclo de creencias en su vida. Ella se había estado enfocando solamente en un problema físico mientras hacía Los Códigos Curativos, ya que no creía que esas creencias pudieran cambiar. Sin siquiera estar trabajando conscientemente en sus creencias, estas se curaron por medio de Los Códigos Curativos en un muy corto periodo de tiempo. Oímos historias así cada semana.

EL SISTEMA CENTRAL DE CURACIÓN

La Categoría #4 es el comienzo de lo que llamamos "El Sistema Central de Curación". Así como las tres Categorías Inhibidoras fueron creadas para remover la basura de nuestras vidas, las nueve Categorías Centrales están diseñadas para infundir las semillas que crecerán en tu vida, en tu salud y prosperidad. Un hogar sano, no solamente viene determinado por una ausencia de basura, mugre y desorden. Está definido por la vida que se lleva dentro. El gozo que permea en este. La paz que hace de él un verdadero lugar de descanso. La amabilidad que hace que todo el que llegue se sienta atendido y en un hogar. En otras palabras, un lugar amoroso que transforma los corazones de aquellos que viven ahí, o que lo visitan.

Cada una de las Categorías Centrales funciona sobre una virtud que necesita ser infundida, y un opuesto destructivo que tiene que ser transformado, y sobre las emociones negativas y las creencias equivocadas que indican en dónde se encuentra la persona en el continuum entre la virtud y aquello que esté bloqueando a esa virtud. En el Manual de Los Códigos Curativos, explicamos con gran detalle cuáles son esas creencias y emociones negativas. El Buscador de los Asuntos del Corazón también te ayudará a identificar estas cosas.

También existe un órgano o sistema del cuerpo incluido en cada categoría central. Existen, y no por coincidencia, nueve aparatos o sistemas principales en el organismo. Cada órgano, cada glándula, cada hueso pertenece a alguno de estos nueve aparatos o sistemas. El sistema de Curación Central ha sido una "epifanía" mayor para la mayoría de nuestros clientes, desde el comienzo de Los Códigos Curativos. Es una correlación entre los asuntos físicos y los no físicos que tienden a ocurrir juntos. Esto quiere decir que si tienes una emoción negativa pero no puedes identificar ningún problema físico relacionado con ella, puedes ir a la categoría central que contenga esa emoción y encontrar los aparatos, sistemas y órganos que más probablemente serían afectados por esa emoción negativa. Y viceversa, si lo único que sabes es que tu quiropráctico te dice que tienes un problema con tus glándulas suprarrenales, puedes ir a la categoría para las glándulas suprarrenales y descubrir cuales son las creencias equivocadas que con mayor probabilidad estén dictando tu vida de una manera no saludable.

En el sistema más participativo de los Códigos Curativos, puedes buscar tus síntomas en la parte posterior del Manual y encontrar la categoría en la cual el síntoma cae, y usar los Códigos para esa categoría, para así curar el asunto. Ya que esos Códigos se concentran en síntomas específicos, suelen ser los Códigos más potentes.[21]

No puedo decir cuántas personas nos han escrito y llamado para decirnos que nunca hubieran pensado en relacionar un síntoma físico en particular con un determinado problema no

---

21 Para más información acerca del Sistema de Los Códigos Curativos, vea la p. 292 o visite www.thehealingcodesbook.com.

físico. Dicen que el entendimiento de cómo el problema se desarrolló fue de lo más valioso para su curación y para su paz interior. Muchas de estas mismas personas nos han dicho, con la confirmación de sus médicos, terapeutas alternativos, y otras personas, que verdaderamente, tienen un problema físico en cierta área el cual no se había manifestado hasta el punto de que llegara a notarse. La manera en la cual el cliente lo pudo encontrar fue por medio de la correlación del Sistema de Curación Central. Por ejemplo, un cliente con baja autoestima se enteró con Los Códigos Curativos que la baja autoestima tiende a mostrarse en la forma de problemas hormonales y de las glándulas. Aunque el cliente no tenía ningún síntoma en esa área, fue a que lo revisaran, sabiendo que el estrés ocasionado por una baja autoestima había estado operando en él durante décadas. La detección temprana de sus problemas hormonales y glandulares por parte de su proveedor de atención a la salud hizo que los problemas fueran mucho más fáciles de tratar que si se hubieran esperado a tratarlos hasta que fueran evidentes.

CATEGORÍA #4: AMOR VS. EGOÍSMO

El amor es la virtud desde la cual emanan todas las otras virtudes. Los Beatles realmente lo habían dicho correctamente: "Todo lo que necesitas es amor". A Jesús se le preguntó, "¿Hay alguna cosa que sea lo más importante?" Su respuesta fue, esencialmente, "Por supuesto. El amor". De hecho, fue inclusive más allá de la pregunta y dijo, "Si amas, lo has hecho todo". Si tienes mucho amor, interior y exteriormente, todo lo demás generalmente está bien. Si llevas amor hacia dentro y hacia el exterior, generalmente todas y cada una de las cosas se curan muy rápidamente.

Antes de que sigamos más adelante, ya que el amor es la virtud más importante, vamos a asegurarnos de que estamos en la misma sintonía respecto a lo que es el amor. Esto es particularmente importante ya que parece que la palabra se utiliza para un montón de cosas. "Amo el chocolate",

"Amo estos pantalones", "Amo el béisbol", etc., etc. etc. Frecuentemente, la palabra "amor" es utilizada en una manera en la que realmente describe lo opuesto al amor, y que es, por supuesto, el egoísmo. El amor, el verdadero amor, es el olvidarme de mis propias necesidades y deseos hasta el punto de hacer lo que sea mejor para otras personas y para mí mismo. Si la elección se encuentra entre mi propia necesidad o deseo y el bien de otra persona, el amor elegirá a la otra persona. Esta es una de las principales cosas que nos diferencian de los animales, los cuales operan por medio del instinto.

"Amor" significa elegir el dolor. Si alguna vez has amado verdaderamente, entonces no te cabe duda de que el amor es dolor. Si yo me hubiera divorciado de Tracey la primera vez que no sentí amor por ella, nos habríamos divorciado antes de siquiera haber salido de la iglesia. Debo haber escuchado, "Una foto más", cuarenta veces, y mi rostro estaba a punto de resquebrajarse por tanto sonreír, y me moría por un trozo de pastel. Pero el amor anula el dolor y elige el hacer lo que es mejor en toda circunstancia. ¿Eso quiere decir que nunca podré satisfacer mis necesidades? Por supuesto que no. Sería muy difícil, si no es que imposible, el que ame a otros sin amarme a mí mismo. El problema es que la mayoría de nosotros estamos tan obsesionados con nosotros mismos, o tan esclavizados por nuestras memorias destructivas que frecuentemente ni siquiera nos percatamos de las oportunidades para mostrarle amor a otras personas.

El amor tampoco es sexo. Digo esto porque ese puede ser el más grande malentendido de nuestra sociedad. El sexo no es hacer el amor. El sexo se supone que sea una celebración del amor. Recuerdo la vieja frase de la preparatoria, usada por muchos chicos cuyas hormonas estaban hambrientas de sexo, diciéndoselas a una pareja frecuentemente crédula, "Si tú realmente me amas, vas a ..". Si él realmente la amara, nunca hubiera dicho eso. Mientras que este ejemplo del sexo adolescente es graciosamente obvio para la mayoría de los adultos, frecuentemente nos encontramos con diferentes conductas operando bajo la misma motivación. Las adicciones a la televisión, el Internet, los deportes, o inclusive a los buenos libros, pueden convertirse en substitutos del amor, que nos obsesionen y que nos alejen de las relaciones amorosas, de intimidad para las cuales estamos hechos para así disfrutarlas.

Por otra parte, una falta de amor es la raíz de virtualmente todos los problemas que tenemos. El aparato o sistema del cuerpo para la Categoría del Amor es el sistema endocrino u hormonal/glandular. Tal como todas las otras virtudes emanan del amor, y todas las cosas negativas emanan del egoísmo, así el sistema endocrino es un parte vital de toda enfermedad o padecimiento conocido. ¿Pudieras decir que esta es la categoría más importante, aunque hicimos esa misma aseveración de la Falta de Perdón? Puede hacerse un buen punto aquí, ya que la falta de perdón es el resultado del egoísmo, o una carencia de amor. De hecho, la falta de perdón es uno de los componentes secundarios de la Categoría del Amor.

El hacer El Código Curativo sobre esta categoría curará los problemas de amor, egoísmo, y los endocrinos. Aunque lo hemos dicho ya varias veces antes, es importante volverlo a decir: El Código Curativo no trata ningún padecimiento o enfermedad física, aunque acabamos de mencionar al sistema endocrino. El enfoque del Código siempre se encuentra en la memoria celular, en la creencia equivocada o en los sentimientos negativos.

CATEGORÍA #5: GOZO VS. TRISTEZA/DEPRESIÓN

El gozo frecuentemente es la categoría más fácil de utilizar para determinar si alguien está tratando con asuntos del corazón destructivos o no. El gozo es una de esas cosas que son de las más fingidas en la vida moderna. Todos quieren que la gente piense que les está yendo bien, así que "ponemos cara contenta".

No obstante, la presencia o ausencia del verdadero gozo es un indicador muy bueno de dónde se encuentra la persona en su mente inconsciente. El gozo es una de las primeras cosas que se pierden cuando los problemas, físicos o no físicos, se manifiestan.

Muchas personas confunden el verdadero gozo con la alegría, pero en nuestra experiencia, la alegría se basa en nuestras circunstancias. Si las cosas van bien, me siento bien. Si las cosas van mal, o no cumplen con mis expectativas, entonces me deprimo (o cualquier otro término técnico que se quiera aplicar).

El gozo, por otra parte, es una flor rara. Florece a pesar de las circunstancias. Una de mis cosas favoritas es ir caminando por la calle y observar la única flor que esté floreciendo por una cuarteadura del duro concreto. Solo quiero detenerme ahí mismo, aplaudir y decir, "¡Ahí vas nena!" Esto es verdadero gozo. Es el espíritu indomable que reconocemos en los gigantes como la Madre Teresa, y Víctor Frankl, quienes pasaron por un infierno en la tierra y salieron del otro lado, no solamente intactos, sino siendo mejores por ello mismo. El verdadero gozo florece en la tierra del amor. En donde hay amor, hay gozo. Una ausencia de amor se correlacionará con una carencia de gozo, siempre.

El sistema corporal relacionado con la Categoría del Gozo es la piel (el sistema tegumentario), la cual es el órgano más grande del cuerpo. En mis años de asesoría y terapia psicológica, raramente recuerdo a algún cliente deprimido que no tuviera algún problema de la piel. Sé que esto definitivamente era cierto para con Tracey, quien de manera regular se quejaba de problemas en la piel, y a quien frecuentemente le salían chichones en los brazos mientras estaba deprimida. Después de hacer equipo con el Dr. Ben, fue fascinante el escucharlo decir en las conferencias que nunca había encontrado a un paciente deprimido que no tuviera problemas de la piel de algún tipo.

La tristeza, y la depresión tienen su origen en las memorias celulares, cuya mentira es que la vida no tiene remedio por algo que sucedió en el pasado.

CATEGORÍA #6: PAZ VS. ANSIEDAD/MIEDO

La paz es el mejor indicador de la salud del corazón (la mente/ consciencia/el espíritu del corazón). ¿Porqué? Esta es la única de las nueve Virtudes en la cual no puedes trabajar para crear más de ella a través del esfuerzo. Es el resultado natural de un corazón amoroso. Tú puedes, de manera intencional, tener más gozo, ser más paciente, confiar más, auto-controlarte, o ser más amable, ya sea que ahí este tu corazón o no. ¿Y porqué harías esto? Porque estas cosas son socialmente aceptables en la mayoría de las culturas. Aunque generalmente es algo bueno el cultivar estas cosas, también pudieran estarse haciendo con una motivación egoísta. La paz, por otra parte, no puede desarrollarse de estas maneras. La paz es un indicador consistente y predecible de quien tú realmente eres. Puedes elegir actuar de maneras diferentes, pero la presencia o ausencia de la paz es difícil, sino que imposible, de manipular por razones egoístas.

La paz es perturbada por el miedo, y el miedo es el padre todos los sentimientos negativos. La tristeza, la impaciencia, la dificultad para confiar en otros, los comportamientos contraproducentes, la auto-indulgencia, todos, se originan a partir del miedo. El miedo es una reacción ante el dolor. Aunque todos nosotros experimentamos dolor, algunos eligen el amor y otros eligen el miedo. La razón por la cual elegimos lo que elegimos se encuentra, por supuesto, como con todo lo demás, incrustada en el corazón. Recuerda, cuando la cabeza y el corazón entran en conflicto, el corazón es el que gana. Incluso si tu elección consciente y racional es el amor, si tu motivación inconsciente es el miedo, el miedo ganará y te robará tu paz.

Yo (Ben) recuerdo haber visto una calcomanía que decía, "Si lo tienes, fue traído por un camión". Si tienes una emoción negativa, fue traída por el miedo, y no por coincidencia, si tienes algún malestar físico, vino a través del aparato corporal de la Categoría de la Paz --el aparato gastrointestinal. La primera vez que Yo (Alex) escuché a Ben ofrecer una conferencia hablando sobre el aparato gastrointestinal, tuve tantos destellos "eureka" llegándome, que casi gritaba. Nunca había sabido que casi cada enfermedad y padecimiento se originan de alguna manera a través del aparato gastrointestinal. Al haber entendido eso, tiene mucho sentido que el miedo causara problemas en el aparato GI, ya que el miedo también es lo que ocasiona todas las otras emociones y creencias negativas. Tenemos la confianza en que ahora te das cuenta del porqué tantas personas han sido profundamente impactadas solo al entender las correlaciones que existen entre sus problemas de salud físicos y no físicos.

A fin de evitar una confusión, permítenos hacer una referencia hacia la Categoría del Amor, ya que habíamos dicho que todo padecimiento o enfermedad conocidos para el hombre están relacionados con el sistema endocrino. Esto no se encuentra peleado con lo que acabamos de decir acerca del aparato gastrointestinal. Encajan juntos con una asombrosa armonía. El sistema endocrino es el primer sistema en el cuerpo que se afecta por nuestras memorias celulares, y este tiende a impactar primero al aparato GI. A partir de ahí, casi cualquier problema que puedas nombrar, se desarrolla en base a tu eslabón físico más débil.

No queremos dejar esta categoría sin reforzar una vez más qué tan estupenda y crítica es esta correlación. El amor es a final de cuentas el origen de toda la salud, y el correspondiente sistema endocrino es la primera ficha de dominó para los problemas de salud. Si esa primera ficha de dominó nunca es derribada, es difícil para cualquier padecimiento o enfermedad el hacer su fortaleza en tu organismo. De la misma manera, el egoísmo, que es lo opuesto al amor, es lo que nos hace que elijamos el miedo por sobre el amor. Una vez que se elige el miedo, los patrones de pensamiento, los sentimientos y las conductas negativas tienen la puerta abierta para descarrilar la vida que hemos soñado.

No podemos recalcar lo suficientemente fuerte qué tan importante es el poner atención a tu luz de alerta de la Paz/ Ansiedad, para determinar cuando es que tienes algún asunto del corazón que se está reactivando. Aún más que la Categoría del Gozo, la verdadera paz resiste a las condiciones de las circunstancias.

¿Cómo se puede usar esto de manera práctica? Para cualquier asunto con el que estés tratando, piensa en diferentes variables, aspectos, cursos de acción, y monitorea tu nivel de paz mientras te imaginas las diferentes posibilidades. Frecuentemente, el mejor curso de acción será aquel en el que sientas la mayor paz.

Desafortunadamente, muchas personas confunden la paz verdadera con el ceder al miedo. Vamos a decir que durante la mayor parte de mi vida me he sentido obligado a seguir una carrera en particular, y una particular manera de llevarla a cabo, pero por varias razones nunca la he abandonado ni actuado en consecuencia a esto. Mis razones pudieran incluir las finanzas, mis relaciones, o quizá problemas de salud. Ahora, mientras estoy sentado, leyendo este libro, decido probar este curso de acción con mi "Indicador de Paz". Cuando pienso en hacer lo que he soñado en hacer toda mi vida, de inmediato siento miedo, y cuando dejo de pensar en ello, me siento mejor. Esto puede conducirme a confundir el alivio que siento (el alivio mi miedo al cambiar el foco de mis pensamientos) con la paz verdadera. Muy posiblemente, la razón por la cual siento miedo cuando pienso en hacer lo que siempre he soñado en hacer, es porque tengo basura en mi corazón que me está diciendo, "Eso no funcionará para mí", o "No soy lo suficientemente bueno", o "Otras personas pueden tener éxito, pero yo no".

Así es como las memorias celulares destructivas pueden dictar nuestras vidas, así que es importante el entender la diferencia. Lo que tengo que hacer es el trabajar en ese asunto del miedo con El Código Curativo, y después volver a probar, usando el "Indicador de Paz". El miedo que sentía cuando pensaba en vivir mi sueño es la evidencia de que tengo algo que curar ahí. La ausencia de miedo no es una parte del "Indicador de Paz": lo que debes de sentir es la presencia de la paz.

Para explicarlo más detalladamente, si el usar el "Indicador de Paz" produce paz, eso es fácil ---eso generalmente significa "ve por ahí". Si el indicador dice "no", entonces lo que generalmente se está sintiendo no es el miedo, o ira, o tristeza, sino lo que algunas personas generalmente describen como, "Simplemente no siento paz en eso". Si les preguntas, "¿sentiste miedo, ira o tristeza?", su respuesta será, "No, solo no sentía paz al respecto". Eso es diferente a sentir algunas emociones negativas intensas. Cuando tienes emociones negativas intensas, ello casi siempre es un indicador de que existen asuntos del corazón acerca de ese asunto, que necesitan ser curados.

CATEGORÍA #7: PACIENCIA VS. IRA/FRUSTRACIÓN/ IMPACIENCIA

La paciencia puede muy bien ser uno de los asuntos y de las categorías más subestimados. Por alguna razón, tenemos la tendencia a poner a la impaciencia en una categoría completamente diferente a la de otras emociones y sentimientos negativos.

Sin embargo, la impaciencia puede ser absolutamente enorme en la vida de una persona. La impaciencia es la evidencia de que no estamos satisfechos. Es la evidencia de que no estamos contentos. Casi siempre es un indicador de que nos estamos comparando con otras personas, lo cual siempre nos lleva por el camino equivocado. El compararnos a nosotros mismos nos conduce a sentimientos de inferioridad o de superioridad. Cualquiera de ellos es terrible y puede llevar no solamente al estrés, sino a casi cualquier problema de salud posible. El claro indicio para saber si este es tu asunto o no, son los sentimientos de irritabilidad, frustración, ira, o de inseguridad. La evidencia de la naturaleza pivote de esta categoría se encuentra en su sistema corporal, el cual es el sistema inmune.

La primera de las tres "Una Cosa's" al comienzo de este libro es que existe solamente una cosa sobre el planeta Tierra que puede curar casi cualquier problema que tengas, y esa cosa son tus sistemas inmune y de curación. Encontramos que estos sistemas, el inmune y el de curación son directamente desconectados mayormente por la ira y sus muchos afiliados, y por una creencia no saludable de que "algo debe cambiar a fin de que yo esté bien". Asombrosamente, cuando las memorias celulares concernientes a la ira, la comparación, y el descontento se resuelven, los padecimientos físicos tienden a curarse de manera dramática. Esto sucede por medio de volver a encender al sistema inmune.

La próxima vez que te sientas impaciente, relaciona eso con el hecho de que puedes estar justo en ese momento, desconectando tu sistema inmune y haciéndote a ti mismo susceptible al padecimiento y la enfermedad. Una querida amiga mía que se encuentra aquí, ahora mismo ayudándome, acaba de hacer una maravillosa pregunta, la cual es, "Espera un minuto. Yo pensaba que el miedo era lo que activa la respuesta al estrés de ataque o huida, la cual desconecta al sistema inmune". Ella tiene toda la razón. Entonces, ¿cómo pueden ir juntas esas dos cosas?

Cada sentimiento y emoción negativos, incluyendo la impaciencia y la ira, provienen originalmente del miedo. La ira parece ser el indicador de que el miedo ha ido lo suficientemente lejos en la vida de alguien como para desconectar al sistema inmune. No puedes resolver las memorias celulares de ira sin también tratar el miedo. Pero no tienes que hacerlo de manera consciente. El Código Curativo lo hará automáticamente. Cuando una persona trata sus asuntos de paciencia y de ira, lo que notamos es que el sistema inmune tiende a volverse a conectar de una manera más espectacular que cuando sucede al tratar otros asuntos.

Este también es un buen sitio para agregar que todas estas correlaciones son meras tendencias, de las cuales vemos excepciones de manera regular. Puede que nunca veas alguna correlación entre los asuntos emocionales y físicos de alguna categoría en particular. No importa cuáles sean tus asuntos y correlaciones, si primero trabajas por cada una de las Doce Categorías, una por día, y después te enfocas en las categorías y asuntos que sean las más molestas (como fueron indicadas por el Buscador de los Asuntos del Corazón), tú vas a mantener una tendencia a curarte, de manera consistente y predecible. En otras palabras, hay algo acerca del mecanismo de El Código Curativo que cura lo que necesita ser curado sin que debamos tenerlo todo resuelto. ¡Que alivio!

CATEGORÍA #8: AMABILIDAD VS RECHAZO/SEVERIDAD

La Categoría de la Amabilidad puede ser la más crítica para la mayoría de las personas, especialmente personas que han tenido un hondo dolor no físico en sus vidas. Una persona egoísta --una que reacciona por miedo, en lugar de elegir el amor-- es probable que rechace y que sea severa o dura con otras personas, debido a su propio dolor y sus propios sentimientos de rechazo. Esto es lo más devastador que alguien puede sentir en la vida --el rechazo de otra persona. Ello se encuentra en la raíz de casi cualquier problema de amor (sentirse aceptado, amado y sentir que vale la pena) que podamos tener.

Entonces no debiera ser una sorpresa, que el sistema del cuerpo que se afecta más por el rechazo sea el sistema nervioso central. Mientras que nuestras memorias celulares parecen ser el mecanismo de control de la curación de cada célula del organismo (ver el Secreto #3), el sistema nervioso central tendría que ser considerado el mecanismo de control para casi cualquier otra función. Las millones de señales que coordinan las actividades y movimientos del cuerpo consciente e inconscientemente son controladas por el sistema nervioso central. Dos de las partes más importantes del cuerpo que constituyen el centro del sistema nervioso central son: la médula espinal y el cerebro. Esto hace recalcar la gravedad del rechazo cuando entendemos que el sistema más dañado por este rechazo es el principal sistema de control del organismo. Muchas personas creen que así como está el cerebro está el cuerpo. Por lo tanto, las cosas que más directamente curan al sistema nervioso central, son los simples actos de amabilidad.

Cuando me pongo a reflexionar sobre esto, es fácil para mí, el ver la extraordinaria verdad en esta asociación. A lo largo de mi vida, las personas que han sido las más amables conmigo, son las mismas personas en las que pienso cuando recuerdo a las personas que amo más y que me han amado más. Aunque algunas de estas personas fueron solamente parte de mi vida durante unos cuantos minutos, ellas tuvieron un enorme impacto en mi corazón.

CATEGORÍA #9: BONDAD VS. NO SER LO SUFICIENTEMENTE BUENO

Varias personas tienen a la Categoría de la Bondad como su principal categoría problemática, especialmente las personas que han sufrido abuso emocional, el perfeccionismo, o la religión legalista o fundamentalista. La culpa, la vergüenza, y el miedo son aquí asuntos enormes. Este siempre ha sido un gran asunto en mi vida, ya que fui criado en un hogar amoroso, pero en una religión más bien legalista. Me tomó décadas, el poderme recuperar de mi crianza religiosa.

Puedo recordar claramente un sermón de un predicador de los evangelios de los viejos tiempos en un retiro religioso.

Yo tenía doce años de edad, y el sermón trataba acerca del infierno, del fuego y del azufre. Hubo un punto en particular en el sermón en el cual el predicador estuvo por el lapso de unos tres o cuatro minutos golpeando el estrado con sus puños (lo cual resonaba por su conexión de micrófono), y en su rostro un ceño mientras repetía dos palabras: "Sin esperanza. Sin esperanza. Sin esperanza. Sin esperanza. Sin esperanza". Cada vez que su puño golpeaba el estrado y esas palabras atravesaban mi corazón, me iba hundiendo un poco más en mi asiento. Para el momento en que el oficio había acabado y que nos fuimos, literalmente difícilmente podía caminar. Tenía una sensación física que creo que no he vuelto a sentir en mi vida. La única manera en la que la puedo describir es que era como si tuviera que ir urgentemente al baño, pero sin en realidad tener que ir al baño. Cuando entramos al auto, de inmediato me coloqué el cinturón de seguridad y le pedí a mi papá que por favor manejara con cuidado. Esto fue por allá en los días en los que nadie se abrochaba el cinturón de seguridad. ¡De hecho mis papás me miraron como si estuviera loco!

Estuve obsesionado por la imagen del horno de fuego durante días, hasta que finalmente ya no pude soportarlo más y con miedo le pedí a Jesús que entrara en mi corazón. Créase o no, este fue un famoso sermón que encontraría años después en una grabación. Todavía lo conservo al día de hoy. Durante décadas después de eso, en cualquier momento en que hiciera algo que yo considerara pecaminoso o algo malo, tenía una enorme ola de culpa, miedo y vergüenza arrastrándose sobre mí. Yo no lo relacionaba con el sermón "Sin Esperanza". Simplemente sentía como que estaba siendo malo, y que no valoraba las cosas. Esto se trasladó a mi relación con Dios, los amigos, los maestros, y posteriormente, con las chicas. La culpa, el miedo, y la vergüenza pueden ser completamente devastadores.

Además de la angustia emocional, estos sentimientos ponen a nuestros cuerpos en un tremendo estrés. Un enorme grupo de las personas cuyos asuntos se encuentran en esta categoría son perfeccionistas. Este es un asunto difícil, ya que muchas personas que pelean con el perfeccionismo realmente piensan que esa es una cualidad buena y admirable, similar de cierta forma al ser un adicto al trabajo. Los adictos al trabajo frecuentemente son elogiados por su trabajo duro, así que puede ser difícil ver que ello realmente es poco saludable.

El perfeccionismo de Tracey siempre le ha exigido que sea perfecta, o casi perfecta, para que así pueda ser amada. Cuando hacía algo a la perfección ella recibía elogios, afecto, y cada vez más aceptación, pero en ocasiones era recibida con duras críticas o con algún castigo cuando se quedaba corta, en ocasiones por quedarse corta por lo más mínimo. Así que desde ese entonces, hasta ahora, Tracey había asociado el ser amada con tener "la razón". El problema obvio con esto es que incluso lo mejor de nosotros puede estar equivocado y estropear las cosas con bastante frecuencia. Si el sentido de valía de Tracey es asolado cada vez que arruine las cosas, incluso si hubiera hecho bien las veinte cosas antes de la última, ella va a estar en desequilibrio. Esta era una parte muy importante de la depresión de Tracey. Luego de un par de décadas de tratar de ser perfecta, ella nunca pudo llegar a serlo (aunque estuvo cerca). Esto finalmente se convirtió en desesperación y desesperanza y, asombrosamente, en la creencia de que ella era mala. ¿Porqué asombrosamente?

Hace algunos años Tracey y yo nos contamos uno a otro nuestros más grandes pecados y transgresiones. Mientras yo recitaba mi lista detallada durante horas, Tracey se llenaba de lágrimas mientras me decía muy avergonzada acerca de su pecado más grande de todos. Cuando era una pequeña niña, fue con su papá a una ferretería, y mientras veían las cosas, observó esas pequeñas bolsitas en las que meten los clavos, y de inmediato pensó que una de esas bolsitas sería perfecta para guardar los accesorios de su muñeca Barbie. Así que estiró su mano (la pequeña apestosa), tomó una bolsita, y la escondió debajo de su abrigo. Para cuando ella y su papá llegaron al auto, estaba completamente atormentada por la culpa y se lo confesó como un presidiario a su papá, posteriormente ella regresó a la ferretería y regresó la bolsita.

Y eso fue. Ese es el gran, enorme, gigantesco y monstruoso "Es muy malo, no estoy segura de poder siquiera contarte eso", de la vida de mi esposa. ¿Cómo es posible que una persona tan limpia e inocente, se sintiera tan mal, tan culpable y no digna de ser amada toda su vida? Porque su corazón decía que eso era quien ella era. Esa era la programación de su corazón. Y es que, los mensajes de nuestro corazón frecuentemente no se parecen siquiera a la verdad. Pero con todo y eso, todavía los creemos, los sentimos y actuamos en base a ellos.

El sistema del cuerpo para la Categoría de la Bondad es el aparato respiratorio. Cuando alguien tiene miedo, culpa, y vergüenza, la reacción física más común es la dificultad para respirar. No sé cuantos clientes he tenido, los cuales, debido a lo que han vivido en esta categoría, me han dicho en algún momento u otro, "No puedo respirar, simplemente no puedo lograr hacer una respiración profunda, ¿porqué no puedo respirar profundo? Espera un minuto, No puedo respirar". Tuve una cliente que estaba haciendo Los Códigos Curativos y que se estaba curando del cáncer de mama, la cual tiene un notable testimonio al respecto. Durante años, ella no había sido capaz de tener una respiración profunda aunque ella estaba muy metida en la salud y la nutrición. Había leído libros, intentado ejercicios especiales, había alternado dietas ... todo en lo que ella podía pensar, porque sabía que una respiración profunda es crítica para tu salud, y que la respiración superficial, con el tiempo, puede ser peligrosa. A pesar de todos sus intentos; no hubo mejoría. Así mismo, a los pocos años después de que empezaron los problemas de la respiración, se le diagnosticó con cáncer de mama.

Esta cliente comenzó a hacer Los Códigos Curativos, y trató lo que ella sabía era el asunto más grande de su vida, el cual se encontraba en la Categoría de la Bondad. Ella se encontraba trabajando en ese asunto por segunda vez cuando sintió que el asunto se curaba por completo. En el instante en que sintió que era curado, de manera espontánea tomó una enorme, larga, y profunda respiración. Ni siquiera intentó hacerlo así. Su cuerpo lo hizo involuntariamente. Desde ese momento hasta ahora, ha estado respirando profundamente sin problemas. Cuando esto sucedió, estaba tan emocionada que literalmente estuvo bailando en su casa. Y resulta que su esposo estaba fuera del país, pero ella le llamó a su celular. Cuando él contestó, le dijo, "¡Hola, escucha esto!" y respiró profundamente estando al teléfono. Y no "Hola, ¿cómo estás?" simplemente una plena y profunda respiración. Él también se emocionó, y repetía una y otra vez, "¿Esa fuiste tú? ¿Realmente fuiste tú? ¿Cómo lo hiciste? ¡Es increíble!" Ella dijo públicamente en un programa de radio que ella cree que esto sucedió cuando su cáncer empezó a curarse.

CATEGORÍA #10: CONFIANZA VS. CONTROL

Me comentaron de un estudio que me fascinó. Una persona brillante decidió examinar las vidas de las personas verdaderamente grandes, que cambiaron al mundo a lo largo de las eras. Jesús, Gandhi, la Madre Teresa, Abraham Lincoln, y muchos otros fueron analizados para ver si emergía algún denominador común. El autor estaba tratando de aislar aquello que hace grandes a las personas. ¿Qué hace que cambien las vidas? ¿Qué es aquello que de manera consistente resulta en avances? En otras palabras, ¿cómo podemos ser mejores?

Un denominador común salió a la superficie. Adivinaste, todas y cada una de esas grandes personas ---personas que cambiaron al mundo, personas de las que todos quisiéramos estar a su altura--- fueron personas que tenían la habilidad o que habían tomado la decisión de forma continua para confiar. La mayoría de ellos confiaban en Dios más que las demás personas, lo cual les daba una perspectiva acerca de en qué personas podían confiar.

Cuando piensas en ello, tiene mucho sentido. No puedes amar si no confías. Sin confianza, siempre tenemos una barrera egoísta de protección que inhibe al amor. Cuando quitamos esa barrera, cosas increíbles pueden suceder. ¿Cuál es la barrera que hace que nos queramos proteger y no más bien confiar? Si dices, "Oh, otra vez eso", tienes razón. Es el miedo.

¿Eso significa que estas grandes personas y que todas confiaban en las personas nunca les sucedieron cosas malas que les quisieran hacer protegerse a si mismos? Claro que no. Si lees acerca de Jesús, o Gandhi, o de Abraham Lincoln o de la Madre Teresa, no habrás leído mucho antes de que descubras persecución, críticas tremendas, calumnias, ataques, en pocas palabras, las cosas que nos hacen a la mayoría de nosotros el cerrar las puertas de nuestros corazones. Una vez que cerramos esas puertas, tendemos a adoptar una manera de vivir que se encuentra justo en la base de casi cualquier cosa destructiva: se llama "control". Ya sea en la relaciones, en tu salud, o en tu profesión, el control extremo generalmente conduce a una muerte lenta.

Aquí hay un ejemplo del mundo de la salud. Tuve a una cliente que era extremadamente controladora acerca de su dieta debido a que era sensible a muchos alimentos, una condición que estaba entremezclada con un padecimiento con el cual había estado luchando durante años. Aunque ya no seguía enferma, los años de lucha y dolor la habían dejado con un enorme miedo a una recaída. La comida era quizás la cosa más fácil que ella podía controlar para esa cuestión, ella podía hacerlo bajo la conducta socialmente aceptable de llevar una dieta. La vi un día, después de que se había estado sintiendo mal ya por un periodo de tiempo prolongado. Después de realizarle pruebas con una técnica que uso para descubrir si algo sería positivo o negativo (una forma aplicada de kinesiología), le recomendé que se comiera una hamburguesa. ¡Hubieras pensado que le había sugerido que robara un banco o que raptara a un niño pequeño! estaba completamente horrorizada. Y es que, el dolor que tenía, proveniente de su padecimiento estaba haciendo resonar un miedo tan masivo dentro de ella que era casi paralizante. Su única manera de hacerle frente al efecto paralizante era mantener su vida tan controlada como pudiera. Yo literalmente no sabía si la volvería a ver otra vez, ella estaba tan enojada conmigo por haberle sugerido esto, aunque yo había sido tan amable y amoroso como pude, ya que sabía con antelación que ella no recibiría bien esa sugerencia.

Al día siguiente, ella me llamó y sonaba como una alegre niña de escuela. Me contó su experiencia e hizo la observación de que literalmente, desde el primer bocado de la hamburguesa había comenzado a sentirse mejor. Ahora, ¿ella tiene que comer hamburguesas a diario? o, ¿estoy diciendo que la carne roja es algo bueno para tu dieta? No. Pero en esa situación, por la razón que fuera, física, no física, o ambas, ella necesitaba tener una hamburguesa. Así mismo, eso rompió con su pared de miedo y desde entonces ha sido una persona diferente. A propósito, ella todavía come muy saludablemente, pero ahora ya no es por miedo, es por amor a si misma y a la verdad. Y de manera ocasional también disfruta una hamburguesa o un cono de helado sin ningún efecto perjudicial.

Un último ejemplo antes de que nos retiremos de este asunto. Puedes recordar la historia del Secreto #4, acerca de Tracey y yo, de cuando nos casamos. Habíamos hecho todo lo concebible para estar preparados y armonizar de forma ideal para un matrimonio maravilloso, feliz, y que en gran parte fuera sin estrés, y con todo, en menos de un año más tarde los dos queríamos el divorcio. Quizá la razón predominante de que esto sucediera era que ambos teníamos nuestra "visión" de lo que queríamos que fuera el matrimonio, y en mayor parte de manera inconsciente, estábamos ejerciendo un control sobre la otra persona para tratar de hacer realidad nuestra visión. Pero debido a que la visión de Tracey no era igual a la mía y vice versa, nuestras maneras de controlar nos condujeron a la ira, la frustración, a los malentendidos, y al final a la desconfianza, y no al amor ni a la intimidad. Yo creo que esta categoría guarda los secretos del porqué tan pocas relaciones nos dan aquello que queremos. Escuché una estadística recientemente de que aproximadamente el 50 por ciento de las personas se divorcian, y que muchos que no se divorcian viven en la apatía, la infidelidad, o la desesperación. A lo más, aproximadamente cinco parejas de cada cien, viven una verdadera intimidad amorosa, la cual todos nosotros buscamos y deseamos. La razón de esto tiene su origen en la Categoría de la Confianza/Control.

Sabiendo eso, el aparato del cuerpo que tiene sentido para esta categoría es el aparato reproductor. El sexo se supone que sea el culmen de la intimidad amorosa. La intimidad amorosa corre con el combustible de la confianza. Si te llevas la confianza, todo lo que tienes es sexo sin intimidad. Tristemente, eso es lo que la mayoría de las personas tienen, y el porqué tantas personas pelean con el sexo o buscan algún substituto de este. También es muy común en las mujeres que no pueden embarazarse o que batallan con problemas de la reproducción también luchan con problemas de la confianza y el control. De hecho, Tracey tuvo tres abortos espontáneos y no tuvo un embarazo exitoso por años. Fue cuando ella le cedió el control a Dios una noche de un Domingo de Mayo que nuestro primer hijo fue concebido.

CATEGORÍA #11: HUMILDAD VS. EL CONTROL DE LA IMAGEN

"La imagen lo es todo". Al menos, eso es lo que una reciente campaña de publicidad decía. Aunque todos muy dentro de nosotros, sabemos que eso es mentira, muchos de nosotros todavía vivimos nuestras vidas como si ello fuera una verdad del evangelio. El control de la imagen se origina en una creencia de que "No estoy bien, y si la gente me llegara a conocer, llegarían a esa misma conclusión, así que a cualquier precio, necesito que la gente vea a un yo fabricado en lugar de que vean quien realmente soy". Esto se vuelve tan crítico para las personas que se encuentran atorados en ello que frecuentemente utilizarán cualquier medio necesario para pintar una cierta imagen o para hacer que las personas piensen en ellos de la forma "correcta". Nosotros llamamos a esto manipulación.

Nunca me olvidaré de cuando íbamos a la iglesia los Domingos por la mañana, con mis padres discutiendo como perros y gatos. Tan pronto como la puerta del carro se abría y el primer hermano o hermana decían "Hola", mis padres se transformaban milagrosamente. Amaban a todo y a todos, estaban profundamente enamorados uno del otro y amaban profundamente a sus hijos. El mundo era un lugar fabuloso, maravilloso, y el saludo de mano de mi padre con el predicador y su cordial respuesta de "¡Genial!" me dejaban desilusionado. Posteriormente me di cuenta de que todos hacen esto. De alguna manera u otra, se llega a convertir en el hecho de que necesitamos que la gente nos vea de una cierta manera. Pienso que el ser queridos comienza antes del jardín de niños para la mayoría de nosotros, y se prolonga durante todas nuestras vidas. Eso está bien, es parte de ser humanos.

El problema viene cuando esto nos hace poner nuestra energía en algo que no es una imagen real. Por supuesto que queremos poner nuestra energía en un sitio que redundará en beneficio, sustancioso. Nosotros somos quienes realmente somos en nuestros corazones (ver el Secreto #6). Si utilizáramos nuestra energía para limpiar la basura de nuestro corazón, automáticamente obtendríamos lo que realmente queremos, y que es, el sentirnos bien con nosotros mismos. Y el cómo es que otras personas se sienten acerca de nosotros entonces sería resuelto por si mismo.

El aparato circulatorio es el que se encuentra en el corazón (sin juego de palabras) de nuestros organismos, es el aparato más directamente afectado por estas batallas. Cuando empezamos a manipular y a controlar la imagen, dañamos nuestro corazón, el físico y el no físico. Así pues, el enfocarme en mi corazón significa el dejar ir todas las cosas externas que seducen a ir por el camino equivocado.

CATEGORÍA #12: AUTO-CONTROL VS. ESTAR FUERA DE CONTROL

Puede que ya te estés preguntando si es que existe algún conflicto entre el título de esta categoría y lo que tratamos acerca de los males del control un par de categorías atrás. La respuesta es "no". Y aquí está el porque.

Si no tenemos un auto-control, no podemos amar, no podemos realizar nuestros sueños, y generalmente acabaríamos rápidamente con nuestra salud. ¿Entonces cuál es la diferencia? El auto-control no debiera ser una tarea ardua, difícil, forzada, como el tratar de subir una montaña con la ropa empapada. Debiera ser más como esquiar por una hermosa montaña de nieve perfecta. El auto-control cuando se ejerce correctamente, es suave, y en ocasiones, no requiere esfuerzo. La diferencia es el estado en que se encuentra el corazón. Si nuestro corazón se encuentra con miedo, entonces tendremos que tener el control de lo que se requiera a fin de estar bien. Por otra parte, si nuestro corazón está lleno de amor y de la verdad, trataremos de estar controlados en el amor, la alegría y la gratitud, debido a que ya nos encontramos bien.

Habiendo dicho eso, esta siempre ha sido una gran categoría para mí. Soy el más chico de tres hijos y fui consentido hasta más no poder. Mi madre era la cocinera de comidas rápidas, la chófer, y la que llenaba las solicitudes. En mi último año de la universidad, no tenía ni idea de como lavar la ropa, hacer el balance de una cuenta de cheques, ni cocinar nada.

Esto se convirtió en un gran problema en mi vida. Recuerdo llegar a casa después de la iglesia, una mañana de Domingo poco después de que Tracey y yo nos habíamos casado, y mientras Tracey se esclavizaba en la cocina durante una hora y media, yo me senté delante del televisor a observar el juego semanal de la NFL con un vaso de té dulce en una mano, una bolsa de papitas en la otra, y el control remoto en mi regazo. Puedo recordar claramente el molestarme con Tracey por hacer demasiado ruido con las ollas y sartenes, ya que me hacía difícil el escuchar a John Madden y sus detalles jugada a jugada. Después de terminar un almuerzo de mis cosas favoritas, rápidamente regresé a mi sillón reclinable y nuevamente me molesté por el ruido de cuando hacía la limpieza que interfería en el juego. Mi tercera molestia vino una hora después cuando Tracey tuvo la osadía de perturbar los emocionantes momentos finales del juego con su aspiradora. Ahora me avergüenzo de ello, pero en ese momento, esa era la manera en la cual estaba programado. Esa pereza y el sentirse con derecho son asuntos críticos en la Categoría del Auto-Control.

El aparato músculo-esquelético es el aparato que se afecta más directamente por los asuntos del Auto-Control. Ha sido absolutamente asombroso el tener informes de nuestros clientes en los que reportan que sus problemas músculo-esqueléticos se curaron después de que curaron los asuntos del corazón de la pereza, el sentirse con derecho, la desesperanza, de rectitud, etc.

PONIÉNDOLO TODO JUNTO

Ahora que entiendes un poquito como el sistema del Código Curativo trata los síntomas físicos y no físicos de los asuntos del corazón, permítenos mostrarte cómo utilizar esta información para curarte a ti mismo ahora y por el resto de tu vida.

Paso Uno. Primero, te sugerimos que comiences usando El Código Curativo para trabajar en el asunto que más te moleste. Haz los pasos sugeridos en la página 220: Identifica la emoción detrás de lo que te esté molestando (miedo, desesperanza, ira, ansiedad, desesperación, etc.). Califica tu asunto (del 1 al 10). Vé si te llegan algunos recuerdos de algún otro momento en tu vida cuando tuviste los mismos sentimientos, incluso si la situación sea diferente completamente. Califica esa memoria (recuerdo) en términos de qué tanto te molesta ahora. Incluye en la oración la memoria o memorias que salgan a la superficie, junto con tu asunto actual. Haz el Código. Cuando hayas terminado, vuelve a calificar la memoria. Sigue trabajando en ese recuerdo más temprano o más intenso hasta que se encuentre por debajo de un 1 ---lo que significa que tienes perfecta paz acerca de ello cuando te acuerdas de eso. Después sigue trabajando en cualesquier otras memorias que tengan todavía alguna "carga", comenzando con el siguiente que sea más temprano o más intenso, hasta que todos lleguen a 0 ó a un 1.

Paso Dos. Realiza el Buscador de los Asuntos del Corazón. Esta herramienta de evaluación se encuentra en linea en www.thehealingcodebook.com (tendrás acceso al enlace cuando registres tu libro). Después de que respondas las preguntas, de manera instantánea recibirás un informe personalizado de 10 a 15 páginas, de tus puntuaciones en las Doce Categorías de los Asuntos del Corazón.

Este informe determinará con toda precisión los asuntos de tu corazón al momento de realizar la evaluación. Comienza con la categoría en la que tengas la menor puntuación. Busca algunas memorias (recuerdos) y sentimientos/creencias que aparezcan. Califícalas del 0 al 10, haz el Código, y trabaja en ello hasta que la emoción sea inferior a 1, como en el Paso Uno. Esta pudiera ser muy bien el origen del problema en el cual trabajaste en el Paso Uno.

Después de que hayas trabajado en la que fue tu puntuación más baja del Buscador de los Asuntos del Corazón, trabaja en la que le siga, en cuanto a una puntuación más baja (o en el asunto que te moleste más, si es que algo más ha aparecido). Sigue trabajando con el Buscador de los Asuntos del Corazón hasta que hayas tratado todos tus asuntos como lo indicaron tus puntuaciones. Puedes usar esta herramienta tantas veces como gustes, y te recomendamos que así lo hagas. Esto no solamente te permitirá saber cuáles asuntos necesitan más la curación en algún momento dado, también te permitirá seguir tu avance en las varias categorías.

Paso Tres. Después de que hayas dado con tus puntuaciones o calificaciones más bajas en el Buscador de los Asuntos del Corazón, ve a lo largo de las Doce Categorías de este capítulo, una por día. Esto te permite el que estés tratando todos los asuntos (recuerda, el 90 por ciento del origen de nuestros asuntos es inconsciente). Puedes seguir con este programa de "mantenimiento" por el resto de tu vida. Cuando algún problema aparezca, regresa a los Pasos 1 a 3, y sigue así para curar el origen de tus asuntos.

CURACIÓN COMPLETA EN LO VENIDERO

Ahora tienes en tus manos la clave de lo que creemos es el sistema de curación más poderoso que se ha descubierto hasta este día. Tienes el Código Curativo Universal para todos, y para usarlo en cualquier situación. Tienes acceso al Buscador de los Asuntos del Corazón, para guiarte al evaluar tus asuntos del corazón, y saber cómo darles una prioridad al curarlos. Tienes las Doce Categorías, con las cuales puedes utilizar El Código Curativo para cubrir todos las raíces físicas y no físicas de tus asuntos.

Con todo eso, adivina qué --- ¡No hemos terminado con tu curación!

El Código Curativo y el Buscador de los Asuntos del Corazón tratan con el origen de tu estrés a nivel celular. ¿Y qué hay acerca del estrés de todos los días, ese tipo de estrés en el cual pensamos cuando pensamos en estrés? Ya sabes, como cuando nuestro hijo hace un berrinche, o cuando estás atascado en un embotellamiento de carros, o que hayas discutido con alguien.

Queremos darte una herramienta más, en esta ocasión para tratar con el estrés circunstancial de tu vida. En el siguiente capítulo, vas a aprender a cómo revertir este tipo de estrés de la vida cotidiana -- ¡en cuestión de segundos!

CAPÍTULO DOCE

El Impacto Instantáneo: La Solución de 10 Segundos al Estrés Situacional

No hay duda de que has visto los anuncios por televisión, en Internet, en las tiendas --casi a cualquier lado al que voltees, que bebidas (y pastillas) se están ofreciendo para ofrecerte un plus de energía cuando lo requieras. Esta es una industria de varios billones de dólares.

Estas preparaciones se componen de ciertas vitaminas y ingredientes naturistas que se supone, aumentan los efectos de la cafeína que casi todos contienen. Lo que prometen son horas de energía. Pero si te fijas con mayor detenimiento en los ingredientes, verás que es otro caso de un intercambio entre una solución a corto plazo (un temporal incremento en la energía) por complicaciones a largo plazo. Inclusive las vitaminas y los compuestos naturistas pueden provocar efectos secundarios cuando los tomas en demasía. Algunas bebidas energéticas inclusive tienen una nota de advertencia con respecto a cuántas latas puedes consumir sin efectos dañinos.

Estas bebidas y estas pastillas realmente están agregando estrés al organismo al sobreestimularlo y enmascarar la fatiga que se supone que está conduciendo a que descanses y te relajes, y no para que le des todavía más para arriba. La mayoría contienen azúcar, la cual suprime al sistema inmune, o sustitutos de azúcar, los cuales muchos creen que son dañinos.

¿Qué tal si pudieras lograr un efecto de incremento de energía similar o mayor, sin ningún estimulante, sin un costo, sin la "caída" que sientes cuando los efectos del estimulante desaparecen, o sin los preocupantes efectos secundarios? ¿Qué tal si pudieras aprovechar este "incrementador de la energía" en cualquier momento que quisieras, sin ningún costo ni el inconveniente de tener que comprar nada, y todo en cuestión de segundos?

Y, ¿qué tal si, además del incremento en la energía, pudieras disminuir cualquier emoción o emociones negativas que sientas y desactivar el estrés, todo esto en solo 10 segundos?

Eso es exactamente lo que el ejercicio del Impacto Instantáneo hará por ti. En cualquier momento en que te sientas estresado, en cualquier momento en que necesites un incremento de energía, en cualquier momento en que las emociones negativas amenacen con invadir tu paz interior, "toma 10". Toma 10 segundos para tratar con el estrés, otra vez, no por medio de enmascararlo al tomar estimulantes, lo cual simplemente añade estrés a tu nivel psicológico del mismo-- sino al dirigirte a la fuente y eliminarla.

Es crucial el ir a la fuente de tu estrés debido a los devastadores efectos del estrés en tu cuerpo y mente. Te hemos dado las herramientas para curar el estrés a nivel celular, el tipo de estrés que generalmente se activa de manera inconsciente. Pero todos sabemos que hay otro tipo de estrés el cual es muy consciente. Vamos a revisar este tipo de estrés nuevamente, qué es y cuándo y porqué es que hace daño.

REPASO DEL ESTRÉS

El estrés es la manera natural y en ocasiones apropiada en la cual tu cuerpo reacciona ante una situación que provoca miedo o la cual parezca abrumadora. El estrés es necesario para que estemos a la altura de los retos de la vida.

El estrés ocurre cuando tu mente cree que te encuentras en algún tipo de peligro, ya sea emocional o físico. Sucede cuando tu mente cree que no tienes la capacidad para tratar con una situación urgente. Tu cuerpo bombea adrenalina en tu sistema para darte un empuje. A esto se le llama la respuesta de "ataque o huida".

Desafortunadamente para las personas en la sociedad moderna, ese plus de adrenalina es físico, y debe ser utilizado por medio de actividad física. Si no la quemas al huir o al pelear, la adrenalina permanece en tu organismo, creando tensión y aflicciones emocionales. Demasiado estrés sin aliviar pueden dejarnos tensos y agotados, incapaces de cumplir con las demandas diarias con equilibrio y el pensamiento claro que necesitamos. Estamos tensos, irritables, y cansados, y puede que no sepamos ni el porqué.

De manera ideal, solamente las situaciones que ponen en peligro la vida debieran disparar la respuesta al estrés, permitiéndonos así el actuar rápidamente con menos pensamiento y con unos reflejos más rápidos. Pero al día de hoy, esta respuesta frecuentemente es activada por el timbrar de un teléfono, la fecha de un plazo, un jefe, un miembro de la familia, o por otras muchas cosas o situaciones que no ponen en peligro la vida. Somos continuamente bombardeados con demandas, expectativas y deseos insatisfechos mientras vamos a lo largo de nuestras vidas diarias. Después de ser impulsados por toda esa adrenalina que no quemamos, quedamos exhaustos, con un sistema inmune funcionando poco, y un agotamiento generalizado de nuestros recursos físicos, emocionales y espirituales. Ahí es cuando podríamos estar tentados a ir por una bebida energética. Sin embargo, si hacemos eso, solamente estamos enmascarando la incomodidad y agregándole más estimulación --más estrés--- a nuestros cuerpos.

Así como las circunstancias y estilos de vida difieren ampliamente, también difieren los grados en los cuales las personas encuentran estresantes a eventos y situaciones. Lo que a tu vecino le causa miedo y le hace sentirse abrumado, puede que no te afecte a ti de la misma manera. Aún así, todos nosotros tenemos disparadores y circunstancias las cuales no podemos enfrentar tan bien como quisiéramos. A esto se le llama estrés situacional.

Algunas causas comunes de estrés situacional:

Asuntos relacionados con el trabajo

Inseguridad financiera

Miedo a fallar o a desempeñarse mal

Incertidumbre acerca del futuro

Problemas de salud

Problemas familiares

Problemas en las Relaciones

El tratar con gente negativa

Sentirse impotente

Baja autoestima

Perder algo o a alguien importante

¿PORQUÉ ESTRESARSE CON TANTO ESTRÉS?

Porque los efectos a largo plazo del estrés de forma continua son peligrosos, incluso mortales, para nuestra salud y felicidad.

Como lo ilustra esta incompleta lista de causas comunes de estrés, el estrés situacional se encuentra en todas partes. Está tan generalizado que afecta a nuestras relaciones, a nuestros empleos, y a nuestra capacidad para disfrutar la vida a su máximo. Altos niveles de estrés nos dejan irritables e inclusive enojados con las personas y las circunstancias a nuestro alrededor. Las discusiones familiares y la ira al conducir son dos de los resultados más comunes. Cuando no pensamos de manera clara debido al estrés, no somos eficientes y cometemos más errores, los cuales solamente van a incrementar nuestro nivel de aflicción. Con el tiempo, nuestros niveles de estrés llegan a un punto en el cual nuestros sistemas inmunes se encuentran comprometidos y con ello estamos más susceptibles de enfermarnos.

Cuando hay estrés situacional, con el tiempo, crea un cierto nivel de estrés fisiológico. Y este es el estrés fisiológico que causa la mayoría de todos los padecimientos y enfermedades, como ya lo supiste en la Parte Uno, en Los Siete Secretos. El estrés anula importantes funciones en nuestras células y, con el tiempo, nuestra salud sufre.

Como hemos visto, el ataque o la huida es una respuesta necesaria para salvar nuestras vidas en las emergencias, pero este estado de alarma física no debiera de mantenerse más allá del tiempo que es necesario. El problema es que la persona promedio se encuentra en ataque o huida por largos periodos de tiempo. Cuando esto sucede, tiene un resultado inevitable: eventualmente algo se rompe y se manifiesta como un síntoma. Cuando tenemos varios síntomas, llamamos a esto una enfermedad.

EL ESTRÉS NO ALIVIADO ES EL ASUNTO

Anteriormente nos referimos a la teoría del "barril de estrés" acuñada por la Dra. Doris Rapp, quien es considerada por muchas personas como la mejor alergóloga del mundo. Mientras de que nuestro barril no esté lleno, podemos soportar el que nuevos estresantes entren a nuestras vidas o a nuestros cuerpos y tratar con ellos bastante efectivamente, para que así no nos afecten de manera negativa. Una vez que el barril se desborda, nuestra área física más débil se estropea de alguna manera. Una alergia o una enfermedad son simplemente el sitio donde un área débil se estropeó bajo la presión denominada estrés.

En su libro, La Única Causa y Cura para Cualquier Reto de Salud, el Dr. Ray Gebauer, describe un estudio espectacular acerca de los efectos del estrés no aliviado sobre los ratones:

"Cuando los ratones son colocados en una reja eléctrica y se les dan descargas eléctricas muy leves, permanecen sin ser afectados mientras que se les de el tiempo suficiente para recuperarse del estrés de las descargas. Pero si estas leves descargas son demasiado frecuentes, los ratones no son capaces de recuperarse de este estrés dañino, y mueren de senilidad en unos cuantos días. Aunque cada descarga eléctrica por si misma no era dañina, el efecto acumulativo del estrés frecuente sin el tiempo suficiente para recuperarse hace que el cuerpo se dé por vencido y muera".

Las implicaciones de este estudio, para las personas son muy claras:

Cuando no tenemos el tiempo suficiente para recuperarnos de cada evento estresante antes de que llegue el siguiente, nuestras células permanecen cerradas, nuestros cuerpos envejecen, y podemos morir antes de cuando nos tocaría.

Algunos efectos comunes del estrés situacional excesivo:

Insomnio
Tensión y ansiedad
Pensamiento confuso
Acciones ineficientes
Más errores
Irritabilidad
Enojo
Depresión leve
Hipertensión arterial
Enfermedades cardiovasculares
Úlceras
Alergias
Asma
Dolores de cabeza por migraña
Envejecimiento prematuro

Necesitamos una manera de aliviar el estrés situacional mientras que va apareciendo a lo largo del día, de una manera simple, rápida, y sin que ello interfiera con nuestros horarios ya saturados.

HERRAMIENTAS PARA EL ESTRÉS SITUACIONAL

A lo largo de los años, se han desarrollado diversas herramientas efectivas para ayudar a la gente a tratar con el estrés situacional. Están los abordajes físicos, tales como el ejercicio aeróbico vigoroso que promueve cambios cardiovasculares; técnicas de respiración profunda; y la medicina energética. Todas se han comprobado que alivian al estrés situacional. Los abordajes no físicos para el manejo del estrés situacional también se han comprobado que son efectivos, principalmente la oración y la meditación. Probablemente el 99 por ciento del material de auto-ayuda disponible se enfoca en un abordaje físico o no físico. Raramente se ofrece alguna combinación.

No obstante, el sencillo ejercicio que estás a punto de aprender combina todos los elementos que están comprobados de la reducción del estrés --físicos y no físicos-- en un solo ejercicio poderoso. Lo llamamos el Impacto Instantáneo. Y sí, ¡toma únicamente 10 segundos el hacerlo!

El Impacto instantáneo combina, por primera vez, los abordajes que más reducen el estrés físico y no físico conocidos hasta el día de hoy. En solo 10 segundos puedes sentirte tan bien como te sentirías después de hacer 30 a 60 minutos de ejercicio vigoroso, de respiración profunda, o de meditación.

Usa el Impacto Instantáneo cada vez que tengas una baja en tu energía, o que te sientas estresado a lo largo de tu día. Este interrumpirá la respuesta al estrés, para que así tu cuerpo no almacene más estrés, sino que se deshaga de él y mantenerte así en balance.

Para aquellos de ustedes que les guste "poner manos a la obra", aquí está el como se hace el Impacto Instantáneo.

Después de eso, explicaremos el porque una técnica tan simple y breve es tan poderosa.

COMO HACER EL IMPACTO INSTANTÁNEO, PASO A PASO

El Impacto Instantáneo está diseñado para que solamente lleve 10 segundos el hacerlo, aunque por supuesto, siempre puedes hacer más tiempo. La mayoría de las personas sienten los resultados en 10 segundos. Recomendamos que lo hagas cada vez que lo requieras, pero al menos tres veces al día.

Aquí están los pasos.

1. **Califica tu estrés.** Cuando comiences a usar el Impacto Instantáneo, enfócate en el nivel de estrés en general que estás sintiendo en ese día o en ese momento. ¿Qué tan intenso es? ¿Qué tan fuerte es? ¿Cuánto te está afectando la manera en que te sientes? ¿en la manera en la cual te relacionas con otras personas? ¿en la manera en que ves al mundo? ¿Lo sientes en alguna parte de tu cuerpo?

   Te pedimos que califiques tu estrés en una escala del 0 al 10, siendo el 0 nada de estrés en absoluto, y 10 siendo un nivel de estrés insoportable. Esta es una herramienta extremadamente útil para ti. Cuando calificas tu nivel de estrés antes y después de que hagas el Impacto Instantáneo, cuentas con una medida para tu éxito al reducir ese nivel. Sabrás si tienes que hacerlo de nuevo para disminuir todavía más tu nivel. Sabrás cuando el nivel de estrés general comience a disminuir después de practicar el Impacto Instantáneo por un tiempo.

2. **Coloca las palmas de tus manos juntas, en cualquier posición que te sea cómoda.** Puedes entrelazar los dedos, usar una posición de oración, o cualquier otra posición --mientras de que estén juntas tus palmas.

3. **Enfócate en el estrés que quieres que sea alejado de tu cuerpo ---ya sea físico, emocional o espiritual.**

4. **Haz una Respiración de Poder durante 10 segundos:**

- Haz unas "respiraciones abdominales" rápidas y poderosas, inhalando y exhalando. Hazlo mientras metes y sacas con fuerza el aire por tu boca. Usa tu diafragma para que así tu abdomen salga al inspirar y se meta cuando espiras. Si te sientes un poquito mareado, respira de la misma manera, solo que ahora reduce la intensidad.

- Mientras haces la Respiración de Poder, visualiza algo positivo. Puede ser algo así como el estrés abandonando tu cuerpo, o una escena tranquila, o cualquier cosa que quieras que sea, siempre algo opuesto al estrés. Por ejemplo, si estás sintiendo enojo, podrías visualizar o decir en tu mente, paciencia. O paz. Esta es la parte de la "meditación" del ejercicio.

Te sugerimos que practiques esto tres veces al día. Aún si lo haces solo una vez al día, verás resultados. No obstante, recomendamos mucho el practicar este ejercicio tres o inclusive cuatro veces o más al día si es que deseas el reducir rápidamente tu estrés inmediato y disminuir tus niveles de estrés en general. Después de todo, toma únicamente unos cuantos segundos el hacerlo cada vez, a pesar de eso, ¡que diferencia vas a sentir!

Puede que te estés preguntando, cómo un ejercicio tan simple, rápido, y fácil puede remover el estrés y producir los efectos de muchos más minutos de ejercicio intenso o de meditación. Aquí está el cómo y el porqué es que funciona.

EL PODER DE LA RESPIRACIÓN.

El Impacto Instantáneo utiliza una técnica de respiración llamada Respiración de Poder. Es la Respiración de Poder del Impacto Instantáneo la que te permite interrumpir el ciclo del estrés y sentirte de manera similar a como lo harías luego de 20 minutos de ejercicio vigoroso y meditación combinados, en unos cuantos segundos.

La Ley física de la Inercia dice que nada cambia a menos de que se aplique sobre ella una energía suficiente, y la

Respiración de Poder crea un tremendo poder fisiológico interno. La Respiración de Poder agrega una gran fuerza a este proceso --un abastecimiento de oxígeno de alta energía y esfuerzo físico. Tal como el aire es una fuente primaria de poder en el mundo, nuestra respiración es nuestra fuente personal del poder del aire.

Si practicaste únicamente la Respiración de Poder, probablemente te has sentido más vigorizado y relajado. Tu humor probablemente es más alegre también. Es una técnica efectiva en y por si misma, y es el elemento que hace del Impacto Instantáneo algo tan rápido y tan profundo.

La Respiración de Poder trata una de los efectos del estrés: la respiración superficial. El respirar superficialmente de manera habitual es un signo común de estrés crónico. La respiración superficial comienza con incidentes específicos que nos asustan o nos alarman, y termina volviéndose un hábito. La respiración superficial crónica es como vivir en un estado de aprensión constante.

En Respiración Consciente, el Dr. Gay Hendricks dice, "Cuando una emoción es muy dolorosa, nuestra primera reacción es el dejar de respirar. Es un reflejo de protección de ataque o huida, disparado por el sistema nervioso. Inmediatamente después, eres anegado con adrenalina, y el sistema nervioso simpático, el cual controla la circulación sanguínea, entra en acción, haciendo que tu corazón lata más rápido y que tu respiración sea más rápida". Una respiración superficial, rápida es lo sobrante de esta respuesta. Algunas personas también aguantan su respiración cuando están haciendo tareas inclusive pequeñas.Toda respiración superficial reduce la cantidad de oxígeno que tomamos y la cantidad de dióxido de carbono que expulsamos, y esto conduce a estrés a nivel celular.

Enfocarse en la respiración varias veces al día te enseñará a ser más consciente de tu respiración. Las respiraciones abdominales de la Respiración de Poder le muestran a tu cuerpo lo que se siente al respirar completa y profundamente. Tú naturalmente respirarás más profundamente cuando te enfoques en soltar el estrés o en sentir paz. Cuando continúes practicando el Impacto Instantáneo, empezarás a respirar más profundamente entre las sesiones. A tus pulmones les gustará la sensación de la respiración profunda, ya que es más natural y saludable. El Impacto Instantáneo incrementará de manera gradual tu volumen pulmonar, un factor que promueve la salud y que de manera potencial incrementa la esperanza de vida.

Ya en 1981, la revista Science News informó de los hallazgos del Instituto Nacional del Envejecimiento acerca de la función pulmonar y la longevidad. Un estudio clínico de 30 años, con 5,200 sujetos, mostró que la función pulmonar de una persona es un indicador confiable de la salud general y del vigor, y es también la medida primaria de la esperanza de vida potencial de una persona. Una medición de la función pulmonar puede identificar a personas que morirán en 10, 20, o 30 años.

Cuando hagas el Impacto Instantáneo, vas a estar más relajado, y los músculos que controlan o inhiben tu respiración permitirán esas inhalaciones y exhalaciones profundas para las cuales está diseñado tu organismo.

Muy pronto, encontrarás que estás más consciente de cuando no estés respirando profundamente. Esta será una señal de que estás sintiendo estrés y que necesitas un descanso para el Impacto Instantáneo.

Con el uso regular, el Impacto Instantáneo también:

Estimula al sistema cardiovascular.

Incrementa el consumo de oxígeno.

Desintoxica del dióxido de carbono al sistema.

Estimula al sistema inmune al incrementar la energía en el sistema endocrino.

Mejora el funcionamiento del sistema linfático.

MEDITACIÓN

Cuando haces el Impacto Instantáneo, hay un aspecto sencillo de "meditación" mientras te enfocas en que el estrés está dejando tu cuerpo. Combinar la Respiración de Poder con la Intención Enfocada --concentrándote en el estrés abandonando tu cuerpo-- es parte de la razón por la cual el Impacto Instantáneo se mantiene durante varias horas. Estás utilizando la fuerza de tu respiración para reforzar tu intención e inculcarla en tu mente y en tu cuerpo.

Estudio tras estudio han comprobado y siguen comprobando que la meditación reduce el estrés e incrementa la salud fisiológica y psicológica. Se está llegando a convertir en un hecho médico aceptado que la meditación mejora e incrementa el bienestar de una persona en general. Aunque el proceso no es muy bien entendido, las investigaciones muestran que la meditación lleva el patrón de ondas cerebrales hacia un estado alfa, el cual es un nivel de consciencia relajada y tranquila que promueve la curación. También muestran que los niveles en sangre de hormonas y otros componentes bioquímicos los cuales muestran la presencia del estrés, generalmente disminuyen con la práctica regular de la meditación. A lo largo de todos los Estados Unidos, y alrededor del mundo, miles y miles de doctores, asesores psicológicos, y terapeutas, recomiendan varias técnicas de meditación a sus clientes, como parte de su curación y como una práctica diaria regular. Puede ser algo que cause sorpresa el enterarse de que la profesión médica --generalmente tan conservadora-- recomiende una práctica la cual la gente piensa que es algo espiritual. Es cierto que la definición principal de la meditación es que es una forma de contemplación espiritual. Usando varias técnicas, las personas han utilizado la meditación por miles de años como un vehículo para elevar su nivel de conciencia espiritual.

Pero la meditación no debe de tener un objetivo espiritual en lo absoluto. Todo el objetivo de la meditación puede ser simplemente el cambiar a tu cerebro de una modalidad de estrés a una modalidad de paz. El Impacto Instantáneo incorpora la meditación al inducir una "respuesta de relajación" muy bien documentada, la cual estimula ciertas áreas del cerebro.

Un estudio llevado a cabo por el Dr. Jon Kabat-Zinn, neurocientífico de la Escuela de Medicina de la Universidad de Massachusetts, encontró que la meditación cambia la actividad cerebral de una persona desde la corteza frontal derecha, la cual es más activa cuando una persona tiene estrés, hacia la corteza frontal izquierda, la cual es más activa cuando una persona está calmada. Este cambio disminuye los efectos negativos no solamente del estrés, sino también de la ansiedad y de la depresión leves.

Estudios por el Dr. Adrian White de la Universidad de Exeter arrojaron resultados similares cuando demostró que las personas que meditan tienen una actividad eléctrica incrementada en el área de la corteza frontal, lo cual indica que estaban en un estado emocional más positivo y sintiendo menos ansiedad. La meditación también reduce la cantidad de actividad en la amígdala, que es el sitio del cerebro en el cual se procesa el miedo.

En otras palabras, la meditación literalmente mueve nuestro enfoque desde el miedo y la ansiedad hacia la paz. Mientras haces el Impacto Instantáneo y visualizas a tu estrés abandonando tu cuerpo, o alguna escena tranquila, cambias las ondas de tu cerebro del estrés a la paz.

MEDICINA ENERGÉTICA: USANDO LAS MANOS

Como has aprendido con El Código Curativo, hay poder curativo en las manos. Cuando juntas las palmas de tus manos estás utilizando la energía de tus manos para apaciguar el estrés. De nuevo, es una técnica muy simple pero muy poderosa que potencia la reducción de estrés en general.

EL IMPACTO INSTANTÁNEO Y EL CÓDIGO CURATIVO TRABAJAN JUNTOS

Hay algunas situaciones estresantes que son tan complejas y que disparan tantas emociones negativas que el hacer el Impacto Instantáneo solamente alivia el estrés de manera muy breve. Se requiere de El Código Curativo para llegar hasta las memorias celulares y las creencias negativas que están abasteciendo de combustible a la respuesta hacia una situación como esta.

De igual forma, hay ocasiones cuando El Código Curativo no alivie el estrés del momento a momento de la vida diaria. Este estrés consciente o incluso miedo, hace más difícil el que El Código Curativo funcione. Hace más difícil el que nos relajemos y permitirle hacer su trabajo. ¡En primer lugar, hace más difícil el hacerlo! Cuando limpiamos el estrés circunstancial, parece que ello prepara el camino para hacer El Código Curativo. Es más fácil de hacer casi cualquier cosa cuando se usa el Impacto Instantáneo. En solo 10 segundos, remueve un alto porcentaje de la resistencia a la curación.

El Código Curativo trabaja de manera más rápida y mejor cuando no estamos batallando con el estrés circunstancial al mismo tiempo. En otras palabras, El Código Curativo hace cosas diferentes pero complementarias al Impacto Instantáneo. Necesitas de ambas para alcanzar la salud óptima.

Te recomendamos el que hagas El Código Curativo tres veces al día y que "Tomes 10" con el Impacto Instantáneo tres veces al día. Eso suma la cantidad de dieciocho minutos y medio al día, una pequeña inversión con grandes resultados en tu salud, tus relaciones y tu éxito.

Ahora tienes las herramientas para vértelas con el estrés a nivel celular y circunstancial. Tan maravillosas y tan útiles como estas son, para eliminar el estrés desde su raíz, creemos que existen otros componentes de una vida saludable, equilibrada.

VIVIENDO UNA VIDA BALANCEDA, BENDITA

Aquí hay unas cuantas sugerencias importantes en términos de vivir una vida equilibrada, saludable (de mente, cuerpo, y espíritu) y satisfactoria --el tipo de vida bendita que todos anhelamos.

Espíritu. El primer y más importante componente de una vida saludable es el desarrollar una relación personal con Dios. De hecho, creemos que si curas tu vida pero no desarrollas una relación de amor con el Creador, nunca tendrás aquello que más necesitas --amor incondicional. Así que te animaríamos a que busques a Dios y al abundante amor de Dios por encima de todo lo demás. El Código Curativo puede curarte física y emocionalmente, puede ayudarte a llegar a ser más exitoso en términos de esta vida. Pero no hace nada para tu destino eterno, y ese es el más importante de todos. Así que te instamos a que no desatiendas este paso.[22]

Estilo de vida. Necesitas desarrollar un estilo de vida saludable además de hacer El Código Curativo y el Impacto Instantáneo. Hay muchas maneras de sentido común de mantener tu salud y tu curación. Estas incluyen el comer alimentos nutritivos, limitar los no saludables, beber mucha agua limpia, respirar aire limpio, tomar vitaminas y minerales, hacer ejercicio y mucho descanso, pasar tiempo con la gente que amas, y muchas, muchas otras. En absoluto puedes vivir una vida saludable equilibrada y descuidar estos factores, así que por favor, no lo hagas.

Bajo estrés, la hidratación y la respiración se afectan. La deshidratación es el contribuyente físico más común para el estrés fisiológico, seguido de una oxigenación insuficiente. El simple hecho de beber de seis a ocho vasos de agua al día, y de asegurarte de respirar profunda y completamente puede mejorar tu memoria y tus niveles de energía, y disminuir la fatiga y los malestares y dolores en general. Su importancia en la salud y en la curación no pueden ser suficientemente enfatizadas. El uso regular de la Respiración de Poder y el

22 Para más información acerca del Sistema de Los Códigos Curativos, vea la p. 292 o visite www.thehealingcodesbook.com.

Impacto Instantáneo mejorarán los niveles de oxígeno en tu sangre.

El Conflicto Consciente. Como se mencionó anteriormente, el conflicto consciente es cuando estás continuamente viviendo algo en lo cual no crees. Es la causa primaria que se ha encontrado que retrasa la curación, ya que ello crea un estrés constante. Si no estás logrando los resultados que quisieras con el Impacto Instantáneo o con El Código Curativo, checa tu corazón de manera honesta en busca de conflicto consciente. Trata con los asuntos tan pronto como seas consciente de ellos. Permite que ese sea el foco de tu trabajo con El Código Curativo.

Diálogo Interno. Esto es lo que llamamos el "plantar semillas podridas". El Dr. Neil Warren, en su libro Usted Puede Amar Su Vida, cita una investigación en la que se muestra que la persona promedio tiene hasta 1,300 palabras de diálogo interno por minuto. Estas palabras del diálogo interno son las pinceladas que dibujan las imágenes en nuestros corazones. Estos pensamientos son semillas que plantamos en nuestros corazones, las cuales crecen y producen fruto.

Si tú de manera constante estás sembrando nuevas imágenes y creencias destructivas mientras haces El Código Curativo o el Impacto Instantáneo, obviamente estás "llenando el barril" y contrarrestando los efectos curativos. De manera consciente piensa y enfócate en la verdad, el amor, y el respeto por ti mismo y por otros, y cualquier otra cosa que sea útil y curativa. ¿Disfrutarás de lo que siembras hoy, cuando crezca y rinda frutos? Si la respuesta es no, ¡comienza a sembrar buenas semillas ahora mismo! Esto es vital para el éxito a largo plazo.

NUESTRO RETO Y NUESTRA PETICIÓN

En este libro hicimos algunas promesas muy audaces.

Dijimos que una técnica sencilla, la cual podías aprender en 5 minutos y hacer en 6 minutos, puede curar el origen de cualquier asunto de salud, de las relaciones o del éxito/desempeño que pudieras tener.

Dijimos que un ejercicio de respiración/meditación de 10 segundos puede hacerte sentir tan bien como si hubieras hecho ejercicio y/o meditado durante 20 minutos.

Así que te retamos: ¡Demuestra que estamos equivocados!

Anda y ve, y realiza los ejercicios de manera regular. Para El Código Curativo, un mínimo de 6 minutos al día, dos a tres veces al día. Esa es tu receta.

Para tratar con el estrés situacional, haz el Impacto Instantáneo como se requiera, tres o cuatro veces al día.

Si ello realmente no funciona para ti, ¡escríbenos! (Y si sí funciona para ti, escríbenos también. Nos encantará escuchar tu historia.)

La única manera en la cual estas técnicas no funcionan es el que no las hagas para nada.

Habiendo dicho eso, si estás haciendo el Código y te sientes atascado, o si quieres resultados más rápidos, existe otro nivel, el sistema de Los Códigos Curativos, el cual tiende a ser más poderoso debido a que es más específico para asuntos particulares. Puedes encontrar más acerca de esto en la página 292. Y cuando registres tu libro en **www.thehealingcodebook.com**, también puedes obtener más información acerca de todo el sistema.

Pero con lo que ya cuentas ahora --El Código Curativo, acceso al Buscador de los Asuntos del Corazón, y el Impacto Instantáneo-- te equiparán para ocuparte de los asuntos del corazón y con el estrés circunstancial por el resto de tu vida.

Escucha, si oyeras acerca de una pastilla que curará cualquier síntoma físico que tengas ... que mejorará tus relaciones ... que eliminaría cualesquier bloqueos para el éxito para que así puedas disfrutar todo lo que el éxito signifique para ti ...

Y si dijeramos que cada vez que necesitaras esto, para ti mismo o tu familia o tus amigos, lo enviaríamos, sin costo ...

¿No ordenarías un frasco ahora mismo? ¿No ordenarías algunos para tus amigos, familiares y colegas?

Bueno, pues lo sentimos --¡esto no es una pastilla! Si lo fuera, probablemente tendríamos un producto de un billón de dólares en nuestras manos. (Eso nos ha dicho la gente.)

Pedimos una disculpa de que no podamos enviarte una pastilla. Más bien, te hemos vendido un libro. Mera información. Pero información a la cual puedes recurrir para ti mismo, tu familia, tus amigos. Dos sencillas técnicas que sin duda ya has aprendido para ahora, las cuales puedes usarlas para curar cualquier asunto del corazón, por el resto de tu vida.

Nuestro reto para ti es el que nos pruebes que estamos equivocados.

Nuestra petición es el que uses estas herramientas (aunque no se encuentren en forma de pastilla ☺).

Y una cosa más ....

¡COMPÁRTELO!

Para nosotros dos, Los Códigos Curativos son mucho más que un negocio. Como los Blues Brothers alguna vez dijeron, "¡Estamos en una misión de Dios"!.

Queremos ver llevar curación al mundo. Esa es la razón de porqué hemos escrito este libro. Por favor, después de que lo hayas leído, y que sepas cómo hacer el Código, el Impacto Instantáneo y en dónde acceder al Buscador de los Asuntos del Corazón, préstale este libro a alguien más que lo necesite. Enséñale las técnicas a un amigo a la hora de la comida. ¡Si el Código Curativo y el Impacto Instantáneo te han ayudado, cuéntales a otros de esto!

Ayúdanos a propagar curación en el mundo. ¡Dios sabe que todos la necesitamos!

¡Que pueda Dios bendecirte y guiarte en tu viaje de curación!

PROFUNDIZANDO ...

Unas Palabras acerca de Nosotros y de Nuestra Filosofía

Hemos estado en docenas y docenas de seminarios, conferencias y talleres a lo largo de los años. Hemos leído cientos de libros en la facultad, en programas de entrenamiento, y por simple diversión. Siempre apreciamos inmensamente cuando los presentadores comparten aquello en lo que creen, especialmente con respecto a su espiritualidad y sus visiones del mundo.

Pensamos que podrías apreciar el saber eso acerca de nosotros. En pocas palabras, somos seguidores de Jesús. Creemos en un solo Dios, en su hijo Jesús, y en su Espíritu Santo que vive en nosotros, y en su palabra escrita, la Biblia. Creemos que Dios es el único ser en el universo que es incapaz de algo excepto amar, porque él es amor. Creemos que Dios sabe y le importa cada una de las lágrimas que derrama cada persona sobre la tierra.

Yo (Alex) crecí siendo enseñado que Dios era vil, vengativo y egoísta ... al menos eso es lo que recuerdo. Me llevó muchos años el superar mi crianza religiosa. Y eventualmente llegué a darme cuenta de que la Biblia no representa a Dios de la manera en la cual me habían enseñado en mi crianza religiosa. La Biblia es una carta de amor. Contiene qué hacer y qué no hacer, pero también es así con el libro de instrucciones para mi reproductor de DVD. Los qué hacer y qué no hacer son instrucciones amorosas del Creador acerca de como vivir en el amor, el gozo y la paz.

Creemos que Dios llama a los individuos a realizar ciertas tareas para propagar su amor. Para nosotros, lo que estamos haciendo no es un negocio principalmente, sino una misión. Creemos que Dios nos ha llamado a la misión de ayudar a la gente herida por medio del amor. Algo de esto puede llevarse a cabo por medio de estos maravillosos métodos de curación que vendemos.

Algo de nuestra misión puede realizarse al donar dinero generado por estos productos a los programas con una misión similar a la nuestra.

Actualmente, nuestra beneficencia principal es un programa en Sudamérica para los niños de la calle de entre dos y doce años de edad. Son sacados de las calles, se les da un hogar, se les alimenta, se les viste, y se les enseña acerca del amor de Dios, y también se les enseña un oficio. En pocas palabras, se les devuelven sus vidas.

Así, en una cuantas palabras, eso es en lo que creemos. Si te gustaría saber más acerca de nuestras creencias, siéntete con la libertad de contactarnos en **www.thehealingcodebook.com**. Si quisieras más información acerca de cómo puedes ayudar a los niños de la calle, estaremos contentos en decírtelo.

¡Gracias y que Dios te bendiga!

Alex Loyd y Ben Johnson

Registra Tu Libro y Obtén Tus Bonos de Regalo ...

Recuerda que cuando registras tu libro al ir a **www.thehealingcodebook.com**, obtendrás varios bonos que harán de este libro algo aún más valioso para ti. Necesitarás tener el libro a la mano para registrarlo.

Aquí hay un resumen de a lo que podrás tener acceso una vez que lo registres:

- Acceso instantáneo al Buscador de los Asuntos del Corazón, la única evaluación en su tipo en el mundo, que identifica tus asuntos de raíz y que te ofrece un informe personalizado de 10 a 15 páginas determinando con todo detalle los asuntos que puedes tratar usando El Código Curativo (valor $99 dólares)
- Un video del evento en vivo en el cual el Dr. Alex Loyd y el Dr. Ben Johnson revelaron "Los Siete Secretos de la Vida, la Salud y la Prosperidad" sobre la cual se basa una porción de este libro.
- Ediciones mensuales del boletín "Las Leyes Espirituales Secretas de la Naturaleza", del Dr. Alex Loyd, enviadas por vía e-mail, durante todo un año.
- La forma de Seguimiento Personal que puedes utilizar para mantener registros de tu viaje curativo.
- Muestras de los Enunciados de Enfoque en la Verdad para las Doce Categorías, para ayudarte a hacer El Código Curativo.
- Invitaciones para teleseminarios, noticias de avances de investigaciones, y más. Se te informará cuando más bonos sean agregados.

Esperamos que "mantendrás el diálogo" registrando tu libro, al enviarnos tus historias, y al ingresar en la página **www.thehealingcodebook.com** para mantenerte al día con todo lo que está sucediendo ahí.

Más acerca de Los Códigos Curativos®

Ahora que tienes El Código Curativo y que entiendes el cómo y el porqué funciona, puede que tengas curiosidad acerca de algo a lo que nos hemos estado refiriendo a lo largo de este libro, un sistema más grande que está detrás de El Código Curativo.

Como se mencionó en el Capítulo Once, uno de los elementos clave de Los Códigos Curativos son las Doce Categorías. Lo que obtienes en el paquete de Los Códigos Curativos es un simple y sencillo programa de ejercicios los cuales tratan cada posible problema, y asunto de memoria celular en tu vida, ya sea que tengas un problema con ello o no. Después de limpiar muchos asuntos básicos de tu corazón con los "12 Días para una Vida Cambiada", puedes dirigirte a la Tabla de Referencia de Problemas en la parte posterior del Manual de Los Códigos Curativos para encontrar el problema que más te esté molestando. Esta te referirá a la sección del Manual en la cual encontrarás los Códigos Curativos adecuados para ese problema en particular.

Para saber más acerca del sistema de Los Códigos Curativos, asegúrate de registrar tu libro en www.thehealingcodebook.com. Y así serás capaz de acceder a más información.

Índice

Acerca de los Autores

El Dr. Alex Loyd es un ministro ordenado, y trabajó durante diez años en el ministerio, de tiempo completo, antes de obtener sus doctorados en medicina nauropática y en psicología. Durante varios años, el Dr. Loyd tuvo una exitosa práctica privada en la asesoría psicológica, y posteriormente en las terapias alternativas. Durante doce años, el Dr. Loyd viajó por todo el mundo en busca de la curación la depresión clínica de su esposa Tracey. La investigación del Dr. Loyd le condujo a varias técnicas que podían eliminar los síntomas de la depresión y de otros padecimientos, pero no ofrecían una curación consistente, permanente. El Dr. Loyd entonces se volcó en el estudio de la energía y de la física cuántica.

En la primavera del año 2001, el Dr. Loyd descubrió un sencillo mecanismo físico que elimina el estrés del organismo por medio de curar su origen, el cual para su asombro y deleite, curó la depresión de Tracey de manera rápida. Durante el año y medio siguientes, el Dr. Loyd validó este mecanismo por medio de las pruebas de Variabilidad de la Frecuencia Cardíaca: la principal prueba diagnóstica de la corriente médica principal para medir el estrés en el sistema nervioso autónomo. En el 86 por ciento de los casos, el estrés virtualmente fue eliminado del organismo a los 20 minutos. Previo a la investigación del Dr. Loyd, seis semanas eran el mínimo de tiempo de cualquier modalidad que se haya documentado que equilibraran consistentemente al sistema nervioso autónomo, según la literatura disponible en los últimos treinta años.

Basándose en su descubrimiento, el Dr. Loyd fundó Los Códigos Curativos®, una compañía dedicada a la curación natural a lo largo y ancho del mundo. Hasta la fecha, miles de clientes en 50 estados y en 90 países han informado de curaciones de padecimientos y enfermedades por medio de activar el mecanismo de liberación del organismo del estrés con Los Códigos Curativos. El procedimiento no es invasivo, no hay que tomar nada, y no involucra dieta ni ejercicios. El Dr. Loyd ha entrenado a más de 200 coaches quienes trabajan con clientes vía telefónica, guiándolos por este sencillo y natural procedimiento.

El Dr. Loyd vive con su esposa, Hope Tracey (Hope significa Esperanza), y con sus dos hijos, Harry y George, en Tennessee.

El Dr. Ben Johnson reside en Georgia, con su esposa y siete hijos. Él es un médico complementario y de medicina alternativa. Fue el director clínico de la Clínica de Recuperación Inmune en Atlanta, Georgia, durante varios años, renunciando en Octubre del 2004 para trabajar de tiempo completo con Los Códigos Curativos, posteriormente a que Los Códigos Curativos lo curaron de la enfermedad de Lou Gehrig. Nunca antes él había experimentado alguna terapia la cual le permitiera al sistema nervioso autónomo el normalizarse en cuestión de minutos, permitiéndole al cuerpo el comenzar el proceso curativo que fue diseñado para llevar a cabo. Ahora, él ofrece conferencias alrededor del mundo acerca de Los Códigos Curativos y cómo es que funcionan, y fue el único médico en aparecer en el popular DVD, El Secreto.

El Dr. Johnson prestó sus servicios en las fuerzas armadas durante la guerra de Vietnam, y fue un cirujano de vuelo en las reservas Armadas durante muchos años. También era un Examinador Médico En Jefe de la Aviación para las Fuerzas Armadas de Estados Unidos, durante doce años. Su principal área de interés es el cáncer, y pasa la mayor parte de su tiempo en la investigación y en el diseño de protocolos para pacientes con cáncer. El Dr. Johnson obtuvo su primer grado médico como un DO de la Universidad de Ciencias de la Salud, en Kansas City, Missouri; su siguiente grado de médico lo obtuvo de la Universidad de las Artes, Ciencia y Tecnología, en Montserrat, West Indies, y su grado de NMD de la Escuela de Naturopatía de los Estados Unidos, en Washington, DC.

Él es el Director General de Biopharmika, Inc. En su tiempo libre, el Dr. Johnson es piloto de helicópteros y de aviones de ala fija.

¿Necesitas un ponente?

¿Te gustaría que el Dr. Alex Loyd hablara para tu grupo o evento? Entonces contacta a Larry Davis al: (623) 337-8710 o por email: ldavis@intermediapr.com o utiliza el formulario de contacto en: www.intermediapr.com.

Si deseas comprar copias a granel de El Código Curativo o comprar otro libro para un amigo, obtenlo ahora en: www.imprbooks.com.

Si tienes un libro que te gustaría publicar, contacta a Terry Whalin, Editor, en Intermedia Publishing Group, (623) 337-8710 o por email: twhalin@intermediapub.com o utiliza el formulario de contacto en: www.intermediapub.com.